Quando o passado é mais forte

Quando o passado é mais forte

pelo espírito
Saulo

psicografia de
Maurício de Castro

LÚMEN
EDITORIAL

Quando o passado é mais forte

pelo espírito Saulo
psicografia de Maurício de Castro

1ª edição – março de 2014
Direção editorial: Celso Maiellari
Direção comercial: Ricardo Carrijo
Coordenação editorial: Sandra Regina Fernandes
Preparação de originais: Fernanda Rizzo Sanchez
Revisão: Roberta Oliveira Stracieiri
Projeto gráfico e arte da capa: Vivá Comunicare
Impressão e acabamento: Yangraf Gráfica

DADOS INTERNACIONAIS DE CATALOGAÇÃO NA PUBLICAÇÃO (CIP)
(CÂMARA BRASILEIRA DO LIVRO, SP, BRASIL)

Saulo (Espírito).
Quando o passado é mais forte/pelo espirito Saulo; psicografia de Maurício de Castro. -- São Paulo: Lúmen Editorial, 2014.

ISBN 978-85-7813-143-2

1. Espiritismo 2. Psicografia 3. Romance espírita I. Castro, Maurício de. II. Título.

14-01210 CDD-133.93

Índices para catálogo sistemático:
1. Romances espíritas psicografados: Espiritismo 133.93

LÚMEN EDITORIAL

Rua Javari, 668 - São Paulo – SP • CEP 03112-100 • Tel./Fax (0xx11) 3207-1353
visite nosso site: www.lumeneditorial.com.br
fale com a Lúmen: atendimento@lumeneditorial.com.br
departamento de vendas: comercial@lumeneditorial.com.br
contato editorial: editorial@lumeneditorial.com.br
siga-nos nas redes sociais:
twitter: @lumeneditorial
facebook.com/lumen.editorial1

2014

Impresso no Brasil – Printed in Brazil

Dedicatória

Dedico este livo, com muito amor, à minha mãe
Dalva Adelina Carneiro, ao meu filho Denner Evair
e ao amigo do coração Fabiano Leão.

Sumário

Prólogo

Naquela manhã, a névoa encobria todo o campo. Uma chuva fina caía sem trégua, e o ar estava gelado. Poucos se atreviam a sair de casa e do aconchego da lareira e das cobertas. As aves se recolhiam em seus ninhos e os animais buscavam abrigo, aquecendo o corpo colados uns aos outros.

Tudo estava quieto, e o vento frio soprava; uma coreografia incessante nas copas das árvores criava um cenário belo, mas ao mesmo tempo assustador.

Era uma área rural, de grandes e pequenas propriedades, todas distantes umas das outras, a algumas léguas do vilarejo onde existia o comércio mais próximo. Uma região em que as pessoas se cumprimentavam ao se cruzarem na estrada, mas pouco se visitavam.

Nada se ouvia, até que o som de um cavalo se aproximando numa cavalgada urgente quebrou o silêncio inquietante. Próximo a uma clareira, o cavaleiro puxou abruptamente as rédeas do cavalo exausto, fazendo-o empinar e, muito agitado, dar um giro nervoso, até que finalmente parou para que o homem que o conduzia desmontasse em um só movimento, caindo em pé ao lado do animal, que logo se afastou para descansar protegido debaixo de uma grande árvore.

O homem estava visivelmente ansioso e buscava por algo que o fazia caminhar de um lado para o outro. Era uma figura imponente. Vestia uma roupa negra, com alguns detalhes dourados, o que lhe conferia um ar elegante e nobre. Levava um florete ao corpo, acomodado em uma bela bainha trabalhada também em dourado e de onde se podia identificar um brasão de família. Era jovem ainda, mas a tensão que marcava seu rosto o fazia parecer bem mais maduro. Isso ficou ainda mais evidente quando ele percebeu que outro cavaleiro se aproximava. Este um pouco mais contido, seu cavalo em um trote quase relutante.

Quando já estavam bem próximos, o segundo cavaleiro parou e desmontou lentamente. Também era jovem e elegante.

Os dois ficaram frente a frente, em silêncio, e seus olhares denunciavam o profundo ódio que os reunira naquele local.

A chuva aumentou, o céu ficou mais escuro e alguns trovões soaram como tambores de uma execução.

Sem dizer uma só palavra, ambos sacaram a arma e, quando o segundo homem estendeu seu florete diante do corpo, um brilho molhado fez reluzir o mesmo brasão.

Assim, iniciaram um duelo de vida e morte, um combate em que sabiam que apenas um deles sobreviveria.

Atacaram-se com fúria e habilidade; o confronto foi exaustivo e longo.

O tempo passou e, aos poucos, ambos começaram a sentir os efeitos da devastadora carga emocional e do esforço físico.

O homem que chegou depois apresentava maior fragilidade a certa altura, e, aproveitando-se disso, o outro, com maestria, acertou-lhe um golpe fatal bem no coração.

Quando o sangue começou a brotar em seu peito, as pernas arquearam e lentamente ele foi caindo, enquanto seu olhar, agora tomado pela dor, buscava uma clemência que não viria de seu algoz, que apenas observava impassível sua vitória.

Só quando o outro tombou à sua frente já sem vida, ele reagiu movido pela gravidade da situação.

Estava exausto e satisfeito por alcançar seu objetivo e o triunfo fazia seu peito se encher de alegria.

Mas ainda tinha de decidir o que fazer antes de usufruir sua conquista. Caminhou um pouco pelos arredores até encontrar o que buscava: um velho poço abandonado.

Dirigiu-se a passos firmes até seu cavalo e pegou uma pá. Sem hesitar, aproximou-se do corpo, tomou-o pelos braços e o arrastou como se fosse uma coisa qualquer, sem a menor importância. Colocou-o ao lado do grande buraco e com o pé arremessou-o para a escuridão. Nesse momento, liberou a energia até então contida, com uma sonora gargalhada.

Em seguida, apoderou-se da pá e começou a cobrir o poço. Cada porção de terra que caía sobre o corpo era acompanhada de alguma expressão de alívio e raiva.

Quando teve certeza de que havia feito um trabalho perfeito, que não deixaria nenhuma pista do que ocorrera ali, foi até o rio próximo e se recompôs, bebendo água e lavando o rosto.

A chuva havia parado, mas o céu permanecia denso e alguns raios rasgavam o céu no horizonte. Muitas tempestades estavam por vir.

Mas nada disso agora o interessava. Apenas pensava que estava livre! Fez exatamente o que queria e devia fazer.

Ninguém poderia imaginar; ninguém jamais saberia. E agora estava tudo acabado. Ele havia vencido! Isso era o justo, pensava ele. Não poderia ser de outra forma. Ele era o melhor, o mais forte, e acabara de provar.

Atirou longe a pá e ficou olhando até que ela submergisse nas águas turvas do rio.

Voltou para perto do cavalo, montou e olhou ao redor. Não havia ninguém. O que aconteceu estaria guardado com ele em total segurança.

Tomou o caminho da estrada e seguiu seu rumo sem olhar para trás, sem remorso, como se apenas tivesse feito uma limpeza de um lixo que o incomodava.

A figura, agora parecendo ainda mais altiva, um vencedor, cavalgava seguro de que enfrentaria todas as batalhas que ainda poderia ter pela frente.

Desapareceu numa curva, sem que sua presença tivesse deixado uma única marca. E o silêncio voltou a reinar indiferente à tragédia e ao corpo inerte que estaria para sempre sepultado naquelas terras.

Capítulo 1 | Surpresas

Sete Lagoas é um grande polo industrial do estado de Minas Gerais e se destaca pelo seu desenvolvimento. A cidade foi fundada na época dos bandeirantes que seguiram para a região em busca de ouro e pedras preciosas. O que encontravam era de propriedade do rei de Portugal, mas em troca dos achados preciosos recebiam títulos de nobreza, muito cobiçados na época.

As fortunas foram construídas e passadas de geração em geração. Os herdeiros buscavam novos caminhos, novas formas de garantir e aumentar o patrimônio familiar. Duas dessas gerações de bem-sucedidos da cidade estavam agora prestes a se unir: os Meirelles e os Fontoura.

André Meirelles, jovem empresário, diretor da indústria de extração de ardósia fundada pelo seu avô. Sempre foi ambicioso, leva os negócios muito a sério e é conhecido pela sua sagacidade no mundo empresarial. Possui porte atlético, é vaidoso e foi, durante muito tempo, o solteiro mais cobiçado da cidade, colecionando pequenos casos e flertes sem grandes envolvimentos. Além de namorador, mantinha uma intensa vida social, gostava de festas e de sair com os amigos. O constante assédio feminino alimentava e engrandecia sua vaidade. Mas quem arrebatou o coração do jovem definitivamente foi a bela Viviane Fontoura, filha do dono de uma das maiores siderúrgicas do país. Moça de atitudes contemporâneas, formada em Psicologia pela melhor universidade de Minas Gerais, mantém um consultório montado com sua melhor amiga da época da faculdade. É responsável, e embora tenha crescido habituada ao luxo, possui conduta e hábitos simples, sendo muito admirada por sua postura, bem diferente da afetação e dos excessos cometidos por outras moças em igual condição social.

Talvez tenha sido exatamente esse seu jeito que conquistou o rebelde coração de André. Ele, de fato, apaixonou-se e queria construir, ao lado de Viviane, uma família com sólida estrutura material e emocional.

Mas havia um segredo na vida de André; algo que agora representava um problema para ele, que teria de ser resolvido o quanto antes.

Quando começou a namorar Viviane, André já mantinha um caso secreto havia algum tempo com Lílian, uma *socialite* fútil, que buscava na aventura amorosa algo para combater seus dias entediantes. Lílian era casada com Alfredo Ramos, um advogado famoso pelas causas grandiosas que costumava defender. Mas Alfredo também era conhecido pelos seus métodos nada honestos de enfrentar adversários nos tribunais. Seu mau caráter era assunto velado nas rodas da cidade. Mas ele e a mulher pouco se importavam; o interesse deles era o dinheiro, que estava sempre em primeiro lugar, mesmo que tivessem de sacrificar sua reputação. Havia muito o casamento entre ambos era mantido apenas como fachada. Alfredo, sempre envolvido em falcatruas e buscando como um abutre novas vítimas para seu enriquecimento, não dava atenção à esposa e a queria ao seu lado porque ela era muito bonita e bem relacionada na sociedade. Por outro lado, Lílian se acomodara ao luxo e à boa vida proporcionada pelo marido, e era nas aventuras que supria suas carências emocionais. Mas Alfredo era um homem extremamente possessivo. Se descobrisse alguma traição da esposa, as consequências seriam certamente muito graves.

Quando André se apaixonou por Viviane e ambos iniciaram o namoro, a relação dele com Lílian não foi afetada porque a amante sabia seduzi-lo de forma irresistível e, na cama, ela o satisfazia intensamente, levando-o à loucura com sua experiência de mulher madura e ousada. Com Viviane o namoro era mais recatado, calmo, e André achou que conseguiria administrar essa vida paralela.

Mas agora o casamento já estava com data marcada e embora ainda faltasse um certo tempo, André havia decidido levar uma vida digna e correta ao lado da futura esposa; mas, para isso, precisava o quanto antes se livrar de Lílian, tarefa que ele já imaginava que não seria fácil.

Naquela tarde, ele e a noiva haviam marcado um encontro no escritório do pai de Viviane, onde também estaria presente o pai de André. O jovem casal não sabia o motivo da reunião e estava ansioso e curioso. Quando todos haviam chegado, foi o pai da moça que começou a desvendar o mistério:

— Queremos que vocês nos acompanhem. Vamos sair, mas não tardaremos a voltar. É um assunto de interesse de vocês e temos certeza de que vão apreciar o passeio — concluiu, lançando um sorriso para o sogro da filha.

Todos partiram no carro do pai de André e seguiram rumo aos arredores da cidade. Ali ficavam as residências mais nobres. Era uma área totalmente residencial, cercada de muito verde, com mansões exuberantes e reservadas, que mantinham a total privacidade de seus habitantes. O caminho era percorrido por uma pequena estrada muito bem asfaltada, margeada por árvores imponentes que, naquela época do ano, mostravam todo o esplendor com suas flores amarelas, brancas e cor-de-rosa. A cada curva, o casal se mostrava mais impaciente e curioso, enquanto os pais, na parte dianteira do automóvel, divertiam-se mantendo o silêncio.

Logo depois, o carro parou diante de um muro alto, com mais de dois metros de altura, feito em tijolos brancos impecavelmente limpos, e com um grande portão negro de ferro, todo trabalhado com detalhes dourados e que vedava totalmente o que estava por trás dele.

Todos desceram e o pai de André dirigiu-se ao portão, seguido pelos outros. Retirou do bolso um molho de chaves e abriu as enormes portas com certo esforço. Quando André e Viviane deram alguns passos à frente, depararam com um imenso terreno, todo limpo, com várias árvores cuidadosamente deixadas para preservar a flora local. Os dois ficaram surpresos e, diante dos olhares interrogativos, o pai de André finalmente esclareceu:

— É aqui que vocês construirão o futuro lar onde viverão felizes por muitos anos. É um presente nosso pelo casamento que faz a todos nós muito felizes.

Viviane não se conteve e abraçou o sogro, em seguida o pai, agradecida e emocionada. Falou enquanto observava o entorno:

— Mas essa área é enorme. Vai dar para construir uma bela casa, não é, amor?

— Com certeza, querida! — respondeu André entusiasmado. O terreno deve ter mais de três mil metros quadrados.

O pai dele interveio:

— Pode ter certeza que sim! Agora, venham comigo.

Foram caminhando em direção à parte dos fundos do terreno, encantados com a vegetação. Perceberam, aos poucos, um som se aproximando. Mais alguns passos e depararam com um rio que corria suavemente pelo terreno.

Viviane exclamou:

— Que delícia. Esse rio faz parte da propriedade?

— Nesta parte, sim — respondeu seu pai. — Este rio corta várias propriedades aqui da região, e este trecho está cortando exatamente o terrenos de vocês. Podem fazer nas suas margens o que quiserem.

André e Viviane começaram a dar asas à imaginação:

— Podemos construir um quiosque para descansarmos e recebermos os amigos — disse Viviane animada.

— Do outro lado podemos construir a piscina, criando uma interligação com a área à beira do rio — completou André.

— Isso, querido. Faremos também a sauna e um salão de jogos. Conheço um excelente escritório de arquitetura do marido de uma amiga da faculdade. Ele é arquiteto e a irmã, que é *designer*, faz a parte de interiores, paisagismo e iluminação. Tenho certeza de que o projeto vai ficar lindo, conheço o trabalho deles. Posso entrar em contato ou você tem alguma outra indicação, André?

— Não, querida, se você afirma que fazem um bom trabalho, siga em frente e pode marcar de irmos ao escritório deles.

Ainda caminharam pelo local por mais um tempo, todos falando quase juntos sobre o que poderia ser feito e se a obra ficaria pronta até o dia do casamento. Discutiam vários detalhes.

Quando voltaram ao escritório, os noivos ficaram sozinhos, entretidos com seus planos, enquanto os pais retomaram suas atividades. Viviane, então, mostrando entusiasmo, tomou a iniciativa:

— Que tal irmos ao escritório do arquiteto agora, André? O que acha?

André, por alguns segundos, manteve um ar mais grave, que não foi percebido pela noiva, e respondeu dissimulando a preocupação que lhe ocupava a mente naquele instante:

— Ah, querida, que pena! Agora não poderei acompanhá-la. Tenho uma reunião importante na empresa e já estou em cima da hora. Ainda tenho de organizar alguns relatórios.

Viviane era muito prática; decidida, não se aborreceu:

— Claro, querido. Você tem seus compromissos e não pode deixá-los. Eu não tenho nenhuma consulta marcada para hoje. Você se importaria se eu fosse sozinha? Posso adiantar alguma coisa e, depois, marcamos uma reunião. Está bem assim para você?

Aliviado, André respondeu:

— Claro que sim. Sempre teremos situações nas quais seremos obrigados a decidir pelos dois. Vá em frente, veja como eles trabalham, fale sobre a área, sobre nossos planos, enfim, faça o que puder para adiantar o início dos trabalhos. Mais tarde estaremos juntos e você me conta como foi.

— Está bem, meu amor. Então vou indo, ainda quero passar em casa. Papai me disse que tem uma planta guardada com a mamãe e quero levá-la. Vou para sua casa depois?

Novamente um relance de preocupação riscou o olhar de André, que desde que assumira a diretoria da empresa havia deixado a casa dos pais e comprado um belo apartamento na cidade.

— Não, eu pego você em sua casa e... que tal jantarmos fora para comemorarmos?

Viviane ficou feliz:

— Perfeito, querido. Pegue-me às nove horas. Terei calma para fazer tudo o que preciso ainda hoje.

Despediu-se do noivo com um beijo apaixonado. André caminhou até o carro, entrou, mas não acionou o motor. Permaneceu quieto, perdido em seus pensamentos e preocupacões: *Não posso mais adiar! Essa situação está ficando complicada, e se eu não resolver isso agora, terei problemas maiores depois! Vamos lá, André! Coragem! Vá e faça o que tem de ser feito!* Ligou o carro e partiu.

Capítulo 2 | Decisão

O apartamento de André atendia de forma requintada a todas as necessidades do jovem solteiro. O preto, cinza e branco predominavam nos estofados e no mobiliário. Poucos objetos compunham a decoração, mas eram todos assinados por artistas renomados. Uma ampla varanda se abria sobre a vista da cidade, e era lá que o jovem gostava de ficar para relaxar, ouvindo música, ou quando tinha de tomar decisões importantes.

Assim, ele pegou o celular, respirou fundo e fez uma ligação. Lílian atendeu com a voz sensualmente rouca, como sempre fazia:

— Que surpresa! Você me ligando a esta hora é muito bom, mas não deixa de ser uma novidade. Isso é urgência de nós dois?

André, diferente de outras ocasiões quando se falavam, não estava com disposição para joguinhos de sedução e foi direto ao ponto, tentando não aparentar inquietação:

— Você está com algum compromisso para amanhã na hora do almoço? — André questionou a amante com objetividade.

Percebendo o tom de voz diferente, ela tentou ganhar tempo para ficar mais atenta ao que ouviria:

— Espere um pouco; estou no trânsito e vou encostar o carro para falarmos melhor. — Logo em seguida, prosseguiu: — O que aconteceu? Você está frio e distante.

André sabia que havia deixado transparecer a mudança, mesmo que em poucas palavras, mas o que tinha a dizer teria de ser pessoalmente, por essa razão insistiu no convite, ignorando o comentário de Lílian:

— E então, podemos almoçar amanhã?

A mulher respondeu sem titubear:

— Claro que sim. No seu apartamento?

André não se conteve e deu uma risada:

— Que ideia é essa? Sabe que jamais nos encontraremos na minha casa. Não por falta de insistência sua...

Ela também riu e completou:

— Quem sabe um dia o convenço? Afinal, depois que você se casar não poderemos mesmo nos encontrar lá. Poderíamos fazer uma espécie de despedida de solteiro.

Ele foi taxativo:

— Esqueça; não vamos perder tempo com assuntos impossíveis. Amanhã nos encontramos naquele restaurante da estrada, na hora de costume.

— Estarei lá. A propósito, é alguma ocasião especial? — ela perguntou provocando-o.

Mais uma vez ele a ignorou:

— Vemo-nos amanhã. Até lá.

E desligou o telefone, não dando a ela mais nenhuma chance de se expressar.

Lílian ficou bastante intrigada, mas tentou se conter. Em outras ocasiões, André já se comportara de maneira estranha e diferente, mas ela sempre soube como conduzi-lo de volta ao clima sensual que os envolvia durante aquele tempo em que estavam juntos. Se fosse preciso, traria-o de volta mais uma vez. Ela sabia exatamente como fazer isso, não havia com o que se preocupar. Era provável que ele estivesse com problemas no trabalho e, ainda por cima, preocupado com o casamento. Ela nunca conseguiu entender por que o amante resolvera se casar. Era bem-sucedido, independente, tinha todas as mulheres que quisesse, embora desde que começaram a se encontrar, ela o satisfazia de tal forma que ele não buscava prazer com mais ninguém. Até que apareceu "aquela sem sal", como ela se referia a Viviane. Talvez ele precisasse apresentar a famosa estrutura familiar, sempre importante no mundo dos negócios. Lílian jamais poderia acompanhá-lo em jantares ou eventos da empresa. Muitas vezes, os executivos iam acompanhados das esposas, até em viagens para congressos, e André deve ter pensado que seria bom poder levar uma esposa também.

Passava uma imagem de mais responsabilidade. Tirando isso, Lílian não via nenhuma justificativa convincente para o casamento.

Mas para ela isso não fazia diferença. A esposa que o aguentasse nessas ocasiões entediantes, cuidasse de suas coisas, casa, filhos; ela não se importava, pois ficaria com a melhor parte sempre: o prazer!

Naquela noite, quando André passou para buscar Viviane para jantarem, ele já havia se desligado do pensamento em Lílian, e os noivos conversaram animados sobre a construção da nova casa.

— André, a reunião com o arquiteto foi ótima. Ele é excepcional e quando olhou a planta do terreno ficou animado com as grandes possibilidades da obra.

— Como é mesmo o nome dele?

— Marcelo Fogaça. Vi seu portfólio e achei os trabalhos fabulosos. A irmã dele, Camila, estava presente e me mostrou vários tipos de plantas que podemos colocar no nosso jardim. Ficará maravilhoso, com certeza.

— E quando podemos nos encontrar?

— Ele gostaria que fôssemos lá amanhã. Podíamos almoçar juntos para ficar um ambiente mais descontraído. Eles querem saber tudo sobre nós, quais nossas expectativas com relação à nossa vida lá, nossas preferências de lazer, quantos filhos pretendemos ter... Disseram que essa é uma parte fundamental do projeto, conhecer profundamente o cliente.

André apoiou os cotovelos na mesa, cruzou as mãos diante do rosto e apoiou o queixo nos polegares, olhando para a noiva com expressão aborrecida:

— Que pena, amanhã não será possível. Estou com um almoço marcado com um cliente de Belo Horizonte. Como ele virá apenas para a reunião, não tenho como desmarcá-la, pois, em seguida, ele já volta para a capital.

Viviane, muito prática e compreensiva, tratou de encontrar a solução. Pegou o celular e ligou para Marcelo. Depois de narrar sobre o compromisso de André, despediu-se satisfeita:

— Obrigada por entender a situação. Realmente o compromisso dele é inadiável. Mas estaremos em seu escritório no fim da tarde — concluiu, fazendo sinal de positivo com a mão para o noivo, que respondeu com o mesmo gesto.

No decorrer da noite, fizeram muitos planos, não só sobre a nova casa como também sobre a festa de casamento e a lua de mel.

Quando André deixou a noiva em casa já era bem tarde, mas ele estava sem sono, ansioso pelo encontro que teria com Lílian no dia seguinte. Assim, resolveu andar pela cidade sem rumo para relaxar. Voltou para o apartamento no início da madrugada. Tomou uma ducha quente e se deitou, mas demorou a pegar no sono.

Durante toda a manhã, André procurou se envolver ao máximo com o trabalho e a hora do almoço chegou mais rápido do que ele poderia querer. Ao sair, avisou a secretária que não voltaria na parte da tarde e que estaria com o celular desligado. Pediu que ela anotasse todos os recados que ele veria no dia seguinte.

Quando chegou ao restaurante, encontrou com Lílian, que já o aguardava. Era uma construção colonial, simples, mas de muito bom gosto. Ficava em uma estrada secundária, a cerca de quatro quilômetros do centro da cidade, e levava a um parque onde os visitantes gostavam de caminhar pelas trilhas que seguiam até um grande lago com uma praia artificial. Costumava ser muito frequentado nos fins de semana, mas durante a semana ficava sempre muito sossegado e era frequentado mais por turistas que gostavam de apreciar a fauna e a flora exuberantes da região. Um lugar onde dificilmente encontrariam algum conhecido, sendo essa a principal razão da escolha do local.

André cumprimentou-a com certa formalidade, logo percebida por ela. Depois, ambos foram se sentar em uma mesa ao ar livre, no jardim, protegidos sob uma pérgula de cuja cobertura pendiam folhas e flores que formavam uma verdadeira cortina vegetal.

Foi ela quem tomou a iniciativa da conversa:

— Ontem tentei ignorar o tom estranho da sua ligação, mas hoje percebo que algo realmente está diferente. Gostaria que você me falasse a razão desse ar tão grave.

Diante da objetividade de Lílian, André concluiu que era melhor ir direto ao ponto, acreditando que não seria assim tão difícil dizer para ela o que lhe passava na mente. Afinal, o que havia entre ambos não era exatamente um romance, e ela, com certeza, partiria para novas conquistas que substituiriam à altura o caso que tinham. Falou mais seguro de si:

— Lílian, acho que nosso tempo acabou. Foi muito bom, tivemos momentos sensacionais, mas você sabe, em breve vou me casar e quero levar uma vida tranquila ao lado da minha esposa. Pretendo construir minha família em paz. E, acima de tudo, ser fiel a ela e ao compromisso que vou assumir.

Acabou de falar e deu um gole na bebida que estava à sua frente, pensando que estava tudo certo. Não tinha sido de fato tão difícil. Agora não havia mais nada a dizer. Respirou aliviado.

Lílian também deu um gole em sua bebida sem dizer nada. Limitou-se a virar o rosto um pouco para o lado, correndo o olhar pela paisagem em volta. Continuou assim por alguns minutos. André examinou a fisionomia da mulher, mas ela estava impassível, sem denunciar absolutamente nada do que estava pensando ou sentindo. Essa reação dela fez com que a tranquilidade de André durasse pouco mais que alguns instantes. Logo ele se impacientou com aquela atitude e começou a se remexer na cadeira. Como ela continuava mantendo a mesma postura, ele não se controlou e falou:

— Você não vai dizer nada? O que está pensando? Sei que entende minha situação, e acredito que podemos ainda ser amigos; afinal, nosso rompimento é isento de mágoas, de maiores sentimentos e somos adultos para entendermos isso. Sempre foi assim, não é?

Ela virou-se para ele com o olhar gelado e limitou-se a responder com a voz baixa, mas muito firme:

— Engano seu! As coisas não são assim tão simples e não haverá rompimento nenhum. Podemos não ser um casal de adolescentes apaixonados, mas você me satisfaz plenamente e eu retribuo com o mesmo ardor. Não se joga algo assim simplesmente fora. Não, definitivamente, não!

Ele franziu a testa e apertou o punho sobre a mesa:

— Lílian, deixe disso. Você não está falando sério!

Ela levantou-se devagar, pegou a bolsa e foi contida por ele:

— Espere, aonde vai? Temos de conversar.

— Hoje não temos mais nada a dizer. Preciso colocar as ideias em ordem. Mas tenha certeza de uma coisa: não vou aceitar isso!

E saiu, deixando atrás de si um André atônito e sem reação. Ele sentou-se novamente e a observou seguindo determinada até o carro e partindo sem olhar para trás. Agora ele sabia que teria problemas... mas não imaginava a dimensão.

Capítulo 3 | Uma nova amizade

A obra na mansão de André e Viviane começou algumas semanas após a primeira reunião com Marcelo.

A noiva, que possuía uma agenda mais flexível, acompanhava de perto, e André sempre que podia passava para verificar o andamento de tudo.

O arquiteto montou um quiosque em um canto do terreno de onde ele coordenava as equipes. Viviane era vista com frequência em sua companhia e de Camila.

Era um entra e sai constante de cimento, areia, tijolos e madeira. Viviane parecia uma criança em um parque de diversões. Estava tão envolvida com o projeto que pouco dava atenção a qualquer outra coisa; sequer percebia a tensão pela qual o noivo passava.

Desde o encontro no restaurante, André e Lílian não mais se falaram. Em alguns momentos ele se convencia de que ela havia entendido seus argumentos e apenas o deixara seguir seu caminho. Em outros, baseado na reação dela, imaginava que estaria apenas ganhando fôlego para investir em sua promessa de que não haveria rompimento. Mas André tentava manter sua rotina na medida do possível e, de certa forma, estava conseguindo.

***

Viviane ligou para ele no início da manhã.

— Querido, você já está no escritório?

— Estou a caminho.

— Você pode passar aqui na obra? Marcelo tem uma dúvida e eu gostaria que você me ajudasse a decidir.

— Mas tem de ser agora?

Viviane fez uma voz suplicante:

— Desculpe o transtorno, amor, sei que tem de trabalhar, mas será rápido, eu lhe prometo.

Como o dia de André estava calmo e ele achava que precisava desviar seu pensamento das preocupações, respondeu:

— Está bem, querida, não precisa ficar assim manhosa. Estou indo, pode me esperar que em alguns minutos eu chego.

André ligou para a secretária, inteirou-se do que tinha para ser resolvido e comunicou que não iria ao escritório, só voltaria na manhã seguinte. Mudou seus planos e resolveu passar o dia com a noiva. Ficariam na obra, almoçariam juntos e, quem sabe, até fariam um passeio à tarde. Precisava relaxar e tinha consciência de que não estava dando a devida atenção aos preparativos do casamento nem à construção da casa nova, duas coisas que naquele momento eram muito importantes para Viviane, e ele não queria magoá-la.

Colocou uma música animada e partiu entusiasmado. Sentia-se tão leve que teve certeza de que havia tomado a decisão certa escolhendo passar o dia daquela maneira.

Conforme foi se aproximando da casa, começou a ver a movimentação de carros e caminhões. O trabalho estava evoluindo muito rápido, Marcelo Fogaça era de fato um arquiteto bem competente.

Estacionou próximo ao portão principal e caminhou em direção ao quiosque. No caminho, abaixou-se e colheu uma linda flor branca para entregar à noiva. Ao se aproximar do local onde era coordenada a execução da obra, viu várias pessoas, entre elas o mestre de obras, alguns operários e Marcelo. Mas não conseguiu encontrar a noiva. Aproximou-se lentamente, não querendo interromper o que parecia ser uma reunião, e recebeu de Marcelo um sinal de que seria rápido.

André colocou-se ao lado do quiosque, olhando em volta à procura de Viviane. Não demorou muito e a viu caminhar em sua direção devagar, conversando animadamente com Camila e outra mulher, que, a princípio, não conseguiu identificar. Mas quando sua percepção reconheceu aquela silhueta, a flor que trazia com amor caiu de suas mãos e ele sentiu seu corpo enrijecer. Sua boca ficou seca, a garganta se contraiu e de seus olhos surgiu uma expressão de surpresa e raiva. Era Lílian, que participava da conversa e caminhava de forma descontraída ao lado de sua noiva.

Mal teve tempo de tentar entender o que estava acontecendo, pois assim que o viu, Viviane correu para seus braços feliz, seguida a pouca distância pelas outras duas.

— Querido, que bom que chegou — falou Viviane, dando um carinhoso beijo no noivo.

André lutava para disfarçar a rigidez de seus movimentos e a tensão que o dominava.

Viviane prosseguiu pegando André pela mão:

— Venha, meu amor, a reunião de Marcelo já deve estar acabando e poderemos falar com ele. Aproveitei para olhar com Camila a área onde faremos a piscina. Ela teve algumas ideias maravilhosas; colocaremos uma cascata e a piscina terá a aparência de um lago, com pedras e tudo o mais. Ficará um sonho.

André apenas sorriu, sem conseguir dizer nada. Viviane fez sinal para Camila se aproximar:

— André, que falta a minha. Veja, recebemos hoje nossa primeira visita — falou Viviane rindo. — E uma visita ilustre — continuou.

Agora, com a presença de Lílian tão próxima, a transpiração em sua testa era o indício do quanto estava nervoso. Viviane tratou de apresentá-los:

— Querido, esta é Lílian Ramos, esposa do conceituado advogado Alfredo Ramos. Você o conhece, claro; é um dos nomes mais ilustres da nossa região. Ela estava passando por aqui, mora na vizinhança, e resolveu nos fazer uma visita.

Lílian estendeu a mão para cumprimentá-lo:

— Muito prazer e parabéns pela bela noiva! É um encanto de pessoa.

André tocou a mão de Lílian com relutância e foi salvo pelo entusiasmo de Viviane:

— Ela foi muito gentil em vir, e até se ofereceu para me ajudar na escolha de algumas obras de decoração. Tenho certeza de que suas sugestões serão preciosas.

A muito custo, André conseguiu dizer:

— Muito obrigada pela sua atenção, mas não queremos causar nenhum incômodo. Além disso, já temos uma equipe competente cuidando de tudo.

Lílian estava tão serena e controlada que André ficou ainda mais assustado:

— De forma alguma, não é incômodo algum; terei imenso prazer em ajudá-los. Além do que, Viviane é uma simpatia, e vou adorar conhecê-la melhor.

Viviane interveio:

— A recíproca é verdadeira, Lílian. Tenho certeza de que seremos boas amigas.

Marcelo quebrou o constrangimento que a situação começava a gerar ao chamar todos para o quiosque. André aproveitou e falou para Lílian:

— Agradecemos muito sua visita, mas agora temos de decidir alguns pontos importantes com o arquiteto. Se nos der licença, temos de ir. Posso pedir para um dos operários acompanhá-la até seu carro.

Lílian soltou um profundo suspiro:

— Que pena! A conversa estava tão agradável! Eu gostaria de saber um pouco mais, principalmente sobre paisagismo. Mas não quero atrapalhar.

Camila disse:

— Não é necessário que vá embora. Eu não preciso participar da reunião, o que será discutido não diz respeito ao meu trabalho. Podemos ficar aqui ou caminhar até o rio; eu tiro suas dúvidas. Quando a reunião acabar, decidimos o que fazer.

Viviane aprovou a solução encontrada por Camila.

André trincou os dentes e respirou fundo, constatando que não seria fácil fazer com que Lílian fosse embora, e ela sorriu com um resquício de sarcasmo:

— Muito obrigada pela gentileza. Fico feliz que minha presença seja tão bem-vinda. E agradeço, Camila, por sua atenção também. Já estou até pensando em reformar os jardins da minha casa.

Camila ficou muito feliz, afinal, daquele encontro informal surgia uma possível nova cliente.

André e Viviane foram conversar com o arquiteto, mas a conversa foi de fato bastante rápida e logo todos estavam novamente juntos, o que estava deixando André a ponto de explodir de raiva e receio.

O jovem resolveu colocar um ponto final naquela situação e falou para Viviane, chamando-a a um canto de forma reservada:

— Querida, já que está tudo acertado por aqui, vamos embora. Tirei o dia de folga e gostaria de dar um passeio com você. Depois, podíamos almoçar e passar o resto do dia juntos, só nós dois.

Viviane colocou o rosto de André carinhosamente entre suas mãos e disse:

— Que delícia de proposta, querido, mas não posso aceitar. Por favor, não se chateie. Combinei com Camila de irmos para Araçaí. Ela me disse que lá poderemos escolher lindos tecidos para diversas aplicações do projeto, e os preços são ótimos.

André sentiu-se decepcionado, mas não teve como argumentar.

Viviane aproximando-se de Lílian, perguntou:

— Você não gostaria de ir conosco até Araçaí? Teríamos mais um tempo para conversar.

Lílian olhou de canto de olho discretamente para André a tempo de perceber a pressão daquele convite no estado de espírito do amante:

— Infelizmente não será possível. Tenho um compromisso importante em uma hora. Mas não faltarão oportunidades.

Viviane voltou-se novamente para André e disse:

— Querido, temos de ir. Vamos almoçar na cidade e volto no fim da tarde.

André assentiu e despediu-se da noiva com um beijo distante. Quando ela e Camila saíram, ele rapidamente se dirigiu para o carro, mas no caminho foi interceptado por Lílian:

— Não tenha tanta pressa! Chegou a hora de terminarmos aquela conversa.

André já sentia um prenúncio de ódio apoderar-se de sua alma. Respondeu de forma ríspida:

— Pensei que não tínhamos mais nada a falar.

— Temos sim. Hoje, após o almoço, no seu apartamento.

— Você está louca! Já lhe disse que jamais colocará os pés em minha casa. E... — foi bruscamente interrompido por Lílian:

— Não estou pedindo permissão. Estarei lá às catorze horas. Viviane não aprovaria tamanha grosseria de sua parte para comigo.

André sentiu a ameaça velada nas palavras da amante. Muito irritado, e sem dizer mais nada, apressou-se em sair dali. A presença dela começava a lhe revirar o estômago, e agora ele estava ciente de que teria enormes problemas pela frente.

Capítulo 4 | O almoço

Lílian estava determinada a não abrir mão de sua relação com André e faria o que fosse preciso. Ela não o amava, mas sua vaidade não aceitava ser descartada daquela forma. Isso ela jamais admitiria.

Queria estar deslumbrante para o encontro com ele naquela tarde e resolveu comprar algo novo e sensual, talvez uma lingerie bem provocante. Assim, foi para o *shopping* mais sofisticado da cidade.

Lílian era presença marcante por onde passava. Possuía estatura mediana e corpo esguio, esculpido em sessões de clínicas de beleza e academias de ginástica, que fazia com que aparentasse ter uma altura maior. Costumava usar sapatos e sandálias com saltos muito finos e altos. Sempre se vestia impecavelmente, só com roupas de grifes famosas e muito caras. Usava joias desde o momento em que acordava até a hora de dormir. O cabelo era muito ruivo e, embora tivessem nascido castanhos, ela os havia tingido havia tantos anos que nem se lembrava de um dia ter sido de outra maneira.

Seu andar era altivo e o queixo levemente projetado para cima, o que lhe conferia um ar de superioridade que beirava a arrogância. Não inspirava simpatia e quem não a conhecia sentia-se retraído por ela.

Em cada loja que entrava, fazia questão de se dirigir o mínimo necessário às vendedoras, mostrando-lhes com prazer que estavam ali apenas para atendê-la de forma impecável. Exigia sempre uma taça de champanhe enquanto decidia sua compra e não entrava em uma loja que não tivesse o mimo para lhe oferecer.

Quando percebia que o atendimento não estava à sua altura, sentia-se profundamente ofendida, o que desencadeava uma profusão de reclamações e humilhações para quem tivesse a falta de sorte de estar diante dela.

Não era do tipo de fazer escândalos, ela os detestava, mas, de forma contida e discreta, sua língua poderia ser tão ferina que seria capaz de destruir a autoestima da mais segura das criaturas humanas.

Dificilmente algo a comovia; a situação de pessoas menos favorecidas era para ela algo sem solução; portanto, seria uma dádiva se a população mais pobre fosse se extinguindo até desaparecer. O problema da falta de recursos para eles estaria resolvido e as cidades, sem dúvida, ficariam mais bonitas e perfumadas.

Em uma ocasião, sua falta de senso humanitário chegou ao ápice durante uma reunião beneficente de senhoras da alta sociedade. O objetivo do encontro era arrecadar doações em dinheiro para o tratamento de uma criança de cinco anos, portadora de uma rara doença, que necessitava de transplante e tratamento caro. Filha de agricultores muito pobres, ela provavelmente não sobreviveria se não tivesse o atendimento adequado.

Lílian deu sua contribuição, mas comentou para que todas as presentes a ouvissem:

— Ainda não estou convencida de que estamos agindo bem. Essa criaturinha, se conseguir ser salva, vai passar o resto da vida na miséria total. Será que estamos beneficiando essa existência fadada à desgraça e ao gueto dos excluídos? E para os pais, já sem condições de colocar comida na mesa da família, uma boca a menos seria uma bênção. Também, se reproduzem como ratos! — concluiu em tom tão grande de desprezo, que chocou a todas as companheiras de evento. Depois desse posicionamento, ela foi sutilmente ignorada pelas demais. Só que, para Lílian, isso não fazia a menor diferença. Não queria a amizade de mulheres que considerava detestáveis. Sabia que jamais deixaria de ser convidada para os grandes e pequenos acontecimentos, porque o prestígio de seu marido valia muito e lhe abria todas as portas.

Quando terminou de comprar o que queria e se preparava para ir para casa, seu marido Alfredo Ramos a chamou pelo celular. Reclamou que estava tendo um dia insuportável no escritório e gostaria de almoçar com ela para espairecer. Pensando no compromisso assumido com André, ela cogitou recusar o convite, mas o restaurante que ele gostava de frequentar era fantástico e ela acabou aceitando. Pediu apenas que não se demorassem muito porque ela havia marcado hora na clínica para uma massagem. O marido, que sempre apoiara os cuidados de beleza da esposa, não se opôs.

Enquanto almoçavam, Alfredo desabafava sua irritação com os problemas no escritório e a mulher sempre o ouvia quieta, deixando que ele se acalmasse. Na verdade, geralmente ela nem dava atenção ao que ele dizia. Havia adquirido uma capacidade incrível de se desligar de qualquer interlocutor cujo assunto não fosse de seu interesse.

Mas como ele falava sobre um cliente importante que o havia procurado pela manhã, ela resolveu prestar atenção.

— E então, Lílian, aquele velhaco entrou em meu escritório acompanhado da empregada, acredita?

Lílian mostrou-se interessada e curiosa:

— Empregada? Como assim? Você se refere à secretária dele?

Alfredo passou a mão na cabeça lisa, sem nenhum vestígio de cabelo, e respondeu indignado:

— Não, nada de secretária. Era a empregada mesmo, a criada que lava, passa; enfim, esse tipo de empregada.

Lílian ficou boquiaberta:

— E a troco de que ele levou uma empregada ao seu gabinete? Está tendo um caso com ela? Que horror!

Alfredo deu uma risada:

— Você me diverte, mulher! Caso! Nem que ela fosse a última da espécie seria possível alguém ter um caso com ela — e continuou rindo.

— Mas então...

— Parece que ela está com problemas em uma loja, dessas populares horríveis, que vendem de tudo em prestações a perder de vista. Parece que o departamento financeiro está fazendo cobranças indevidas e absurdas por conta de uma compra que ela fez de alguns móveis e que já está quase quitada. Estão querendo arrancar o couro da mulher e dizem que vão processá-la. Então, esse meu amigo, que está mais para amigo da onça, veio com uma conversa sem muitos rodeios, pedindo que eu pegue a causa na defesa dela, gratuitamente, é claro. Ela trabalha para a família dele há muitos anos e ele pediu que eu a ajude.

Lílian ficou revoltada:

— Mas o que ele pensa que seu escritório é, a Santa Casa?

Alfredo se descontraía ao lado da mulher, pois ambos compactuavam na falta de caráter e na soberba.

— Não sei o que ele pensa. O que sei é que lhe devo alguns favores que me renderam bons frutos; ele é um empresário influente e não posso negar-lhe esse pedido. Por mais estapafúrdio que seja.

— E caso ela não tenha defesa, o que poderá acontecer?

Alfredo respondeu sem hesitação:

— Bem, sabe como é, a empresa pode querer reaver os bens que ela adquiriu. Ela perderá tudo o que comprou. E, dependendo do montante que dizem ser a dívida, ela ainda pode perder mais alguma coisa.

— Que horror!

Depois do almoço e da conversa, quando já estavam no estacionamento se despedindo, Lílian insistiu:

— Tem certeza de que não existe uma forma de você se livrar desse estorvo?

Alfredo sacudiu a cabeça negativamente. Lílian ainda argumentou mais uma vez:

— É inadmissível. Imagine a manchete: "Renomado advogado em defesa da ré, uma empregadinha, contra uma loja popular". Você não pode se expôr a isso. Vai ser uma mancha na sua brilhante carreira.

O marido segurou o queixo da mulher e disse sorrindo:

— Por esse motivo você não é uma advogada ou empresária de sucesso. O jogo é para ser jogado e vencido! Esse caso ainda pode contar a meu favor. Fará com que as pessoas me vejam como um homem generoso e isso pode atrair mais clientes ou favores de certas pessoas que ainda duvidam da minha conduta, entendeu?

Lílian apertou os olhos indicando que estava digerindo o que o marido falou e concluiu que ele estava certo. A velha raposa sabia como tirar vantagem das situações mais adversas.

Alfredo voltou para o escritório e Lílian correu para casa. Queria tomar um banho, perfumar-se e ficar estonteante para André. Ela era fútil, mas não tinha nada de ingênua. Havia percebido que André falava sério com relação a pôr um ponto final no caso deles. Precisava usar de toda sua sedução para fazê-lo mudar de ideia ou, pelo menos, ganhar tempo até encontrar uma medida mais eficiente e definitiva.

Na verdade, o que mais a incomodava era a constatação da derrota. No íntimo, não fazia diferença ser André ou outro qualquer, o que ela não aceitava era o fato de estar sendo preterida.

Durante toda sua vida, principalmente após o casamento, teve tudo o que sempre desejou. Alfredo tinha muito dinheiro e bens e não se importava em arcar com suas extravagâncias. Gostava de perceber a cobiça no olhar de outros homens quando a viam e a inveja que sabia que sentiam dele. Mas não admitia de forma alguma uma traição.

Lílian sabia perfeitamente que teria sempre tudo do marido, mas que ele não hesitaria em deixá-la na miséria caso descobrisse seu caso com outro homem. Seria capaz até de matá-la. Pensando nisso, ela se cercava de todos os cuidados para jamais deixar um resquício perceptível de traição.

Contudo, naquele momento só tinha em mente o encontro daquela tarde. Sua autoconfiança não estava abalada, mas não descartava a intransigência do amante.

Se um dia a relação tivesse de terminar, seria por decisão dela. Ninguém iria usá-la e descartá-la como algo velho, sem utilidade. E naquele encontro, André veria o quanto ela também sabia ser inflexível e determinada.

Capítulo 5 | O encontro

Marcelo Fogaça trabalhava com dedicação especial. Havia simpatizado muito com Viviane e André, além de a área em que estava sendo construída a mansão ser espetacular, o que deu ao arquiteto muita liberdade na hora da concepção do projeto. O arquiteto possuía uma equipe que já trabalhava com ele havia muitos anos, eram todos muito competentes e de confiança. O mestre de obras chamava-se Genésio, um senhor de quase sessenta anos, com vitalidade de vinte. Ele acompanhou Marcelo desde os primeiros trabalhos, quando ele ainda era um jovem recém-formado. Essa parceria rendeu belas construções e também uma grande amizade.

Marcelo havia perdido o pai ainda jovem e encontrou em Genésio alguém que, apesar do pouco estudo e das maneiras simples, sabia orientá-lo e apoiá-lo quando precisava.

Genésio era muito ativo e comandava os operários com pulso forte para que nada desse errado, mas jamais era autoritário ou injusto. Marcelo e Camila muitas vezes diziam que gostariam de ter a energia daquele homem, que estava sempre sorrindo e de bom humor. Por essa razão, naquela tarde, Marcelo chegou ao canteiro de obra e estranhou encontrar Genésio sentado em um canto, sozinho, com ar austero no semblante moreno. Não, definitivamente aquele não era o comportamento normal do amigo. Preocupado, Marcelo foi até ele. Chegou brincando, mexendo com Genésio para ver sua reação:

— E então, meu camarada, está recarregando as baterias? — falou com um sorriso e dando um leve tapa no ombro de Genésio, que se limitou a olhar para ele com a testa franzida. Marcelo sentou-se ao lado dele e questionou: — O que está acontecendo? Está evidente que não está bem.

Genésio olhou a paisagem ao redor deles e falou:

— Não sei. Desde que pisei aqui pela primeira vez, apesar da beleza do lugar, não me senti muito confortável.

— Como assim? Há algo errado com a equipe?

— Não, chefe, não é nada com o trabalho. Apenas uma sensação ruim que não sei explicar — concluiu Genésio enquanto prendia o cabelo liso e negro, herança genética dos índios, que ele dizia ter orgulho do sangue.

— Continuo sem entender, Genésio. Às vezes, você parece mesmo um pajé da tribo de seus antepassados. Diz coisas que não consigo compreender.

— Existe alguma coisa aqui que me dá arrepios — disse, enquanto respirava fundo como um lobo, que fareja sua caça. E continuou: — É como se o ar fosse pesado, angustiado, sinto-me sufocado!

Mesmo Marcelo, que era uma pessoa bastante técnica e cética, sentiu um calafrio diante da forma como Genésio se expressou. Mas, ao mesmo tempo, todo o seu lado racional lhe acionou um alarme:

— Por favor, Genésio, não saia espalhando isso. Se chegar aos ouvidos de Viviane e André nem sei o que pode acontecer. Eles podem desistir de tudo. O que você está sentindo é só uma impressão sem nenhum fundamento. Não vamos dar asas demais à imaginação, ok?

— Você sabe que não vou falar nada, não se preocupe. Mas quero muito que esse trabalho termine o quanto antes. Não sentirei saudades daqui.

Os dois homens se levantaram, e, animado por Marcelo, Genésio voltou ao trabalho empenhado em esquecer o assunto. Contudo, quando se afastou, o arquiteto olhou em direção ao rio. O vento fazia as folhas girarem no chão em grupos. De onde estava, ele avistava apenas uma parte do caminho que levava às águas que corriam sem cessar. Àquela hora, as grandes árvores já faziam as sombras se debruçarem sobre a terra, criando figuras distorcidas, algumas entrelaçadas de forma espectral. Uma revoada de pequenas aves com agudos silvos fez com que Marcelo desse um passo para trás, apesar da distância. Ele não conseguia desviar o olhar daquele cenário e sentia como se a qualquer momento algo fosse surgir no horizonte. Mas não havia ninguém por lá e Marcelo não gostou do que sentiu. Resolveu sair dali e se afastou sem olhar para trás, tentando se convencer de que apenas ficara um pouco impressionado com Genésio. Em seguida, ambos retomaram seus afazeres e esqueceram aquela conversa.

Enquanto isso, André, em casa, esperava com ansiedade a chegada de Lílian. Estava furioso por ter permitido que ela determinasse o local do encontro, principalmente pelo fato de ele sempre ter avisado que ela não poderia frequentar seu apartamento.

Sabia que teriam uma conversa desagradável. Teria de apelar para o bom senso da amante para que entendesse sua situação. Ele fora um fraco não resistindo aos atrativos de Lílian e não rompendo com ela assim que conhecera Viviane. Mas sempre foi uma pessoa de caráter irrepreensível e ainda poderia consertar a situação. Por outro lado, sentia-se um canalha por dispensar a amante daquela forma. Embora soubesse que ela não o amava, sempre tratou todas as mulheres com muito respeito e achava que sua conduta agora não era admirável em hipótese alguma. Maldizia-se por ter levado aquela relação adiante e jamais imaginara que Lílian teria aquela reação. Ela era uma mulher muito segura de si, aventureira, por que não o deixava seguir sua vida sossegado? Contudo, teria de entender e aceitar. Viviane só retornaria de Araçaí no fim da tarde, e ele teria bastante tempo para conversar com Lílian. Estava perdido em seus pensamentos quando o interfone tocou e o porteiro avisou sobre a chegada da visita.

Ele estufou o peito e foi abrir a porta, preparado para enfrentar a hostilidade da mulher. Quando a viu, a surpresa o deixou sem fala. Ela estava de fato deslumbrante. Usava um vestido preto com o comprimento na altura dos joelhos, colado ao corpo e com generoso decote. Os sapatos, também pretos, como sempre de saltos finos e altos, deixavam suas pernas alongadas, evidenciando as formas perfeitas. Os cabelos soltos caindo sobre os ombros pareciam uma seda brilhante, e o perfume que ela espalhava no ar era cítrico e picante, mas de uma suavidade acariciante. Carregava um encantador sorriso, contrariando todas as expectativas dele.

Não esperando pelo convite, Lílian entrou no apartamento e André apenas a acompanhou com o olhar enquanto fechava a porta. Sem cerimônia, ela sentou-se no sofá, cruzou as pernas e falou, demonstrando uma segurança muito maior do que a que sentia no íntimo:

— Agora podemos conversar com calma.

André, em pé à sua frente, nada falou. Não sabia o que dizer além do que já havia sido dito no restaurante. Lílian não se intimidou:

— Será que ao menos você poderia me servir uma bebida? Está muito quente hoje e algo refrescante seria muito bem-vindo.

Ele deu-lhe as costas, foi até a cozinha, que era do tipo americana, e enquanto ela o observava, tirou da geladeira uma jarra de suco bem gelado, serviu em um copo alto e levou para a mulher.

— Suco? Com certeza em seu bar deve ter algo mais estimulante.

André caminhou até a poltrona diante do sofá e falou:

— Você chegou, sentou-se, reclamou do suco e até agora não me disse o que ainda temos para conversar. Pensei ter sido bem claro naquele dia no restaurante.

Ela descruzou e cruzou de novo as pernas acintosamente, querendo provocá-lo, e respondeu:

— De fato, foi bastante claro, mas achei melhor dar um tempo para que você refletisse melhor sobre sua decisão. Por essa razão não o procurei mais.

Ele achou graça da pretensão de Lílian:

— Eu não tenho mais que refletir sobre nada. Amo minha noiva, vou me casar em breve e quero ser fiel. Simples assim. Não há sobre o que refletir.

Ela se levantou e foi até ele, passando as duas mãos nos ombros fortes do amante. André sentiu-se desconfortável e fez menção de se levantar, mas ela, habilmente, girou e se sentou no colo dele.

— Há sim, meu querido! Refletir sobre todos os momentos que já passamos juntos, sobre as horas de prazer que proporcionamos um ao outro. Tenho certeza de que você não encontra tanto prazer ao lado daquela... — e não concluiu porque se aproximou do rosto de André e suavemente começou a beijar sua cabeça, seu rosto... Depois, continuou sem que André esboçasse qualquer reação que a desestimulasse: — Que mal há em nos encontrarmos mesmo depois do seu casamento? Ela jamais saberá se tomarmos os devidos cuidados como fizemos até agora; ou você já esqueceu que também corro um grande risco se formos vistos juntos?

E enquanto prosseguia com os argumentos, ela se remexia sensualmente sobre o colo de André. Deslizava como uma pluma suas mãos pelo corpo do homem que já se sentia fraquejar diante de sua volúpia. Percebendo que o estava envolvendo em sua teia, ela sentiu-se mais poderosa:

— Você sabe que o que pode ter em mim, não terá em mais ninguém. O que nos importa sua noiva sem sal e meu marido que não me serve para muita coisa além de me liberar o cartão de crédito? — falou dando uma risada. E não deu nenhuma chance para André. — Você terá uma vida sem graça, maçante, sempre a mesma coisa. Chegará em casa e encontrará a esposinha esperando-o, jantarão juntos, irão assistir à TV, talvez um filme com pipoca, falarão sobre os acontecimentos do dia e terminarão a noite na cama do mesmo jeito de sempre, repetindo um ritual que chamarão de "fazer amor": tudo maçante e rotineiro. No dia seguinte e nos outros que virão, será sempre igual! E quando os filhos chegarem? Ela vai engordar, perder o corpinho bonitinho, terá olheiras e ficará de mau humor. Não terá mais tempo para você, pois a rotina dela será envolta em fraldas, papinhas e noites insones. Quando você não suportar mais levar essa vida, pode ser que se lembre de nossos encontros repletos de desejo, de paixão ardente, de criatividade sem compromisso. Vai se lembrar da falta de limites para chegarmos ao prazer, mas aí, pode ser, e é bem provável, que eu não esteja mais disponível.

André estava transpirando enquanto sentia o corpo quente de Lílian envolvendo-o lentamente e com uma sensualidade arrebatadora. Ela percebeu que mais uma vez conseguira seduzi-lo.

De repente, André levantou-se quase a derrubando no chão, mas antes que isso acontecesse, ele a tomou nos braços e a beijou com certa rudeza, porém ela não se importou, já que o tinha de novo sob seu domínio. Enquanto a beijava, ele a levou para a cama, onde a possuiu movido por um sentimento de ódio e desejo. Depois, ambos adormeceram.

Passadas cerca de duas horas, André acordou sentindo uma enorme pressão no peito. Olhou para o corpo lânguido ao seu lado e sentiu vontade de gritar. Estava furioso por ter fraquejado. Levantou-se e foi para o banho.

Deixou que a água caísse abundante sobre sua cabeça, como se isso pudesse livrá-lo da culpa e do remorso que estava sentindo.

Viviane estava com Camila em Araçaí comprando coisas para a casa onde os dois iriam construir seu lar. Ela devia estar feliz e com o pensamento nele todo o tempo. Como pôde fazer isso novamente com ela? Ele se considerava uma boa pessoa, um homem de bons princípios e de caráter. Por que não conseguia resistir àquela mulher? Que poder era esse que ela exercia sobre ele para fazê-lo agir daquele modo, como o pior dos cafajestes?

Saiu do box, enrolou-se na toalha branca e macia e voltou para o quarto determinado a livrar-se dela. Começou a chamá-la com a voz um tanto alterada, que ele tentava controlar a todo custo.

— Lílian, acorde! Você precisa ir embora. Perdemos a hora e já está tarde!

Ela não esboçou nenhuma reação. Ele insistiu, agora em um tom de voz mais alto:

— Pelo amor de Deus, levante-se. Temos de ir embora, ou melhor, você tem de ir embora — repetiu demonstrando sua irritação.

Ela, que até agora apenas fingia estar dormindo, abriu os olhos e falou simulando sonolência:

— Que droga! Precisa falar alto assim? Por que tanta pressa?

Ele foi até o canto do quarto onde as roupas dela haviam sido atiradas com displicência, pegou-as e colocou em cima da cama.

— Você ainda pergunta? Vamos, vista-se e vá embora. Viviane logo estará de volta e marcamos de ela vir se encontrar comigo aqui.

Lílian deu uma gargalhada:

— Que boa oportunidade de rever minha nova amiga! Tenho certeza de que ela também ficará feliz por saber que estamos nos dando tão bem!

André sentiu um impulso de esbofetear a mulher, colocando um fim em tanto cinismo, mas pensou que seria melhor ver-se livre dela com urgência.

— Lílian, você está passando de todos os limites. Agora chega! Vá embora!

Ela levantou-se sem cobrir o corpo nu e falou enquanto pegava as roupas:

— Os limites já foram ultrapassados quando estávamos na cama; e você parecia estar bem menos irritado e gostando muito.

André, arfando de raiva, virou-lhe as costas e saiu do quarto.

— Você tem dez minutos para sumir daqui.

Assim que ficou sozinha, ela tratou de examinar o cômodo. Era sóbrio, elegante, masculinizado e bem se via que não era costumeira a presença feminina por ali. Reparou que nos armários e no banheiro não havia nenhum pertence da noiva de André. Se ela costumava andar por ali, não tinha o hábito de fixar sua presença. Que bom, Lílian pensou. Se a outra era uma tonta e não marcava seu território, ela mesma o faria. Tirou da bolsa um lenço de seda, abriu o guarda-roupa de André e acomodou cuidadosamente a peça que ainda estava impregnada pelo seu perfume no fundo do móvel, meio escondido entre as roupas dele. Depois, foi ao banheiro, abriu uma gaveta e colocou bem no fundo, de modo que não fosse visto facilmente, seu estojo de batom. Sorriu satisfeita, vestiu-se e foi para a sala. Tentou se aproximar de André, mas ele a repeliu:

— Vá embora, Lílian. Nada disso poderia ter acontecido!

Ela dirigiu-se até a porta, virou-se para ele e sentenciou:

— Mas aconteceu! E vai acontecer novamente... muitas vezes... porque eu quero e você também! Admita de uma vez por todas que seu desejo por mim é irresistível.

André a fulminou com os olhos.

— Fora!

Ela saiu batendo a porta e rindo.

André jogou-se no sofá, colocou a cabeça entre as mãos desolado e apenas ficou pensando em Viviane. Isso não poderia continuar assim. Ele teria de resolver aquela questão o quanto antes.

Capítulo 6 | Sedução

Os dias que se seguiram foram bastante melancólicos para André. Todas as vezes que ele estava ao lado de Viviane, sentia-se culpado por ainda não ter conseguido romper definitivamente com Lílian.

Em alguns momentos chegou a pensar em contar tudo à noiva, esperando dela o perdão em retribuição à sua honestidade. Mas nunca conseguiu seguir adiante, pois sabia que magoaria demais uma pessoa a quem ele amava profundamente e que não merecia nenhum tipo de sofrimento.

De todas as formas, ele tentava dissimular seu verdadeiro estado de espírito e estava conseguindo; Viviane, entretida com a decoração da casa, cuja obra caminhava a passos rápidos, e os preparativos como noiva, não havia de fato percebido a angústia que ele guardava na alma.

Certa tarde, Viviane fazia um lanche com Camila, após algumas compras, quando ambas viram Lílian entrar desacompanhada no restaurante. Assim que Viviane a viu acenou, e a outra retribuiu com um sorriso enquanto se aproximou da mesa das amigas:

— Que bom revê-la — comentou Viviane, levantando-se para cumprimentar Lílian, sendo seguida por Camila.

Entre beijos e abraços, Lílian respondeu satisfeita:

— Uma feliz coincidência. Acabei de sair do salão com um apetite enorme, mas estava tão desolada por ter de fazer um lanche sozinha! Vocês se importam que eu me sente com vocês?

— Claro que não — respondeu Camila —, íamos mesmo convidá-la.

— Exatamente! — disse Viviane animada. — Sente-se, ainda não pedimos nosso prato. Faremos o pedido juntas.

As duas moças não sabiam, mas aquele encontro não havia sido casual. Lílian as estava seguindo desde que haviam saído da obra. Como não tinha muito com o que se ocupar, o passatempo preferido dela, desde que conhecera a noiva de André, passou a ser investigar a vida da moça.

Quando estava sozinha em casa, Lílian passava horas na internet buscando o que pudesse encontrar sobre ela; entrava em *sites* referentes à sua profissão, arquivava fotos, até em uma rede social ela se cadastrou porque Viviane também possuía conta na mesma rede. Dessa forma, conseguia saber do que Viviane gostava, o que comentava e com quem se relacionava. A partir daí, traçava onde e quando conseguiria encontrá-la. A noiva de André era uma pessoa sem inimigos e sem segredos, e nunca se preocupou em bloquear o acesso de estranhos ao seu perfil. Lílian nunca soube o que faria com todas as informações que conseguia, mas arquivava tudo em seu *notebook*; sua obsessão a levou até a abrir uma pasta com o nome da outra em que guardava tudo referente a ela. Um dia, com certeza, o material seria útil. Quem sabe até para destruir de uma vez por todas aquele casamento sem sentido, que não lhe convinha muito. Gostava de viver sendo apenas a outra, as responsabilidades eram bem menores e os prazeres, muito maiores.

Durante o lanche, falaram sobre assuntos gerais, mas Lílian, com maestria, conseguiu conduzir sutilmente o foco da conversa para o casal Viviane e André:

— E então, Viviane, a data está se aproximando e imagino que esteja bastante nervosa.

— Para falar a verdade não estou nervosa, não. Sinto-me cansada com tantas providências a tomar, mas minha relação com André já é tão intensa e forte que não passo pela ansiedade de algumas noivas, digamos, mais novas e inexperientes.

As três riram e Lílian insistiu:

— Ah, isso é verdade! Quando uma relação é construída em alicerces sólidos, não há mesmo com que se preocupar. Mal o conheço, mas André parece ser do tipo fiel e companheiro.

Desta vez, Camila interveio:

— Isso ele é, com certeza. Nesse tempo convivendo com os dois posso afirmar com segurança que André é completamente apaixonado por Viviane — concluiu, segurando a mão da amiga, que simulou ficar encabulada com o comentário.

Sorrindo, Lílian continuou:

— Isso é uma raridade hoje em dia. Aliás, acho que sempre foi. Os homens são infiéis desde os tempos das cavernas.

— Não seja tão radical, Lílian — retrucou Viviane. — Nem todos os homens são assim. Acho que há muitos anos, desde que as mulheres começaram a ganhar seu espaço no mundo, ser ativas, trabalhar fora, os homens perceberam que deviam valorizá-las mais e respeitar igualmente. Seu marido, por exemplo, claro que você sabe que ele é fiel...

As três se olharam e Lílian ficou pensativa por um instante até responder:

— Sinceramente, não sei!

Camila e Viviane se entreolharam surpresas. Ela prosseguiu mostrando seu lado liberal e seguro:

— Não sei mesmo se ele é fiel. Mas se costuma ter algum caso por aí, nunca deixou rastro nem sequer desconfiei. Para falar a verdade, tenho quase certeza de que ele já se envolveu com alguma aventureira, mas isso não me importa. Ele continua o mesmo em casa, e atende a todas as minhas necessidades. Por que devo me preocupar, não é?

Dizem que não se pode enganar as pessoas todo o tempo e, agora, Lílian deixava a acidez de suas palavras fluírem, não muito preocupada com a impressão que estava causando. Camila e Viviane, que possuíam um temperamento completamente diferente da outra, estavam achando sua postura engraçada e pitoresca.

— Não acredito que você não se importe — murmurou Viviane.

— Realmente não me importo. Mas já disse, desde que os hábitos dele em casa não se alterem, que eu não descubra e que continue não me faltando nada. Não posso monitorá-lo o dia todo para saber o que está fazendo.

O silêncio prevaleceu um pouco até que Lílian dirigiu-se a Viviane:

— Você, por exemplo, sabe onde o André está agora? — inquiriu rindo.

Viviane não titubeou:

— Ele está no escritório, trabalhando.

— Você pode apostar sua vida nisso? — provocou novamente.

Viviane e Camila fizeram cara de pouco caso e Camila saiu em defesa da cliente e amiga:

— Ora, Lílian, você não devia ficar dizendo essas coisas só para provocar a Viviane. Já disse que sou testemunha do amor dos dois e da fidelidade de André — completou, tentando demonstrar que estava levando a conversa na brincadeira.

Lílian olhou nos olhos de Viviane e falou de forma bastante séria:

— Por que você não liga para ele? Para o escritório, não para o celular. Confirme se ele está mesmo por lá.

— Lílian, aonde você quer chegar com isso? — falou Viviane franzindo a testa. — Não vou ligar. Sei que ele terá um dia cheio de compromissos, e combinamos de só nos falarmos à noite. Estamos tão cansados que acho que nem nos veremos hoje. Não vou em hipótese alguma incomodá-lo.

A outra riu descontraidamente e respondeu:

— Desculpe, foi só uma brincadeira. Costumo fazer isso com minhas amigas quando estão de casamento marcado. Mas confesso que até hoje não consegui que nenhuma colocasse em dúvida o comportamento do noivo. E fico feliz em ver que você é mais uma. Mas seja adulta e madura: depois do casamento as coisas mudam muito, não se iluda.

Camila bateu com a mão fechada três vezes na mesa e disse:

— Que horror, Lílian, parece um mau agouro!

Viviane ria do que considerava uma grande bobagem:

— Camila, eu não acredito em mau agouro e, por outro lado, acredito muito no amor que André sente por mim. Temos uma vida feliz e não existe razão nenhuma para que ele procure outra.

— Mas se por acaso você descobrisse que André a traiu? Já pensou o que faria?

Viviane recostou na cadeira, olhou para Camila e para Lílian, e respondeu muito segura:

— Como eu já disse, sei que isso nunca vai acontecer. Conheço o caráter do homem que amo. Mas, hipoteticamente falando, se viesse a acontecer... — fez uma pausa —, eu jamais iria perdoá-lo. Não saberia ser como você, Lílian, que diz que não se importa. Procuro de todas as formas ser a melhor mulher para André, a mais companheira, exatamente para fazê-lo feliz. Dou o melhor de mim, e é isso que espero dele, a mesma postura. Se ele me traísse seria pura leviandade, e não me interesso de forma alguma por homens levianos.

Camila concordou:

— Se fosse comigo eu também não perdoaria.

— Bem — falou Lílian erguendo o copo de suco —, um brinde à felicidade do casal e que sejam sempre assim: unidos e fiéis.

Após brindarem, Lílian chamou o *maître* e, tirando sua câmera digital da bolsa, pediu que ele batesse uma foto das três para guardarem de lembrança daquela tarde.

***

Já era quase noite quando André se preparava para deixar o escritório. Sua secretária entrou na sala e estendeu-lhe um envelope médio, em branco.

— O que é isso? — indagou distraído.

A secretária respondeu:

— Não sei. Não há nada escrito no envelope. O segurança veio até minha sala e me entregou dizendo apenas que foi deixado por um portador que pediu que fosse encaminhado a você.

André fez sinal com a mão mostrando desinteresse e indicando que ela o deixasse em cima da mesa. Assim a moça fez e saiu.

O empresário terminou de revisar alguns relatórios, assinou alguns documentos, respondeu e-mails pendentes e levantou-se para arrumar a maleta de trabalho e ir para casa.

Quando já estava com quase tudo pronto, lembrou-se do envelope. Procurou por cima da mesa e o encontrou já parcialmente oculto por outros papéis. Pegou, olhou de um lado, depois do outro, e ficou intrigado por não ter nenhuma referência ao conteúdo ou o remetente. Pegou em sua gaveta uma faca específica para esse uso e foi cortando cuidadosamente a parte de cima do envelope. Quando chegou ao fim, com dois dedos puxou o que parecia apenas um papel de boa qualidade que, conforme foi se mostrando, revelou a imagem de Camila, Viviane e Lílian na foto tirada algumas horas antes no restaurante.

Antes de se refazer totalmente da surpresa, André deu um murro na mesa e se apressou em pegar o telefone, digitando o número da amante. Tentou uma meia dúzia de vezes, inutilmente. Caía apenas na caixa postal.

Enfurecido, ele caminhou até a janela. Apoiou um braço sobre o outro e, passando nervosamente uma das mãos pelo rosto e pela boca, respirou profundamente tentando se acalmar e pensando no que faria. Não queria sair e dirigir agitado como estava. Dispensou a secretária e disse que ficaria até mais tarde.

Estava sozinho e, em sua cabeça, pensamentos confusos turbilhonavam sem que ele conseguisse algum nexo naquilo tudo.

Seu celular tocou. O visor indicava uma chamada de Viviane. Sem pensar no que diria depois, ele desligou o aparelho. Não estava em condições de falar com ela.

A sala já estava na penumbra pelo cair da noite, e ele andava impaciente de um lado para outro, tentando organizar as ideias e decidir o que faria com Lílian.

De repente, a porta se abriu, e de onde ele estava não conseguiu distinguir quem estava entrando. Pensou ser a secretária voltando por alguma razão:

— Nice, é você? Esqueceu algo?

Uma voz aveludada e sensual respondeu:

— Não meu querido, não é a Nice!

André esticou o braço e acendou uma luminária, deparando com Lílian em pé, à sua frente, com um sorriso malicioso e irônico. Ela viu a foto jogada sobre a mesa e deu uma risada:

— Vejo que recebeu minha encomenda. Foi uma tarde tão agradável!

Tão boa que Viviane já me convidou para tomar um chá em sua casa na semana que vem. Eu e Camila, não é ótimo?

André se conteve para não cometer um desatino:

— O que você está pretendendo?

Ela deu de ombros:

— Nada de mais. Apenas me divertir um pouco. Ultimamente minha vida está muito entediante.

Ele sentou-se em sua cadeira, apoiou os cotovelos na mesa e o queixo sobre as mãos cruzadas, como sempre fazia quando estava tenso, e falou:

— Diga logo o que quer! Por que estava com minha noiva? Claro que não são e nunca serão amigas. Embora você possua muito dinheiro, não está à altura de Viviane — ele concluiu sarcástico.

Lílian não gostou nada do que ouviu, mas manteve a pose:

— Para você ver que não sou rancorosa, apesar de estar me tratando muito mal ultimamente, vim lhe dar um aviso, para o seu bem: sua noiva hoje, quando conversávamos, foi taxativa ao dizer que jamais perdoaria uma traição sua. É melhor que ela jamais descubra sobre nossa relação. Caso contrário, tenha certeza, você a perderá para sempre.

André se levantou inclinando o corpo um pouco para a frente e a olhou furioso:

— Isso é uma ameaça?

— Entenda como quiser; mas vim apenas para lhe prevenir que tome cuidado.

Virou as costas e saiu sem que ele a detivesse. Assim que ela cruzou a porta, André pegou um peso de papéis na mesa e atirou em direção à parede, fazendo um enorme barulho e deixando uma profunda marca no revestimento de madeira.

Capítulo 7 | Um susto

Marcelo Fogaça estava radiante com o resultado do projeto que já se encontrava na etapa final. O paisagismo feito por Camila ficou primoroso. Ao abrir os imensos portões de ferro trabalhado, surgia um caminho para os carros, todo revestido de pedrisco e margeado por grama e bromélias, que conduzia à porta de entrada da casa. Toda a área da frente do terreno foi organizada de modo que as árvores locais fossem preservadas, o que deu um aspecto refrescante e sombreado. Nas árvores, Camila se preocupou em acomodar alimentadores de aves, para que as espécies existentes ali permanecessem no local. Podiam ser vistos bem-te-vis, que alegravam as manhãs e tardes com seu canto, bebedouros para eles e, para completar a beleza da fauna, dezenas de borboletas coloridas.

Um caminho de pedestres na lateral da casa levava até a parte de trás, onde ficava a área de lazer que se estendia até a margem do rio. A paisagista criou uma passagem revestida de dormentes de madeira e toda a lateral do caminho era ornamentada com palmeiras anãs e pequenos postes balizadores com uma luz suave, para que se pudesse caminhar com segurança também à noite. Ao término desse trajeto, uma surpresa deslumbrante: um lago ornamental foi criado e uma pequena ponte de madeira conduzia até a área da piscina. Várias espécies de flores foram cuidadosamente arranjadas por todos os lados; o colorido era espetacular. A piscina possuía uma forma orgânica, fugindo do tradicional retangular, e em uma das extremidades, uma cascata de pedras se debruçava sobre a água límpida da piscina azul. Um gazebo construído em madeira branca e telhado de palha abrigava dois confortáveis sofás e várias almofadas, onde se podia descansar à sombra e usufruir o ofurô, tradicional banheira japonesa perfeita para momentos de relaxamento.

Até a margem do rio, outro caminho revestido com bolachas de madeira pequi levava a vários bancos de madeira de onde era possível admirar a beleza do rio de maneira confortável. Ao lado, balanços artesanais esperavam serenamente a chegada dos herdeiros.

A construção era imponente e elegante, pintada na cor creme e com todas as janelas em madeira branca. Para receber os visitantes, duas grandes colunas de mármore sob um telhado branco emolduravam uma porta dupla de madeira maciça que dava as boas-vindas. A casa era composta de quatro suítes, mais uma suíte para hóspedes. As salas de visita e jantar eram separadas por portas de correr e, na segunda, havia um acesso direto para a cozinha, perfeitamente equipada com o que existia de mais moderno, além de um fogão industrial. Havia um amplo escritório dividido em dois ambientes para que o casal pudesse estar junto, mas cada um com seu espaço bem definido.

André e Viviane estavam sem palavras para descrever o que sentiam diante do sonho realizado. Enquanto se abraçavam emocionados, o celular de Viviane tocou e ela pediu licença para atender. Ao voltar, dirigiu-se aos demais irradiando felicidade:

— André, Camila e Marcelo, papai e mamãe estão convidando a todos para irem à casa deles esta noite para abrirmos um *champagne* e comemorarmos o talento de vocês e nossa felicidade.

Marcelo, orgulhoso, agradeceu e retrucou:

— Mas ainda faltam detalhes importantes para podermos dizer que o trabalho está concluído.

André interveio:

— Já é um sucesso e merece uma bela comemoração!

Viviane, ansiosa, perguntou:

— Então, vocês aceitam? Combinado hoje à noite?

Todos responderam positivamente e Marcelo e Camila voltaram aos seus afazeres.

Os noivos caminharam até a margem do rio, abraçaram-se e André, segurando suavemente o rosto de Viviane entre as mãos, falou:

— Você sabe o quanto eu a amo! Vou fazer de você a mulher mais feliz deste mundo e estarei sempre ao seu lado para protegê-la de qualquer coisa.

Ela olhou com os olhos marejados e respondeu:

— Você já faz de mim a mulher mais feliz do mundo.

E selaram aquelas palavras com um beijo apaixonado.

Ainda caminharam por algum tempo, até que André deu uma sugestão:

— O que você acha de sairmos daqui e passarmos na minha casa? Eu tomo um banho, a gente descansa um pouco e mais tarde vamos para a casa dos meus pais aguardar Marcelo e Camila.

— Acho uma ótima ideia, querido. Vamos; amanhã voltamos com nossos pais. Tenho certeza de que eles ficarão igualmente comovidos com nosso futuro lar.

Enquanto isso, Lílian estava impaciente diante do computador buscando inutilmente alguma coisa nova que pudesse, quem sabe, comprometer a honra de Viviane. Mas, evidentemente, nada encontrava, e isso a deixava muito frustrada.

Ela sabia que André, embora não conseguisse resistir ao desejo por ela, estava decidido a não vê-la mais, e, claro, ela não tinha mais como ignorar a hostilidade com que ele a estava tratando. Mas Lílian também estava decidida a não abrir mão dele, e faria o que fosse necessário para alcançar seu objetivo. Nesse momento, enquanto sua cabeça fervilhava de irritação enquanto corria os olhos nos resultados da busca pelo nome de Viviane Fontoura, bateram levemente à porta de seu quarto. Ela ignorou, mas a batida se repetiu, agora um pouco mais forte. Lílian respondeu exasperada:

— Mas que inferno! Entre!

A empregada Norma entrou acuada. Sabia o quanto a patroa detestava ser incomodada quando se trancava em seu quarto, mas, naquele momento, não teve opção a não ser enfrentar a ira da mulher:

— Desculpe, senhora — falou Norma com a voz baixa e vacilante. — O rapaz da lavanderia veio deixar os ternos do dr. Alfredo e trouxe a nota. Mas desta vez a senhora não deixou o valor comigo e ele está lá embaixo esperando pelo dinheiro.

Lílian mal olhou para a cara de Norma; continuou voltada para a tela do *notebook* e somente respondeu:

— Ele que espere! — disse e continuou a pesquisa.

A criada ficou em pé, perto da porta, sem saber o que fazer. Alguns minutos se passaram e nada de a patroa dizer alguma coisa ou entregar o dinheiro. Norma começou a ficar nervosa, não sabia se permanecia ali ou se voltava para a cozinha. Engoliu em seco, criou coragem e falou novamente:

— Senhora... o rapaz está... — nem conseguiu terminar a frase.

Lílian desta vez levantou-se com faíscas no olhar, aproximou-se de Norma e falou com a voz firme e em tom mais alto que o habitual:

— Nem rapaz, nem meio rapaz! O que está se passando na sua cabeça que a faz vir aos meus aposentos me falar sobre os tostões da lavanderia?

Lílian respirou fundo e continuou:

— Que ingenuidade a minha! — disse com uma gargalhada. — Claro que nessa sua cabeça oca não pode passar absolutamente nada que preste. Coitadinha! Uma criaturinha como você, mal nascida e desprovida totalmente de qualquer talento, não serve mesmo para pensar. Por esse motivo, jamais deixará de ser o que é! O pior disso tudo é que vocês, gente do seu nível, é necessária para nós, fazer o quê?

E, falando isso, Lílian caminhou até a penteadeira, abriu uma caixa de pó facial dentre as inúmeras maquiagens, voltou para perto de Norma e virou o conteúdo da caixa no chão, espalhando tudo até pelos sapatos da pobre moça, que olhava assustada para a patroa.

Feito isso, falou com uma voz que simulava surpresa:

— Ah, meu Deus! Que descuido! Ouviu o que eu disse? Nós precisamos de vocês, infelizmente. Limpe agora mesmo essa sujeira.

Norma tinha vontade de chorar, mas insistiu:

— Sim senhora, eu limpo assim que entregar o valor ao rapaz que está me esperando na cozinha.

Lílian estava sem paciência, mas adorava aterrorizar a criadagem; isso a divertia bastante. Virou-se novamente para a moça e falou sorrindo:

— Você, além de um ser miserável, é muito burra! Eu mandei você limpar isso agora. Se está tão preocupada com o rapazinho lá embaixo, vá até o seu quarto, abra sua bolsa e pague você mesma; ou então, diga que volte outra hora. Não tenho tempo para isso agora! Ande, vá, sua imprestável. Faça o que estou mandando antes que eu a expulse com seu visitante a pontapés da minha casa. Fora!

Norma saiu correndo e fechou a porta enquanto respirava para se recuperar da humilhação. Nesse momento, só uma coisa passava pela sua cabeça: *Víbora, megera! Tomara que um dia morra sufocada em seu próprio veneno!*

***

O apartamento de André estava fresco e agradável. O casal conversava animadamente sobre o casamento enquanto Viviane preparava um lanche para os dois. Até que ele resolveu ir tomar um banho. Viviane disse:

— Enquanto você vai, eu termino os sanduíches; mas não demore muito.

— Só alguns instantes, querida, prometo. Volto já.

A ducha refrescante causava em André um imenso bem-estar e nesse dia ele estava especialmente feliz. Não havia pensado em Lílian e isso era uma bênção para ele. Após o banho, foi para a frente do espelho e abriu a gaveta do móvel embaixo da pia para pegar seu aparelho de barba. Conforme puxou a gaveta, algo pequeno veio rolando do fundo e parou exatamente encostado ao aparelho que André usaria. Ele olhou desconfiado, depois pegou o objeto e viu tratar-se de um estojo sofisticado de batom. Sua reação imediata foi chamar pela noiva, mas um alerta interior o fez recuar. Examinou o estojo e na mesma hora percebeu a quem pertencia. Mas não ia deixar que aquele incidente estragasse seu dia. Abriu o cesto de lixo e apenas o jogou em seu interior e foi fazer a barba.

Chegou ao quarto e diante do armário decidia o que vestir. Ao pegar uma camisa polo adequada para a reunião informal daquela noite, puxou o lenço que Lílian havia escondido entre suas roupas. Preso pela mão de André só por uma das pontas, o lenço caiu no chão suavemente. Nessa hora, e para a infelicidade dele, Viviane bateu à porta e entrou:

— E então, querido, posso servir nosso lanche?

Contraído pelo susto, seu reflexo foi empurrar a toalha com o pé de forma que encobrisse o lenço. Tentou manter a naturalidade:

— Pode sim, querida. Em um minuto estarei com você.

Ela enviou um beijo e o deixou sozinho.

Ele se agachou e pegou o lenço entre as mãos, olhou com raiva e o rasgou com puxões fortes, que o reduziu a apenas algumas tiras desfiadas.

Enquanto se vestia, André pensou: *Terei uma conversa definitiva com Lílian! Ela vai ter de aceitar nosso rompimento de qualquer maneira! Não posso perder a mulher que amo por causa dessa doida! Como eu poderia imaginar que ela seria capaz disso tudo? Quando nos conhecemos, ela era tão equilibrada, sensata, razões que contribuíram para que eu me envolvesse e gostasse de sua companhia. Mas darei um jeito nisso o quanto antes.*

Saiu do quarto e procurou não pensar mais no assunto.

Capítulo 8 | Ingenuidade

A noite oferecida pelos pais de Viviane em comemoração e homenagem ao excelente trabalho realizado por Marcelo e sua irmã Camila havia sido perfeita, e André, envolvido pelo clima alegre, acabou por esquecer o incidente em sua casa criado intencionalmente por Lílian e que, afinal, não atingira seu objetivo a partir do momento em que Viviane nem chegou a perceber nada.

A amante continuava a assediá-lo por telefone no escritório ou pelo celular, com ligações e mensagens. Em algumas ocasiões, Viviane estava ao seu lado quando o sinal acusava novo recado, mas ele conseguia contornar a situação sem constrangimentos. Quando estava sozinho e não conseguia se esquivar, atendia ao chamado e dava um jeito de declinar qualquer convite para um encontro. Lílian insistia, mas dava sinais de conformismo ao fim da conversa, o que era um grande alívio para André, que tinha esperança de que, agindo daquela forma, ele ganhasse tempo até que ela desistisse e o deixasse em paz.

As semanas foram passando até que um dia Lílian ligou no começo da manhã. André havia acabado de chegar ao escritório e mal teve tempo de organizar seu dia com Nice, que aguardava suas instruções de pé, diante do chefe, quando o celular tocou. Ao ver o nome no identificador de chamadas, ele pensou em não atender, mas sabia que apenas estaria adiando um problema.

Pediu licença à secretária por alguns instantes e, quando ela se retirou, atendeu com impaciência:

— Não é possível, Lílian! Acabei de chegar ao escritório, tenho muito o que fazer e Nice estava aqui comigo. Meu Deus, você não é capaz de controlar seus impulsos e lembrar que as pessoas geralmente estão ocupadas?

Ela ouviu tudo calada e depois começou a falar com tranquilidade:

— Primeiramente, bom dia, André! Desculpe se interferi tão desastrosamente em sua reunião matinal com sua secretária, mas o assunto é urgente e fiquei ansiosa para falar com você.

— O que pode ser tão urgente entre nós a essa hora da manhã? — perguntou André, acreditando que o argumento usado por ela não passava de mais uma desculpa para aproximar-se dele.

Ela hesitou por alguns instantes e esclareceu:

— Pensei muito e acho que você tem razão. Estava me comportando como uma adolescente mimada, muito diferente da mulher independente e determinada que sempre fui. E é sobre isso que gostaria de conversar com você.

Ela não podia vê-lo, mas a reação dele às suas palavras foi de um alívio tão grandioso, que do outro lado da linha ela pôde sentir. Ele respirou fundo e acrescentou, receoso de que ela estivesse jogando apenas para irritá-lo ou, ainda, que mudasse de ideia:

— Finalmente, Lílian! Agora sim você está tendo uma postura digna da mulher que conheci e com a qual passei momentos tão bons.

Ela sorriu:

— Ora, ora, salve! Então foi bom para você?

Ele deu um fraco assobio e disse:

— Nunca neguei que passamos ótimos momentos juntos. E fico muito feliz que você tenha compreendido que daqui para a frente não conseguiríamos mais viver como antes. Assim, separamo-nos e as boas lembranças prevalecem.

— Claro, você está absolutamente certo. E em nome dessas boas lembranças podemos nos ver mais uma única vez?

André pigarreou:

— Para que, Lílian? Acho que não faria bem a nenhum de nós. Você entendeu a situação, ligou-me para expor seus sentimentos e podíamos dar isso por encerrado, sem mágoas nem brigas.

Ela lançou mão novamente de seu jeito suplicante que sempre convencera André:

— Por favor, só mais uma vez! Concordar com você não significa que deixei de desejá-lo, de querer seus beijos, seus abraços... apenas mais uma vez, pelos bons e velhos tempos!

— Está bem, só mais esta vez.

— Está livre para o almoço?

— Sim, não tenho nada agendado.

— Ótimo! Podemos nos encontrar no restaurante de sempre. Estarei lá no horário habitual.

— Brindaremos à nossa civilizada despedida e ao futuro, que desejo que seja muito feliz para nós dois, cada qual em seu caminho.

André desligou com a sensação de que havia tirado toneladas de cima dos ombros. Pegou o interfone e pediu a Nice que retornasse à sua sala para continuarem revendo a agenda e que levasse para ele uma água gelada e um café.

Lílian, porém, em vez de retomar à sua rotina, fez uma nova ligação, agora para Camila:

— Como vai, Camila? Você está ocupada ou podemos falar por alguns instantes?

— Olá, Lílian, podemos falar, sim.

— Eu resolvi finalmente reformar meus jardins e gostaria de saber quando podemos marcar para que você venha conhecer minha casa.

Camila ficou muito feliz:

— Que ótimo! O projeto de Viviane já está em fase final, posso ir à sua casa esta semana ainda, se desejar.

— Perfeito! Podemos marcar para daqui a dois dias, o que acha?

— Está agendado. Você prefere pela manhã ou à tarde?

Lílian pensou, mas o que disse em seguida foi premeditado. O texto já estava decorado antes que ela tivesse iniciado a conversa:

— Tive uma excelente ideia: Viviane também não conhece minha casa. Vocês poderiam vir no fim da tarde e conversamos, enquanto sirvo um lanche espetacular para nos deliciarmos. Será que ela aceitará?

Camila sorriu:

— Saberemos agora mesmo! Ela está aqui bem na minha frente — e, dizendo isso, afastou um pouco o telefone e Lílian a escutou combinando tudo com Viviane, antes de retornar dizendo que a amiga aceitava o convite com prazer.

Pronto! Estava feito. Agora Lílian começaria a se arrumar para o encontro com André. Tudo sairia exatamente como ela imaginava.

A manhã passou rapidamente e logo ela seguiu pela estrada deserta que a levaria ao restaurante. Durante todo o trajeto apenas uma moto passou por ela em alta velocidade dando dois toques na buzina ao ultrapassar seu potente e sofisticado carro.

Quando chegou ao estacionamento, viu o carro de André acabando de encostar em uma das vagas mais discretas, na parte lateral da casa. Ela se posicionou exatamente ao lado dele e ambos desembarcaram ao mesmo tempo. André caminhou até ela e já não havia ansiedade em seu coração. Assim que saíssem dali aquela etapa de sua vida estaria encerrada. Enquanto se aproximava da mulher, observava sua beleza, e em segundos passou pela sua cabeça que jamais esqueceria o quanto ela lhe proporcionou de prazer.

Lílian, que era muito ardilosa, seria capaz de dizer exatamente o que se passava pela cabeça de André apenas pela forma como ele a olhava. Aproveitando-se, ela foi em sua direção, transbordando todo seu encanto.

— Obrigada por atender ao meu pedido — ela disse com o rosto tão próximo ao dele que seu hálito fresco e perfumado foi como uma carícia no rosto de André.

Ele não se afastou e respondeu:

— Não me agradeça. Vamos passar esta tarde aqui. Não quero que você ache que não lamento tudo isso. Mas na vida, em alguns muitos momentos, temos de fazer escolhas, nem sempre fáceis.

Ela colocou o dedo indicador verticalmente sobre os lábios de André:

— Psiu! Não diga mais nada. Vamos apenas viver esta tarde de forma a jamais esquecê-la.

Dizendo isso, ela entrelaçou os braços em torno do pescoço dele e ofereceu-lhe sua boca repleta de desejo, o que foi prontamente correspondido por ele. Um beijo ardente, urgente, marcou aquele reencontro.

Foram se sentar exatamente na mesma mesa em que estiveram no último encontro, mas André agora ficou ao lado dela. Não almoçaram; pediram apenas algumas bebidas e leves petiscos. Conversaram e trocaram muitos outros beijos e carícias durante mais de duas horas, não sendo incomodados por nenhum funcionário do restaurante.

Quando voltavam abraçados para o carro, André falou:

— Foi uma tarde muito boa. Fico realmente aliviado que você tenha entendido minha posição. E quero que jamais se esqueça do quanto eu a desejei e o quanto sou grato a você por ter me proporcionado grandes momentos.

Ela respondeu sem rodeios:

— Eu já fiz muito drama no início, mas, agora, vamos encarar este momento como algo que no íntimo já sabíamos que aconteceria. Nenhum de nós dois é livre, e uma hora teríamos de nos afastar, por sua ou minha causa. Só nos resta aceitar com maturidade o inevitável.

Despediram-se com um derradeiro beijo. E cada um entrou em seu carro. Lílian fez sinal para que ele saísse na frente.

Quando ele já havia desaparecido na estrada, ela também seguiu caminho.

Havia percorrido pouco mais de um quilômetro quando o mesmo som de moto que ouvira antes se aproximou e passou por ela novamente enquanto dava dois toques de buzina. Só que, desta vez, em vez de sumir na estrada à sua frente, o veículo ligou a seta para a direita, diminuiu a velocidade e entrou em um estreito caminho de terra batida, seguido pelo automóvel de Lílian.

Pouco mais à frente, ambos pararam e desligaram os motores. Da moto desceu um homem pequeno, magro, que pela estrutura física parecia mais um adolescente. Mas era um homem maduro e experiente e, acima de tudo, muito bom no que fazia. Lílian sequer abriu a porta do carro e o homem foi até sua janela. Encostou-se, curvando o corpo, e Lílian, objetiva, questionou:

— E então?

Ele tirou de sua bolsa uma câmera digital profissional, acionou um botão e colocou as imagens bem diante dos olhos de Lílian, que se deliciava ao ver todos os momentos que acabara de passar ao lado de André registrados pelo fotógrafo que ela havia contratado e que executara um excelente trabalho.

Capítulo 9 | Fatalidade

Havia muito tempo que André não se sentia tão bem-disposto. O trabalho era bem-sucedido, amava uma mulher maravilhosa e era correspondido, seu futuro lar estava quase pronto e, acima de tudo, Lílian era definitivamente uma página virada em sua vida.

Algumas semanas se passaram desde seu encontro com a agora ex-amante, e tudo caminhava na mais perfeita harmonia. Não a vira mais nem ouvira falar dela.

Durante esse período, Lílian começou a enfrentar alguns problemas relativos ao trabalho do marido.

Alguns anos antes, Salomão, rico fazendeiro da região, havia procurado Alfredo para contratar seus serviços. O homem estava sendo acusado de estelionato, formação de quadrilha e o mais grave: de ter sido o mandante de um assassinato terrível de outro fazendeiro de uma localidade próxima. O caso ganhou grande repercussão na mídia e Alfredo, vaidoso como sempre e prevendo a visibilidade que teria com o caso, aceitou defender a causa. Só que, contrariando todas as suas expectativas, Salomão foi condenado. Entraram com recurso e, aproveitando-se do prestígio de ambos e de várias brechas na lei, o fazendeiro conseguiu aguardar o recurso em liberdade. A lentidão da justiça permitiu que os anos passassem e ele continuasse livre.

Agora, com o caso já caindo no esquecimento, Salomão resolveu se vingar do que chamava ser incompetência de Alfredo, que não conseguira livrá-lo das acusações.

Passou a ameaçar o advogado, entrou com um processo contra ele e jurou que o deixaria na miséria.

Na residência do casal, durante o jantar, Alfredo e Lílian conversavam sobre o assunto:

— Mas você acredita que ele possa mesmo prejudicar sua carreira? — perguntou Lílian ao marido.

Ele balançou a cabeça negativamente, mas sua resposta mostrava toda sua apreensão com a situação:

— Não! — fez uma pausa e prosseguiu: — Mas, na verdade, não sei a que ponto isso pode chegar. Ele é um homem poderoso, tem muitos contatos importantes, é complicado.

— Mas você também é um homem influente, tem um nome forte e boas conexões com magistrados da mais alta autoridade.

— Eu sei e conto com isso para dar o troco a esse safado. Mas preciso agir com cautela e usar de toda a minha habilidade.

Como sempre acontece quando um escândalo envolve nomes conhecidos, logo a notícia começou a se espalhar pela cidade. As pessoas, com receio de se verem envolvidas em algum problema, pois, como diziam, era "briga de cachorro grande", faziam os comentários à boca pequena, mas já corria na surdina que o grande advogado Alfredo Ramos estava encrencado e que Lílian teria de baixar o nariz e engolir sua arrogância, pois seus dias de dondoca estavam contados. Realmente, isso era o reflexo das inimizades que Lílian foi plantando no decorrer de sua vida com suas atitudes grosseiras, mesquinhas e a mania de desdenhar dos menos favorecidos. No íntimo, muita gente só aguardava para aplaudir a decadência do casal.

Indiferentes a tudo isso, André e Viviane acertavam os últimos preparativos para a cerimônia de casamento. A casa estava pronta, só esperando que eles voltassem da lua de mel para recebê-los.

André queria dar um presente à noiva e ligou para ela:

— Querida, gostaria de sair com você esta tarde para comprar-lhe algo especial.

— Mas, meu amor, você não precisa me comprar nada. Já temos tudo de que precisamos.

André resmungou:

— Que mal há em querer presentear a mulher que amo? Por favor, vamos sair e me deixe lhe fazer esse carinho.

— Está bem, claro que podemos sair. Mas pode ser amanhã? Tenho um compromisso hoje.

Ele ficou surpreso:

— Você não havia me dito nada.

— Eu sei, na verdade nem eu sabia. É que há algumas semanas eu e Camila fomos convidadas para um chá na casa de Lílian. Parece que Camila vai realizar um trabalho para ela. Mas houve um imprevisto e o encontro foi desmarcado. Hoje recebi a confirmação de que poderíamos ir esta tarde.

André gelou ao ouvir aquilo, mas se conteve:

— Que pena! Mas sua presença é necessária mesmo? Quem vai fazer o trabalho é Camila.

— Sim, querido, mas não sei se você está sabendo que o marido de Lílian está com sérios problemas, e ela, tadinha, parece que está apavorada com a situação. Ela sempre foi tão gentil comigo, não custa nada prestar um pouco de solidariedade neste momento.

Mesmo contrariado, André teve de aceitar a situação, mas, ao desligar o telefone, ficou inquieto imaginando se Lílian estaria tramando alguma coisa. Embora essa ideia o estivesse assombrando, por outro lado o silêncio de Lílian durante tanto tempo era a prova de que ela havia sido sincera. Mas algo dentro dele não se convencia disso, e ele não conseguiu voltar ao trabalho.

Hesitante, pegou o telefone e ligou para Lílian. Queria apenas sondar o estado de espírito dela e usou como desculpa o fato que estava ocorrendo com Alfredo:

— Como vai, Lílian? Estou ligando apenas para saber como você está. Você sabe, as notícias correm e tomei conhecimento dos problemas que está enfrentando. Fiquei preocupado.

Lílian não havia de forma alguma desistido de ter André e calculara seus passos detalhadamente. Mas os últimos fatos a deixaram bastante nervosa e ela estava se descontrolando com facilidade. Nesse mesmo dia, já havia desfiado uma enormidade de insultos por onde passara e principalmente sobre a pobre Norma. Movida por seu desequilíbrio, atropelou os acontecimentos e planos e falou mais sarcástica do que nunca:

— É mesmo? Está preocupado comigo? Quanta bondade sua! Não seja hipócrita! Você deve estar se divertindo com tudo isso. Vá para o inferno! — gritou, deixando André absolutamente desconcertado.

— Lílian, por favor, não fale assim. Você sabe que estou sendo sincero. Sei que está nervosa e vou relevar sua atitude.

A compreensão dele a deixou ainda mais irritada:

— Eu não preciso de nada que venha de você. O que eu quero é você! Está disposto a me dar isso? — falou com ironia.

— Por favor, não vamos recomeçar. Nossa última conversa foi tão boa, tudo terminou bem e você entendeu meus motivos.

Ela deu uma sonora gargalhada:

— E você acreditou? Tolinho!

As palavras de Lílian deixaram André atordoado:

— O que você está dizendo? Está louca?

Ainda rindo, ela completou:

— Louca vai ficar sua noivinha esta tarde em minha casa quando eu mostrar a ela algumas fotos que estão em meu poder.

— Fotos? Que fotos?

— Querido, eu não podia deixar de registrar nossos últimos momentos juntos. Era uma lembrança da qual eu não poderia abrir mão.

O raciocínio de André estava agora completamente confuso e ele tentava se lembrar de detalhes daquele dia:

— Mas você não tirou nenhuma foto! Lembro bem disso.

— Você é muito amador e ingênuo, mesmo. Claro que não tirei, sei que você jamais permitiria. Mas o fotógrafo que contratei, e que estava lá naquela tarde, fez um registro enorme, detalhado e maravilhoso de cada carícia, de cada beijo. E todas as fotos estão datadas.

André começou a transpirar e a tremer:

— Você está blefando! Não é possível!

— Você acha mesmo? Então pergunte para sua queridinha mais tarde, quando ela for aí dar-lhe uma bela bofetada na cara antes de romper esse noivado ridículo. Pergunte a ela porque quer ficar longe de você.

André se deu conta de que Lílian estava realmente falando sério. Ele precisava agir rápido; faltavam apenas algumas horas para que Viviane e Camila saíssem para o compromisso.

— Eu quero ver essas fotos! Vamos nos encontrar agora.

Ela se sentia triunfante:

— Agora sim, parece que você entendeu o que está ocorrendo. Onde? Lá no lugar de sempre?

Ele analisou por uns instantes e respondeu:

— Lá não. Vamos nos encontrar naquela região que ainda é desabitada, perto da minha futura casa, onde o rio se aproxima da cachoeira. Lá, com certeza, não seremos vistos por ninguém.

— Estarei lá em meia hora. E é bom que você esteja também.

André ficou aterrorizado. Então em nenhum momento a mulher havia sido sincera. Tudo foi planejado e estudado para destruí-lo. Ele se amaldiçoava por cada momento que cedeu ao desejo puramente carnal que ela despertava nele e, agora, estava com um problema enorme nas mãos e não tinha a menor noção de como poderia resolvê-lo.

A simples ideia de fazer Viviane sofrer o atormentava. Ele teria de evitar de qualquer maneira que Lílian seguisse em frente. Mesmo que para isso tivesse de manter seu caso com ela até encontrar uma solução.

Quando se encontraram, a expressão de Lílian era de desprezo e ódio. André teve a certeza de que ela não desistiria e que ele estava em suas mãos.

— Por que você está agindo assim? Não tem nenhum sentimento por mim? Quer apenas me destruir? — perguntou ele com o coração apertado.

— Você está enganado! Tenho todos os sentimentos por você, mais do que eu imaginava. E por essa razão eu o quero tanto.

— Lílian, você está confundindo as coisas. Você não me ama!

Ela o fitou com olhos intensos:

— Eu não conheço o amor! Nem sei se ele existe nem o que é. Isso tudo é bobagem. Mas conheço o desejo, o querer estar perto, o prazer. E tudo isso tenho com você, como nunca tive com ninguém. Não vou permitir que aquela sem sal roube o melhor que já vivi e saia disso impune.

Ela parecia uma rocha enquanto falava, e nada iria fazê-la mudar de ideia. Só uma coisa a deteria, e André estava disposto a pagar o preço. Aproximou-se dela e acariciou seus longos cabelos:

— Ouvir você falar assim mexe muito comigo. Eu juro que não tinha ideia do que eu representava para você — e aproximou seus lábios dos dela selando um beijo suave.

Ela murmurou:

— Eu quero você mais que qualquer outra coisa. Você sabe que o que existe entre nós é raro e não pode ser descartado sem mais nem menos.

Enquanto falavam em voz baixa, trocavam carinhos. André começou a sentir que estava novamente tomando o controle da situação.

— Você tem razão. Eu também nunca consegui resistir ao fascínio que você provoca em mim. Isso é sinal de que não podemos nos separar. Temos apenas de tomar cuidado para que seu marido e minha noiva, logo minha mulher, nunca desconfiem de nada.

Enquanto o beijava, ela respondeu satisfeita:

— Isso nós saberemos fazer. Até hoje ninguém desconfiou de nada.

Tomado pelo excesso de confiança, André deu a cartada final, ainda fazendo carinhos na mulher, totalmente entregue às sensações daquele momento:

— Onde estão as fotos? Elas agora não servirão para nada. Mostre-me e depois destruímos tudo.

Lílian retesou cada músculo do corpo. Foi tomada por uma respiração acelerada e seu coração bateu muito forte. Deu um pulo para trás, empurrando André, e gritou totalmente descontrolada:

— Seu miserável! Estava me enganando o tempo todo. Tudo o que você quer são as fotos para preservar a vadia da sua noiva. Pois você não as terá!

Aos gritos, ela partiu para cima de André desferindo-lhe socos e tentando arranhá-lo com suas enormes unhas vermelhas e afiadas. Ele conseguiu desvencilhar-se por alguns instantes:

— Você está completamente louca! Controle-se.

Nesse momento, ela olhou para o lado e viu um pedaço de galho grosso caído no chão. Agilmente, pegou-o e avançou na direção de André, tentando golpeá-lo. Na tentativa de se defender, ele se esquivou e conseguiu empurrá-la para o lado.

Ela deu alguns passos cambaleantes em direção ao rio e, quando percebeu que estava perdendo o equilíbrio e que iria cair, esbugalhou os olhos em direção a André e lançou sobre ele o olhar mais repleto de cólera que ele já havia visto na vida.

Ainda assim, ele se esticou para segurar a mão de Lílian, mas ela tombou para trás e caiu dentro das águas geladas, batendo a cabeça em uma grande pedra escondida no leito. Logo uma torrente vermelha começou a brotar da cabeça da mulher e, em segundos, já estava acompanhando o fluxo do rio em direção à cachoeira.

O corpo inerte de Lílian ficou próximo à margem.

André se aproximou para tentar ajudar e, aterrorizado, confirmou: Lílian estava morta!

Capítulo 10 | Algumas premonições

A primeira página do jornal de maior circulação da cidade trazia a manchete sobre a morte de Lílian ilustrada por uma enorme foto da mulher ao lado do marido.

Alfredo estava desconsolado. Sua aparência de fortaleza e astúcia já estava fragilizada devido ao problema com Salomão, e, agora, a perda da mulher o deixara sem rumo. O casal formava uma bela dupla, e ela sempre fora sua companheira em tudo, principalmente quando ele tramava novas formas de aumentar o volume dos cofres de ambos. Alfredo conquistou aliados, parceiros, cúmplices, mas sua fama de mau caráter o deixara sem amigos. E a ausência de Lílian ao seu lado seria sentida profundamente.

O corpo dela foi encontrado a alguns poucos quilômetros do lugar onde ela e André se encontraram. Foi visto por dois amigos que estavam, como de costume, indo para uma pescaria. Eles avisaram as autoridades que em poucos minutos chegaram ao local com carros de polícia e do Instituto Médico Legal.

Ninguém sabia ao certo o que havia acontecido. A princípio, surgiu uma suspeita muito grande de que mais uma vez o fazendeiro Salomão havia resolvido uma desavença da forma mais simples: eliminando o adversário ou deixando-o frágil com a perda de alguém querido. Mas, para sua tranquilidade, Salomão havia sido visto no provável horário da morte de Lílian por várias pessoas em uma festa. Contudo, ainda existia a suspeita de ele ter encomendado o crime. Todavia, seu depoimento na delegacia e seus argumentos seguros convenceram o investigador de sua inocência.

Todas as possibilidades foram analisadas, a perícia foi feita incansavelmente, e o laudo foi taxativo: Lílian havia cometido suicídio.

Quando o caso foi encerrado, todos comentaram o desfecho:

— Vocês acreditam mesmo em suicídio? — perguntou a moça aos funcionários do salão de beleza.

— Eu não tenho a menor dúvida! — respondeu o cabelereiro que cuidava sempre dos cabelos de Lílian.

— Mas por que ela faria isso? Jovem, bonita e rica, por que iria se matar? — perguntou a manicure enquanto cuidava das mãos da cliente que a tudo ouvia curiosa.

Outra cliente, que não simpatizava nada com Lílian e a conhecia apenas de vista, fez questão de opinar com ironia:

— Você está enganada! Ela teve todas as razões do mundo para se matar. Ou vocês esqueceram que ela e o marido estavam prestes a cair na miséria?

— Mas será que isso ia acontecer, mesmo?

— Ora, o fazendeiro envolvido tem muito mais poder que esse advogado Alfredo Ramos. Eu não duvido que conseguisse deixá-los sem nada.

Todos arregalaram os olhos e a manicure prossegiu:

— A bem da verdade, ela era uma perua insuportável e arrogante. Não tenho pena, não, teve o fim que merecia.

Outra funcionária destilou um pouco do veneno contido durante tanto tempo enquanto era humilhada por Lílian:

— Não sei, acho que ela não merecia morrer, não.

— Como assim? — perguntaram todos quase em uníssono.

— Ela deveria ter ficado bem viva e pobre. Já imaginaram a madame tendo de abaixar a crista e conviver em igualdade de situação com todos aqueles em que ela sempre pisou?

Todos riram e o cabelereiro, que também era o dono do salão, ainda concluiu com sarcasmo:

— Pobrezinha. Eu, com minha alma caridosa e sensível, não negaria um emprego a ela.

***

André ficou muito abalado com o que acontecera, mas em hipótese nenhuma podia deixar transparecer sua angústia para ninguém. Sofria calado e, muitas vezes, quando conseguia dormir, era atormentado por pesadelos que o levavam de volta àquele dia horrível.

Em seu sono turbulento, ele via tudo o que aconteceu: a discussão, o ataque de Lílian tentando agredi-lo, a tentativa dele de se proteger e o momento em que ela caía inerte no raso das águas. A lembrança o atormentava. Quando ele se aproximou e constatou que ela estava morta, desesperado e sem saber o que fazer, com o pé empurrou-a para dentro do rio. Assim, seu corpo foi arrastado em direção à cachoeira. André acordava ofegante e transpirando muito. Geralmente ia até a cozinha e, só depois de beber um copo com água bem gelada, refazia-se do horror das lembranças.

Sentado em sua varanda, olhando a noite quieta, ele pensava: *Preciso esquecer! Não foi minha culpa. Foi um acidente. Eu apenas estava me defendendo do ataque de Lílian. Não posso me condenar e levar essa responsabilidade comigo para o resto da vida! Preciso pensar no meu futuro. Lamento muito que tenha terminado assim, mas se Lílian tivesse agido de outra forma nada disso teria acontecido.*

***

Os dias foram passando e, aos poucos, André conseguiu retomar sua vida. A expectativa de todos estava voltada para a cerimônia de casamento. Mas uma alegria ainda tão grande quanto a união de André e Viviane estava para acontecer: Juliano, irmão mais novo de André, estava chegando à cidade para participar das bodas e fixar residência. Ele havia passado longa temporada fora do país, aprimorando seus estudos. Agora, poderia assumir ao lado do irmão os negócios da família.

Juliano e André eram muito unidos e a felicidade de ambos ao se reencontrarem foi contagiante. Abraçaram-se emocionados e, depois de um almoço em família, os dois saíram para matar a saudade e colocar a conversa em dia.

André não cansava de repetir:

— Meu irmão, você está ótimo, tanto na aparência como no seu interior. Eu percebi logo que você está com uma serenidade, uma tranquilidade enormes. Isso é amor?

Juliano riu:

— Não, André. Meu coração continua solitário como sempre.

— Você está brincando? Não se apaixonou por nenhuma garota durante esse tempo em que esteve fora?

— Garotas... claro, não fiquei todos esses anos sozinho. Mas ninguém que arrebatasse meu coração como Viviane fez com o seu — respondeu alegre, dando um tapa nas costas de André.

— É verdade! Eu não imaginei que me casaria tão cedo! Mas quando a conheci percebi que era com ela que eu dividiria toda a minha vida.

— Que bom, meu irmão! Você não imagina como fico feliz.

— Mas se não é amor, qual a razão desse seu ar tão pacífico?

Juliano deu uns passos à frente, voltou-se para André e disse com tranquilidade:

— Meu caro irmão, não estudei apenas administração esse tempo todo. Descobri algo novo a meu respeito e, para tirar minhas dúvidas, busquei ajuda de quem entendia do assunto e acabei descobrindo um mundo maravilhoso. Agora vou continuar meu trabalho aqui em Sete Lagoas. Já me informei sobre o local onde poderei dar continuidade aos meus estudos.

André estava surpreso e curioso:

— Do que você está falando? Não estou entendendo nada.

Juliano sorriu:

— Eu explico. Você vai entender e achar fascinante. Eu comecei em determinada época a ter sensações estranhas, a princípio só sensações, mas com o tempo foram se transformando em algo mais intenso.

O irmão riu:

— Agora você me deixou ainda mais confuso.

— Vou simplificar o máximo possível: eu comecei a ter pressentimentos muito fortes. Sabia quando algo ruim ou bom comigo ou com pessoas próximas a mim estava para acontecer. No começo, não dei muita atenção, mas quando comecei a ver que aquilo que eu pressentia de fato acontecia, assustei-me. Tentei não pensar no assunto, não queria me envolver nem procurar saber o que estava acontecendo. Mas minha recusa não impediu que eu continuasse a ter os pressentimentos. Até que uma grande e querida amiga conversou comigo e me convidou para conhecer o centro espírita que ela frequentava. Passei a ir às reuniões duas vezes por semana e percebi que o que acontecia comigo não era nada perigoso nem assustador. Depois de um tempo, comecei a ter visões, e os pressentimentos ficaram mais intensos, viraram premonição mesmo.

— Você está falando sério? Você vê as coisas que vão acontecer? Vê almas do outro mundo? Fantasmas? — Perguntou André, boquiaberto.

Juliano não se conteve e começou a rir da falta de conhecimento do irmão:

— Fantasmas, André? Almas do outro mundo? — falava sem conseguir parar de rir. — Você tem ido muito ao cinema!

André se sentiu um tanto bobo, mas acabou rindo de si mesmo. Mas, curioso, quis saber:

— Está bem. Posso não entender dessas coisas, mas o que exatamente você vê?

— São imagens, algumas nítidas, outras confusas, e em algumas situações não vejo nada, apenas sinto.

— Você não tem medo?

— No início tinha. Mas quando comecei a participar das reuniões e a estudar mais a fundo a Doutrina Espírita, percebi que não havia nada a temer. Sei que existe um centro espírita aqui na cidade e vou passar a frequentá-lo. Tenho muito o que aprender e trabalhar ainda.

André estava surpreso, respeitava demais o irmão e não diria a ele que, apesar de achar tudo muito interessante, não acreditava naquilo.

Juliano estava empolgado em sua narrativa e perguntou:

— Você não quer ir comigo ao centro espírita algum dia desses?

— Não sei, não, Juliano. Achei muito bacana tudo o que você falou, mas acho que não me sentiria bem lá. Afinal, não ia entender nada.

Nesse momento, quando ambos caminhavam pelo parque da cidade, Juliano parou e fixou o olhar em algum ponto no horizonte. A princípio, André nem se deu conta, mas quando estava poucos passos à frente do irmão indagou:

— O que houve, Juliano? — e enquanto questionava a razão de o irmão ter parado, procurava seguir o olhar dele para tentar descobrir o que tanto chamara sua atenção. Mas não havia nada.

Juliano continuou parado, olhando para o mesmo ponto.

André se preocupou e aproximou-se do irmão:

— Você está bem?

Juliano virou-se para ele e, com o rosto contraído e muito sério, disse:

— André, meu querido irmão, você terá de ser forte e determinado! Muitos desgostos ainda cruzarão seu caminho. Seu casamento não terá um final feliz. Você precisará ter fé e coragem.

— Do que está falando? Que coisa horrível, Juliano. Que desgostos?

— Um desafeto seu, do passado, tem sede de vingança. E não vai lhe dar paz enquanto não atingir seu objetivo. Mas estarei sempre ao seu lado!

Dizendo isso, a expressão de Juliano serenou e ele continuou caminhando. André ficou quase louco com tudo o que ouviu:

— Juliano, pelo amor de Deus, que coisas foram aquelas que você disse?

— André, desculpe, às vezes falo coisas meio sem sentido também.

— Mas você falou sobre vingança, inimigo... Eu nunca tive inimigos.

— Vamos embora, André. Esqueça isso e outra hora conversaremos com calma. As pessoas estão esperando por nós. Quero matar a saudade de tanta gente querida.

— Mas, Juliano...

O irmão, com seu jeito persuasivo de ser, apenas disse:

— Vamos, André! Fique tranquilo. Já disse que estarei com você. Vamos para casa que nossos pais estão nos aguardando.

Assim, André foi vencido pela segurança de Juliano. Seguiram juntos e nada mais foi dito sobre o assunto.

Capítulo 11 | Uma nova condição

Lílian estava atordoada, sentia muito frio e não conseguia se mover. Seus olhos estavam muito pesados, não conseguia abri-los. A cabeça latejava fortemente e seu rosto se contorcia de dor. Parou de lutar por alguns minutos, mantendo-se imóvel e tentando organizar os pensamentos. Não conseguia entender o que havia acontecido, lembrava-se vagamente de ter falado ao telefone com André e, depois disso, restava apenas um imenso vazio, nenhuma recordação, nada!

Ela começou a respirar profunda e lentamente, buscando manter o controle e o raciocínio ativo. Sempre tivera a frieza necessária nos momentos difíceis para contornar todo tipo de situação, e agora não seria diferente. Quando estava mais calma, começou a movimentar vagarosamente a mão direita, esticando e dobrando primeiro os dedos e depois repetindo o mesmo gesto com a mão esquerda. Percebendo que já conseguia abrir e fechar as mãos com mais facilidade, retomou a tentativa de abrir os olhos. Aos poucos, começou a perceber alguma claridade, mas as imagens que se formavam à sua frente eram turvas e disformes. Assustada, fechou-os, como se quisesse refazer o cenário à sua volta, e voltou a abri-los. A visão tornava-se mais nítida conforme piscava. Só então começou a tomar consciência de sua situação.

Estava deitada em uma cama muito alta. Não, não era uma cama, parecia mais com uma maca de hospital, estreita e quase do tamanho exato de seu corpo. Ao seu redor podia avistar outras camas, todas iguais e com lençóis e travesseiros muito brancos e impecavelmente esticados. Todas estavam vazias. As camas ficavam em um grande salão retangular, cercado por paredes pintadas com uma tonalidade poucas vezes vista por Lílian: um branco-azulado, que a fez lembrar das geleiras do Polo Norte; havia ainda janelões de vidro que não se abriam e ocupavam boa parte do recinto. Do que seria o lado de fora nada se via, além de muitas plantas, de todos os tamanhos e cores. O que havia por trás do jardim era impossível saber.

O silêncio era absoluto e, apesar de o ambiente estar todo fechado, ela sentia uma brisa fresca e um leve aroma que lhe pareceu ser de menta. O piso era muito branco e brilhante, como se nenhum grão de poeira tivesse algum dia passado por ali. Só depois de um tempo Lílian reparou que ao lado da cama havia uma pequena mesa muito simples e sobre ela repousava uma jarra de vidro transparente muito fina, que parecia cristal, e um copo com aparência igualmente frágil e delicado. A jarra tinha um líquido incolor, que Lílian imaginou ser água, mas não quis experimentar.

Foi então que se deu conta de que seu corpo estava também bastante dolorido e havia uma série da arranhões por toda a parte.

Começou a se irritar com o inusitado da situação e buscou todas as suas forças para se erguer. Conseguiu se sentar e colocou as pernas para fora da cama. O esforço foi demais para seu corpo fragilizado e ela sentiu uma vertigem. Quando teve certeza de que iria ao chão, duas mãos firmes, mas muito macias, ampararam-na, segurando em seus braços e evitando a queda.

Em alguns segundos, ela já estava novamente refeita e pôde observar a presença de um homem muito bonito, de cabelos castanho-escuros com um leve toque já grisalho, suavemente ondulados e cortados na altura dos ombros. Sua pele era tão lisa, alva e perfeita, que parecia a pele de um bebê. Ele era bem alto, magro e estava vestido com calça e camisa brancas. Lílian não teve mais nenhuma dúvida de que estava em um hospital. Mas por quê? O que havia acontecido? Por que Alfredo não estava ao seu lado? Antes que pudesse descarregar todas as perguntas que lhe ocupavam o pensamento sobre o desconhecido, o homem se adiantou:

— Você está se sentindo bem?

Ela o mirou desconfiada:

— Dentro do que é possível estar bem na minha situação, até me sinto mais disposta. Mas meu corpo está bastante dolorido e minha cabeça lateja muito.

Ao dizer isso, ela levou a mão até o lado da cabeça em que a dor era mais intensa e percebeu um curativo. Ao tocá-lo, sentiu certa umidade e viu em sua mão vestígios de sangue.

Lílian se sobressaltou, mas o homem nada fez. Apenas caminhou até a mesinha ao lado da cama, colocou o líquido no copo e serviu-o, ao que ela bebeu quase em um único gole. Realmente era água, não tinha gosto de nada.

Sentindo as energias se fortalecendo, seu espírito autoritário e sua arrogância voltaram a predominar nas atitudes e até no modo de falar:

— Muito bem, agora vamos, diga-me que lugar é este e o que aconteceu comigo. Onde está Alfredo, meu marido?

O homem permanecia calado, impassível, e ela não admitia a falta de explicações por parte dele:

— Perdeu a língua? — perguntou já em tom áspero e impaciente.

Nesse momento, algumas pessoas entraram no salão e interromperam os questionamentos de Lílian. Ela olhava atentamente a movimentação: alguns se pareciam com o homem ao seu lado; deviam ser enfermeiros como ele. Outros, com aparência mais apática, andavam com dificuldade, com certeza eram doentes. Ela ficou chocada:

— Isto aqui é uma enfermaria? — concluiu indignada, prosseguindo sem dar uma única pausa: — Meu marido não deve saber que estou aqui. Não sei o que aconteceu, mas provavelmente fui socorrida por uma dessas ambulâncias de emergência. Exijo ser transferida para uma suíte particular. Que absurdo, misturar-me a essas pessoas que nem sei quem são!

O homem mostrava um semblante tranquilo, e sua atitude deixou Lílian perplexa:

— Mas o que está havendo com você? Sabe quem sou eu? Lílian Ramos, esposa de Alfredo Ramos, um dos maiores advogados deste país! Exijo ser tratada com respeito e com o nível de atendimento adequado à minha posição social. Quero sair daqui imediatamente ou mandarei meu marido abrir um processo contra esta espelunca por danos morais, materiais e pelo constrangimento ao qual estou sendo submetida.

Ao terminar sua frase, ela sentiu uma pontada na nuca que a fez finalmente se calar. Só então o homem dirigiu-se a ela, mantendo a mesma tranquilidade inicial:

— Meu nome é Gabriel. Já nos conhecemos de longa data, mas acredito que não vá se lembrar agora. Você sofreu um acidente, sim. Não consegue se lembrar de nada?

Ela respondeu apenas com um gesto negativo da cabeça. Gabriel continuou:

— Aos poucos, sua memória vai clarear até que você se recorde do que houve.

— Por que, em vez disso, você mesmo não me conta? Pouparia nosso tempo. Eu quero ligar para meu marido. Ele dará um jeito nessa situação. E você, cuide-se, pois podemos fazê-lo perder esse emprego que deve ser seu sustento! Aí pode ter certeza de que ficará em maus lençóis. Com certeza você não manda nada aqui! Basta! Quero falar com seu superior; ou melhor, leve-me até o dono do hospital. É um absurdo tratarem uma pessoa como eu desta forma. Você vai me pagar por sua indiferença. Não sabe realmente com quem está lidando.

Gabriel deu um profundo suspiro e falou desanimado, já prevendo o que ainda estava por vir:

— Você está morta!

Lílian nem lhe deu atenção:

— E quando meu marido chegar, você estará acabado e desempregado. Posso jurar que, se depender de mim, vai terminar seus dias mendigando pelas ruas. Você me paga!

Gabriel repetiu no mesmo tom de voz, sem se alterar:

— Você está morta!

Lílian não conseguiu entender o que ele havia dito ou não quis entender. Reagiu violentamente, tentando dar um empurrão em Gabriel enquanto disse:

— Saia da minha frente, seu insolente! Vou acabar com você!

Quando tocou o corpo de Gabriel para tirá-lo de seu caminho, várias imagens começaram a se formar bem à sua frente. Eram como um filme, mas não seguiam nenhuma sequência. Viu a si mesma em pé na beira do rio; viu André chegando ao restaurante, os dois juntos trocando carícias e beijos; novamente a visão do rio... André, ambos em pé de frente um para o outro; sua fúria contra ele quando avançou tentando golpeá-lo e, por fim, seu corpo, que jazia nas pedras banhado pelas águas geladas. Tudo passou muito rápido, ela ficou desnorteada, mas quando se viu caída e sangrando, suas pernas amoleceram e ela desmaiou.

Passaram-se algumas horas até que ela recobrasse a consciência. Desta vez, ela acordou mais calma, já reconhecendo o lugar onde estava. Gabriel permanecia ao seu lado. Ela sentia que estava totalmente sem forças e sabia que não adiantava lutar. Conformada, apenas perguntou com uma delicadeza que não combinava com seu temperamento:

— Como é mesmo seu nome?

— Gabriel.

— Você disse que já nos conhecemos?

— Sim, já passamos por muitas experiências juntos. Eu estou sempre ao seu lado zelando por você e tentando transmitir-lhe energias de paz e amor.

Lílian mordeu os lábios achando que ele devia ser louco, mas queria ver até onde tudo aquilo iria:

— Está bem, vamos pular essa parte! Você pode repetir o que disse antes? Que eu estou...

— Morta! É isso, você desencarnou há poucos dias. Por esse motivo ainda se sente confusa.

Não é possível! Como posso estar morta se estou aqui pensando, sinto meu corpo, respiro... isso é realmente uma loucura, e esse Gabriel deve ser totalmente insano, pensou.

— Não, Lílian, não sou louco — disse Gabriel, contendo um sorriso por saber exatamente o que se passava na cabeça dela.

A mulher olhou para ele surpresa e se rendeu:

— Não sei como e não entendo o que está acontecendo. Mas por que eu morri? Tinha tanto ainda para viver. Sou... — hesitou e se corrigiu — era jovem, rica, linda... como posso ter morrido?

— Vou ajudá-la a entender e a se lembrar de tudo. Talvez assim você aceite o inevitável e comece a ajudar na sua recuperação. Você viu alguma coisa, lembra que você e André estavam juntos na beira do rio?

— Meu Deus! André me matou! Ele é um assassino! Mas por quê? Nós tínhamos uma relação que durou muito tempo e...

— André não é um assassino.

— Agora eu me lembro. Ele me empurrou para o rio, queria me matar.

— Ele apenas estava se defendendo; você tentou agredi-lo, e tentando se esquivar para escapar de sua violência, ele a empurrou e você caiu, bateu a cabeça e... bem, o resto já sabe. Foi um acidente!

Lágrimas brotaram nos olhos de Lílian e escorreram incontroláveis pelo seu rosto.

— Eu não queria machucá-lo. Estava furiosa, queria ter podido matar aquela noiva sem sal com quem ele vai se casar, mas não o machucaria de verdade. Minha atitude foi um impulso descontrolado.

Gabriel foi sincero e objetivo:

— Lílian, se ele não fosse ágil, você o teria matado. Você sabe disso.

Ela pensou por alguns instantes e sua expressão facial endureceu:

— Ele queria me abandonar e isso eu jamais permitiria.

— A única responsável por sua morte é você mesma!

Lílian mostrou-se indignada mais uma vez:

— Agora a culpa é minha? Fui assassinada de forma brutal pelo homem com quem me relacionava; fui covardemente agredida por ele, e a culpa é minha?

Gabriel sentou-se na cama ao seu lado e disse:

— As pessoas morrem exatamente como viveram. Jesus disse: *Quem matar pela espada, pela espada morrerá!*

— Mas eu nunca matei ninguém!

— Não está entendendo a profundidade dessas palavras. Você viveu sempre tratando a todos com crueldade. Humilhava aqueles a quem considerava mais fracos, agredia gratuitamente quem não atendia suas expectativas e seus desejos, enganava, mentia, tripudiava em cima dos mais fracos.

Ela permaneceu calada. Não tinha como refutar as verdades que Gabriel lançava sobre sua consciência agora. Ele continuou:

— Agindo dessa forma, você mesma trilhou o caminho até esse desfecho. Nunca admitiu perder. Achava que com o seu dinheiro e o suposto poder do seu marido, tudo conseguiria. Você fazia valer sempre sua vontade, alcançando seus objetivos pela imposição de sua força, não se preocupando se feria os outros, não se importando com as vontades e os desejos alheios. Você sempre foi mesquinha, egoísta e fútil. Nunca buscou ajuda espiritual, nunca tratou o semelhante como um espírito-irmão. Na verdade, para você ninguém era bom o suficiente para poder lhe ser comparado. Durante muitas vidas, você agiu sempre da mesma forma. A reencarnação sempre lhe abriu novas oportunidades para evoluir, para amenizar a carga que se acumulava em seu espírito de acordo com as Leis Universais. Mas você desperdiçou todas as chances e agora tivemos de trazê-la de volta ao plano espiritual antes que você se comprometesse ainda mais.

— Como assim?

— Se você continuasse encarnada, com certeza acabaria por assassinar André e Viviane.

— Como pode afirmar isso?

— Você sabe que iria. E há pouco você mesma disse que se pudesse teria matado Viviane. Não duvide, Lílian, você iria fazer isso.

Ela recuperou, aos poucos, enquanto ouvia, a postura arrogante de sempre:

— Não faria nada que aqueles dois imbecis não merecessem! Ninguém nunca me desrespeitou e viveu impunemente.

Gabriel balançou a cabeça negativamente, desanimado:

— Viu? Você precisava ser detida, para seu próprio bem. Aqui vai receber todo o tratameto necessário para se recuperar do corpo e, principalmente, do espírito.

— Como posso estar ainda sentindo dores, sangrando, se estou morta?

— Você desencarnou há muito pouco tempo. Era muito ligada à matéria, por esse motivo ainda tem essas sensações e percepções de quando vivia no plano dos encarnados. Mas durante seu tratamento, naturalmente através da sua evolução, tudo isso vai desaparecer. E em algum momento você estará pronta para voltar e viver de forma a aplicar o que aprendeu aqui. Terá outra chance, fique tranquila.

— Estou presa aqui? É isso que está me dizendo? Estou confinada nesse manicômio, impedida de sair, ferida, pior ainda, morta, enquanto André continua vivendo feliz ao lado daquela insuportável como se nada tivesse acontecido? Não! Isso eu não vou permitir. Eles não vão viver felizes enquanto estou presa aqui.

— Ninguém disse que você está presa. Foram minhas orações a seu favor que impediram que seu espírito fosse tragado pelo abismo. Consegui, com o aval de Jesus, trazê-la para este posto de socorro que fica no umbral médio; contudo, você não está detida como prisioneira, pode ir embora, mas não acho uma boa ideia.

Lílian ficou toda animada:

— Quer dizer que posso ir para onde quiser? Vocês não vão me deter?

— Você é livre, Lílian. Apenas tentamos ajudá-la a se recuperar e a evoluir espiritualmente. Não somos algozes.

— Então está decidido! Quero ir embora.

Falando isso, ela tentou ficar em pé, mas a cabeça e o corpo doíam muito, e ela deitou-se novamente falando:

— Acho que primeiro preciso me curar desses ferimentos. Mas assim que estiver melhor sairei daqui.

— E vai para onde?

Ela franziu a testa. Na verdade, se mal sabia onde estava, como poderia saber para onde ir? Mas não se deu por vencida:

— Ainda não sei como farei para deixar este lugar. Mas encontrarei um jeito e, então, André e Viviane pagarão pelo sofrimento que estão me causando.

— Você está planejando vingança? Não entendeu nada do que eu disse?

— Não entendi nem quero entender. O que sei é que vou dar um jeito de me aproximar novamente daqueles dois e me vingar, com certeza. Vou destruí-los para que sofram como eu.

— Você não sabe de nada, Lílian. Isso pode ser muito perigoso para você. Sair daqui, sem o devido preparo, não é nada seguro.

— Nunca fui mulher de me intimidar, e não será agora que isso vai acontecer.

Gabriel sabia que não adiantava dizer mais nada. Retirou-se, aguardando que ela estivesse melhor para voltarem a conversar.

Lílian ficou deitada e começou a pensar no que faria para acabar com André e Viviane, imaginando quando chegaria o momento oportuno para ir embora daquele lugar e partir para sua vingança.

Capítulo 12 | As bodas

O amplo salão finamente decorado abrigava os convidados que chegavam em grupos alegres. Logo na entrada, André e Viviane esbanjavam simpatia e felicidade ao recepcionar os amigos e receber os cumprimentos pela união.

A cerimônia de casamento foi comentada por todos. O amor do casal se expandia, atingindo em cheio até o coração mais resistente e, por várias vezes, Viviane e algumas convidadas tiveram de discretamente conter uma ou outra lágrima emocionada.

Mas agora tudo era festa; todos queriam comemorar em grande estilo.

A diversão se estendeu até a madrugada e os noivos ficaram até que o último convidado se despedisse. Só então, exaustos, seguiram para o hotel onde passariam a noite de núpcias.

Devido a vários compromissos profissionais, decidiram adiar a lua de mel. Na verdade, tanto André como Viviane não se importavam em não viajar naquele momento. Estavam ansiosos para se mudar para a casa nova, e sentiam que não havia lugar no mundo que fosse melhor que o lar dos dois.

Logo nos primeiros dias, Viviane contratou Rute, uma moça que faria por hora o serviço de governanta, orientando e administrando o trabalho de uma faxineira e da cozinheira. Além disso, seria responsável por contratar um jardineiro e qualquer outro profissional sempre que necessário para a correta manutenção da residência.

Rute era jovem, ainda não tinha trinta anos, mas era muito responsável e extremamente amável e delicada, características que logo conquistaram André e Viviane. Ela foi levada até o casal pelas mãos de Juliano, o irmão mais novo de André.

Ele e Rute frequentavam o mesmo centro espírita, e, descobrindo outras afinidades, logo se tornaram amigos. Rute era de uma família simples, mas muito bem estruturada. O pai era enfermeiro e a mãe, quituteira talentosa, que reforçava o orçamento doméstico fazendo doces e salgados por encomenda para festas. Rute ainda tinha um irmão que morava em outra cidade, onde estudava para seguir a carreira militar.

Em pouco tempo, Rute tornou-se parte da família e todos a tratavam com muito carinho e respeito.

Certa tarde, sozinha no jardim, cuidando de algumas flores que ela mesma havia plantado, percebeu que um homem se aproximou do portão. Ele fez sinal para ela, que, um pouco apreensiva, foi atendê-lo. Não o conhecia, e nos dias atuais, com tantos malfeitores soltos por aí, todo o cuidado com a segurança era pouco. Quando se aproximou, percebeu que parecia uma pessoa de bem. O homem falou com educação:

— Boa tarde, senhorita. Meu nome é Genésio; sou assistente do dr. Marcelo, o arquiteto que construiu esta beleza de casa.

Rute sorriu:

— Boa tarde, sr. Genésio. Em que posso ajudá-lo?

— Estou aqui com um material que o dr. Marcelo combinou de deixar com o dr. André. São coisas que foram utilizadas na construção e que devem ficar guardadas para o caso de um reparo, uma pintura. Tem latas de tinta e algumas peças de revestimento.

— Certo, outro dia Viviane comentou algo sobre isso. Por favor, o senhor pode entrar e acomodar o material na despensa. Com certeza, o senhor sabe onde fica — Rute comentou em tom de brincadeira.

Nesse momento, a fisionomia de Genésio se transformou, o que não passou despercebido por Rute. Ela perguntou tentando ajudar:

— Está tudo bem, senhor? Venha, entre que lhe ajudo a levar as coisas.

Genésio não respondeu. Ficou parado, olhando para o jardim com o semblante denotando preocupação. Mas logo dirigiu-se a Rute novamente:

— Desculpe, senhorita, mas prefiro não entrar. Estou com um pouco de pressa. Trouxe um ajudante que está no carro aguardando e ele carregará tudo até lá. É pouca coisa.

— Mas o senhor não prefere entrar com o carro? Fica mais fácil assim.

— Não, muito obrigado mesmo. Josué dá conta do recado.

Dizendo isso, ele chamou o rapaz, que logo recolheu tudo e levou para dentro da mansão. Enquanto isso, Rute fez companhia para Genésio, que se recusou a entrar até para beber uma água.

A moça possuía grande sensibilidade e era bastante intuitiva; assim, não se conteve e perguntou:

— Sr. Genésio, desculpe estar sendo invasiva, mas existe alguma forte razão para que o senhor não queira entrar, não é?

Ele deu de ombros. Não queria falar de suas sensações naquele lugar, talvez deixasse a moça assustada.

— Não, senhorita, não é nada. Só mania de gente velha, mesmo.

Rute não insistiu, embora ele não a tenha convencido com aquela desculpa.

Quando Josué voltou, Genésio se despediu rapidamente e, sem olhar para trás, partiu ligeiro.

Ao voltar para o jardim, pela primeira vez Rute sentou-se em um banco e ficou observando tudo ao seu redor com outro olhar. O silêncio só era quebrado pelo som dos pássaros, que brincavam em revoadas alegres com seus gorjeios e trinados, e pelo farfalhar das plantas ao sabor do vento. Ela permaneceu quieta, apenas observando, mas com os olhos da alma. E só então compreendeu a razão que fizera Genésio não querer entrar na casa. Ela não sabia exatamente o que era, mas percebeu uma energia diferente e maligna por toda a parte. Não chegou a ser uma sensação tão intensa quanto a do homem, mas ela sabia, também sentia. Abaixou a cabeça e orou para que a casa e a família estivessem sempre protegidos por espíritos de luz. Ficou assim por alguns minutos e depois voltou a seus afazeres.

***

Os meses se passaram e a harmonia fazia parte do cotidiano de André e Viviane.

Estavam quase sempre em casa, recebiam os amigos, vez ou outra gostavam de sair para jantar, mas ficavam sempre mais felizes ao voltar para o aconchego do lar. A vida em comum só fez o amor deles se tornar mais intenso.

Certa tarde, Viviane havia acabado de atender uma paciente quando se sentiu um pouco zonza. Chamou sua amiga e sócia e narrou o mal-estar. A outra respondeu sorrindo:

— Será que meu afilhado está chegando? Ou pode ser afilhada... quem sabe!

Viviane a olhou surpresa:

— Você acha? Meu Deus, será?

— Vocês estavam planejando ter filhos?

— Bem, não falamos sobre isso concretamente, mas também não nos preocupamos em tomar os devidos cuidados.

— Então, minha amiga, acho que estão prestes a ganhar o herdeiro.

— Vou agora mesmo na farmácia comprar um daqueles testes. Atualmente, eles são bastante seguros e confiáveis.

— Vá, sim, estou ansiosa pelo resultado.

Viviane foi e voltou em questão de minutos, fez o teste e, ao sair do banheiro, um brilho novo surgiu em seus olhos.

— Você estava certa, estou esperando um filho!

As amigas se abraçaram e Viviane quase não conseguia se conter de tanta felicidade:

— Preciso falar com André, e tem de ser agora. Você cuida de tudo aqui para mim?

— Claro que sim. Vá correndo que o papai não deve ser o último a saber da novidade.

André estranhou a presença da mulher em seu escritório no meio da tarde, pois ela não tinha o hábito de visitá-lo no trabalho, mas a recebeu com o mesmo carinho de sempre:

— Meu amor, que coisa boa você aqui a esta hora. Uma adorável surpresa.

— Querido, eu não queria atrapalhar, mas sei que não conseguiria esperar até a noite para lhe contar.

André riu do jeito agitado de Viviane:

— Você parece uma menina. Pelo jeito a novidade é boa.

Ela deu um suspiro e falou com amor:

— André, você vai ser pai!

Primeiro, ele ficou espantado, mas em seguida pegou Viviane pela cintura e a ergueu, girando com ela enquanto ambos riam e choravam ao mesmo tempo.

Aquela criança chegaria para completar toda a felicidade que já sentiam.

Os meses se passaram e Viviane já estava em estado avançado de gravidez. Havia diminuído o trabalho no consultório e agora se entretinha cuidando da decoração do quarto do filho. Eles já sabiam que seria um menino, e o nome foi escolhido de comum acordo pelo casal: Tiago.

Rute ajudava Viviane na arrumação e ambas passavam o dia conversando. Viviane tomou uma decisão que deixou Rute comovida:

— Rute, quero que assim que Tiago nascer e eu tiver de voltar ao trabalho, ele fique aos seus cuidados. Eu não confiaria meu filho a mais ninguém. E estando com você, saberei que ele será tratado com amor e carinho.

A moça ficou muito grata:

— Obrigada, Viviane, pela confiança. Jamais vou decepcioná-la.

— Eu sei, querida. Jamais duvidei disso.

Finalmente chegou o grande dia. Já era noite quando Viviane percebeu os primeiros sinais de que Tiago iria nascer. Tudo havia sido organizado com bastante antecedência, e não houve correria nem atropelos.

André estava nervoso, mas soube manter a calma para deixar Viviane absolutamente tranquila.

Quando chegaram à maternidade, a equipe do médico de Viviane já estava pronta, a suíte organizada e, em menos de duas horas, Tiago veio ao mundo num parto tranquilo e sereno.

Familiares e amigos, logo pela manhã, foram conhecer o novo membro da família: um bebê forte e saudável, com olhos vivos e bem ativos para um recém-nascido.

Exatamente um ano depois de sua chegada, eles voltaram à mesma maternidade para receber Marília, a caçula do casal. Desta vez, Rute levou

Tiago para conhecer a irmãzinha. Viviane confidenciou para Rute enquanto amamentava Marília:

— Rute, sou tão feliz que às vezes sinto-me culpada por ter tanta felicidade enquanto muitas pessoas pelo mundo têm de conviver com sofrimentos de toda a espécie. Chego a ficar constrangida quando penso nisso.

A moça tranquilizou-a:

— Não diga isso. Se você é feliz e sua vida é repleta de bênçãos, como seus lindos filhos, é porque você é merecedora de tantas alegrias. Você deve ter plantado sempre frutos do amor e do bem por onde andou, tanto agora como em outras encarnações, e hoje está apenas fazendo sua justa colheita.

— Um dia podemos conversar mais sobre isso?

Rute, com sua amabilidade costumeira, respondeu:

— Quando você quiser. Estarei sempre aqui. Conte comigo para tudo, jamais se esqueça disso!

Capítulo 13 | Livre-arbítrio

Lílian estava sentindo-se muito bem-disposta e já não suportava mais ficar naquele hospital. Há algum tempo ela havia sido liberada para caminhar pelos jardins, não precisando mais ficar retida no que ela chamava de enfermaria degradante.

Até que gostava de passear, principalmente nos fins de tarde. O ar era tão leve e fresco como ela nunca havia sentido antes, e a temperatura estava sempre agradável. Mas, apesar de ser um local que lhe transmitia muita tranquilidade, sua obsessão em voltar e se vingar de André e Viviane não a deixava aproveitar melhor a oportunidade que lhe estava sendo oferecida.

Resolveu que havia chegado a hora e procurou Gabriel:

— Você me disse que eu poderia sair daqui quando quisesse, não é?

Gabriel percebeu que ela estava determinada. Durante o tempo em que permaneceram juntos, ele sempre tentou dissuadi-la da ideia da vingança. Em alguns momentos, acreditou estar sendo bem-sucedido, mas agora se dava conta de que havia se enganado. Ela não iria desistir. Mas ele ainda tentaria até o último instante:

— Sim, eu disse que você não era prisioneira. Apenas estava passando pelo tratamento necessário para se fortalecer, e vejo que agora está muito bem.

Lílian ficou animada:

— Então, pronto! Quero ir embora. Não tenho muito o que reclamar daqui, até comecei a simpatizar um pouco com você, apesar de nunca ter me tratado com as honras que eu mereço. Mas não quero perder meu tempo com isso. Como faço para sair daqui? Quero ir o quanto antes.

— Lílian, eu já conversei muito com você sobre isso. Ainda não está suficientemente forte para se aventurar sozinha por aí. Eu já lhe expliquei que é muito perigoso.

Ela deu uma risada:

— Perigoso para quem? Você mesmo disse que estou bem. Não tenho medo de nada. Posso estar aqui agora, morta ou sei lá o que, até agora não entendi muito isso tudo, mas sinto-me muito viva e poderosa como sempre. Nada vai me deter!

— Além dos nossos muros existem perigos que você desconhece e não tem como enfrentá-los sozinha. Desista, Lílian! É para seu próprio bem. O que existe em seu íntimo pode levá-la a caminhos muito obscuros e cruéis, e você pode ser sua pior vítima.

— Bobagem, eu conheço muito bem o lado negro da vida. Sei detectar espertalhões a quilômetros de distância. Sei me cuidar, não se preocupe. Além disso, tenho de voltar o mais rápido possível; ainda posso tentar impedir aquele casamento ridículo.

Gabriel a olhou com um sorriso:

— De que casamento está falando?

— Não se faça de desentendido. O casamento de André e Viviane. Acho que posso dar um jeito nisso, mas se ficar parada aqui não conseguirei meu objetivo.

— Lílian, não se apresse. Você nada pode fazer a esse respeito.

Ela deu um giro em volta de Gabriel e falou:

— Claro que posso. Se em vida eu já era irresistível e conseguia tudo o que queria, imagine agora, que sou um "fantasma" — disse isso dando uma gargalhada. — Vou assombrar aquela sem sal da Viviane até ela enlouquecer. Aí eles vão interná-la e adeus casamento.

— Eles já estão casados, Lílian!

Ela parou, cruzou os braços e respondeu incrédula:

— Como assim já estão casados? Ainda faltava um bom tempo. Aqui não vi nenhum calendário, mas sei que ainda não deu tempo de o casamento acontecer.

— O que é o tempo, Lílian? Pode ter certeza de que o daqui é diferente de tudo o que você conheceu. O tempo nesta morada é nulo e indiferente para nós.

— Há quanto tempo estou aqui?

— O suficiente para que as coisas no plano dos encarnados prosseguissem sem a sua interferência. Você não tem mais o que evitar. Deve esquecer esse assunto; tem muito o que estudar, pode se ocupar ajudando outros irmãos que chegam todos os dias em estados lamentáveis de sofrimento; há tanto a fazer!

Ela fez uma expressão de espanto:

— O que você está me dizendo? Eu? Trabalhar? Você só pode estar brincando. Esqueceu que sou Lílian Ramos? Não vou fazer nada disso, não sou freira nem santa, era só o que me faltava. Vocês são pagos para ajudar essa gente miserável. Eu não tenho nada a ver com isso. Aliás, vou relatar a algum órgão do governo a falta de respeito que tiveram comigo. Nunca consegui falar com o proprietário daqui, você me deixou todo o tempo na pobreza, naquela enfermaria. Ainda não desisti de ser compensada por essa humilhação. Também vou dar um jeito nisso, pode apostar.

— Lílian, o que mais posso fazer para que você entenda?

— Nada! Já disse que quero ir embora. Não acredito em você nem que o casamento de André já tenha acontecido.

— Aconteceu, Lílian. Hoje eles formam uma linda e feliz família. Deixe-os em paz, e cuide de você.

— Família?

— Eles já têm filhos, inclusive.

— Impossível. Você está querendo me irritar, é isso.

— Com que objetivo eu faria isso?

— Apenas porque é pobre, um reles enfermeiro, e deve ter inveja de mim, como todos da sua laia. Por essa razão quer me irritar.

Gabriel respirou fundo, mas sua paciência parecia não conhecer limites:

— Eles têm um lindo casal de filhos, saudáveis e grandinhos.

A fisionomia de Lílian se transformou. Sem saber, Gabriel acionou o que ainda podia haver de pior na personalidade dela, e um profundo ódio se manifestou no olhar da mulher:

— Então você realmente está falando sério! Vou embora daqui imediatamente. Como faço para sair? Ninguém vai me deter. Se isso que está falando é verdade, vou destruir a família toda, inclusive essas criancinhas insuportáveis!

Gabriel fechou os olhos e orou com fervor, pedindo proteção para André e família. Rogou para que Lílian se deixasse auxiliar e não se atirasse no mundo escuro para onde estava querendo ir. Mas não podia mais fazer nada além disso.

— Você realmente quer ir?

Ela impacientou-se:

— Chega de conversa. Conduza-me para fora daqui agora!

— Você estará sozinha assim que cruzar os portões, sabe disso. Está preparada? Verá coisas terríveis e encontrará companhias que podem lhe fazer muito mal.

— Nada me causa mal maior que ver aquele assassino do André e aquela vadia da mulher dele sendo felizes.

— A escolha é sua; é o que chamamos de livre-arbítrio. Você teve a oportunidade de agir diferente, mas está obcecada pelo desejo de vingança. Não vou levá-la a lugar algum. Se está mesmo decidida, é só seguir por esse caminho à direita. Ele vai levá-la diretamente aos portões. Mas se realmente ultrapassá-los, estará por sua própria conta.

Ela nem olhou mais para Gabriel. Tomou o caminho indicado por ele com passos rápidos e firmes; e ele apenas lamentou aquela atitude.

Não foi preciso andar muito para que ela se deparasse com a saída. Todo o caminho que percorreu era belíssimo, com muitas flores, muito verde e um aroma doce. Os portões eram gigantescos, lindos... Assim que se aproximou, eles abriram devagar. Ela parou por alguns instantes e lembrou das palavras de Gabriel sobre os perigos que encontraria. Relutou, mas só por alguns segundos. Lançou-se para o lado de fora levando com ela todo ódio e arrogância que a acompanhariam na caminhada. Quando os portões se fecharam às suas costas, ela se sentiu novamente com toda a coragem e convicta de seu propósito.

Seguiu sem saber para onde, mas, conforme andava, percebia que a paisagem não era bela como a que ela estava acostumada a ver nos últimos tempos. E quanto mais se afastava do hospital, mais feia ia ficando. Galhos secos a faziam tropeçar constantemente e as árvores perdiam seu esplendor, dando lugar a figuras contorcidas e decadentes. Contudo, Lílian estava tão focada em sua vingança que, apesar de não estar gostando do que via, prosseguia caminhando.

Mais à frente, viu-se em meio a um local que parecia um pântano, e não entendia como estava anoitecendo tão rápido. Apesar da falta de luz, ela conseguiu enxergar perfeitamente tudo ao seu redor, e também achou esquisito. A temperatura, antes agradável e amena, estava caindo rapidamente, e só então Lílian se deu conta de que havia saído com a roupa do corpo: um camisolão cinza muito claro e um par de chinelos muito finos. A mulher trincou os dentes de frio, estava começando a se sentir perdida, mas em nenhum momento pensou em voltar.

Andava com dificuldade, pois sob ela havia uma lama muito mole. Com dificuldade, conseguia evitar que seus pés afundassem. Mas, de repente, seu chinelo ficou preso e ela caiu quase de cara na lama. Levantou-se cambaleante e viu que sua roupa havia ficado imunda e ela havia perdido o chinelo. O outro que lhe restava, ela atirou longe em um momento de fúria. Seus cabelos estavam totalmente desgrenhados, e caso ela tivesse em mãos um espelho não se reconheceria.

Quando estava se preparando para retomar seu rumo, que nem sabia exatamente onde a levaria, levou um grande susto. Um homem, igualmente sujo, vestindo calça preta e camisa branca, descalço, apareceu em sua frente.

Ela realmente era destemida, mas, apesar de estar assustada com aquela figura, não demonstrou nada e ainda estufou o peito em tom ameaçador e de maneira que mostrasse logo ao desconhecido sua superioridade. Ela o observou calada por alguns segundos até reparar que a camisa do homem estava banhada em sangue. Com um grito contido exclamou:

— Que horror! Você está sangrando! O que aconteceu?

Ele tinha a fisionomia transtornada, talvez pela dor do ferimento. A voz saiu rouca, pesada:

— Isso não importa!

— Mas você precisa de ajuda!

Ele riu debilmente:

— Nesse lugar todos nós precisamos de ajuda. Inclusive você!

Arrogante como sempre, Lílian respondeu:

— Você não sabe de nada. Imagina se vou precisar de ajuda, ainda mais vinda de alguém como você.

— Você não quer encontrar André? — falou o homem em tom de sarcasmo.

Lílian se surpreendeu imaginando quem era aquele homem e como sabia de suas intenções. Antes que dissesse mais alguma coisa, ele se virou indo na direção contrária de onde ela estava e falou sem olhar para trás:

— Se quer realmente encontrá-lo... é só me seguir!

Capítulo 14 | Reunião em família

Era um sábado de muito sol e calor. A família de André e Viviane estava toda reunida em volta da piscina. As crianças, Tiago agora com sete anos e Marília com seis, se divertiam pulando na piscina e atravessando a parte mais rasa por baixo da água, competindo para ver quem tinha melhor fôlego. Os dois irmãos eram muito unidos e Tiago adorava sentir-se forte e proteger a irmã caçula. De vez em quando, ele deixava Marília vencer a competição só para fazê-la feliz. Eram muito apegados e estavam sempre juntos, o que emocionava muito os pais, principalmente André, que, sem saber por que, sentia-se bastante comovido com a união deles. Rute não tirava os olhos dos dois, sempre atenta para que nenhum incidente colocasse em risco seus bebês, como ela ainda os chamava carinhosamente.

Naquele dia, estavam presentes Marcelo e Camila, que se tornaram bons amigos dos donos da casa.

A refeição só seria servida mais para o fim da tarde para que todos pudessem aproveitar a piscina e, quem sabe, um agradável banho de rio.

Rute e Juliano se tornaram companheiros não só nas idas ao centro espírita, mas descobriram com o passar do tempo muitos gostos em comum e isso os aproximou bastante. Rute já fazia parte da família e depois de organizar a refeição e orientar os empregados sobre o serviço, juntou-se a todos para conversar, mas sempre observando Tiago e Marília.

Viviane nutria muito carinho por Rute e torcia para que ela e Juliano ficassem juntos. André, embora também gostasse muito da moça, acreditava que o sentimento entre os dois era de profunda amizade.

Juliano foi até Rute e lhe fez um convite:

— Que tal descermos até o rio? Podemos dar um mergulho e depois sentar para conversar.

Rute respondeu hesitante:

— Não sei! Adoro banho de rio, mas os meninos não param quietos, será que devo me ausentar?

Juliano sorriu:

— Ei, moça, você está aqui para se divertir como nós. Tiago e Marília já são grandinhos, e todos estão com eles. Vamos lá, não há mal nenhum.

Ela olhou em volta e viu as crianças nadando e brincando na água, os pais, avós e amigos sentados próximo à piscina, e concluiu que realmente não havia perigo algum. Resolveu aceitar o convite e seguiu Juliano pelo caminho que levava à margem do rio.

Desceram pelas pedras até alcançarem as águas que corriam suavemente naquela hora e mergulharam nadando rapidamente para aquecer o corpo gelado. Pouco depois saíram, enrolaram-se em suas toalhas e sentaram em um dos bancos para conversar.

Rute comentava com Juliano a conversa que tivera com Viviane logo que os meninos nasceram:

— Pois é, Juliano, eu tentava explicar a Viviane que ela não deveria sentir-se culpada por ser feliz.

— Sei o que está me dizendo, ela falou sobre isso comigo. Eu disse que essa vida foi programada e escolhida por ela mesma, para que vivesse essa prova escolhendo o caminho certo. A princípio, ela não entendeu muito bem.

Rute acrescentou:

— Eu disse tudo isso a ela. A forma como ela estava conduzindo sua vida nada mais era do que a aplicação de aprendizados passados. Ela teve agora a oportunidade de ser nascida em uma família de posses, de ser uma moça muito bonita, ter encontrado um grande amor, ter filhos saudáveis e perfeitos; enfim, dentro dos padrões da sociedade em que vivemos, a vida de Viviane e André é perfeita.

— Exatamente. Falei que tudo isso é uma grande provação, na verdade, porque muitos que nascem nas mesmas condições, com *status* social elevado e boa situação financeira, acabam se tornando fúteis, egoístas e egocêntricos. E as tentações para seguir esse caminho são grandes. Quanto mais rico e poderoso, maiores são as possibildades de se fazer o bem, assim como maiores as de se fazer o mal. A responsabilidade de uma pessoa envolvida pela riqueza é demasiadamente grande. Nem todos conseguem cumprir sua missão fazendo bom uso dos bens e do poder.

— É verdade. Quando se escolhe o caminho do egoísmo, da ociosidade, e a pessoa se torna frívola, algum dia sentirá na própria pele os efeitos negativos criados por suas atitudes. Muita gente fala que as tragédias pessoais são castigos de Deus, mas, na verdade, são apenas colheitas das atitudes de cada um.

— É bem simples — Juliano a interrompeu —, é como uma pessoa que sai na chuva e no frio por brincadeira. Depois, cai de cama doente por puro reflexo de sua irresponsabilidade.

— Concordo. Jesus disse: *Em verdade vos digo que é mais fácil um camelo passar pelo buraco de uma agulha do que um rico entrar no Reino dos Céus.*

Juliano ponderou:

— Muitas pessoas confundem as coisas e acham que todo rico está condenado pelo simples fato de ser rico, e todo pobre será abençoado por ser pobre. A vida não funciona assim. A riqueza e a pobreza estão ligadas diretamente à responsabilidade e à resignação. Uma pessoa de origem muito humilde pode viver feliz com o que possui e lutar para construir um futuro melhor. Talvez não tenha bens materiais para compartilhar, mas qualquer pessoa no mundo, rica ou pobre, possui muito o que dividir, como o amor, a solidariedade, a educação e o respeito ao próximo. Outra pessoa nascendo nas mesmas circunstâncias, pode se revoltar e seguir pelos caminhos do submundo do crime, da prostituição, das drogas. São as escolhas que fazemos que determinam quem somos e o grau da felicidade que teremos.

Rute sorriu:

— Viviane e André são pessoas muito queridas e, com certeza, merecem toda essa felicidade.

— Só sinto que meu irmão não acredite em nada do que falamos. Viviane é mais aberta, procura se informar e aprender. Mas André — concluiu Juliano rindo — acha que não tenho meu juízo no lugar.

Nesse momento, uma das empregadas se aproximou chamando por Rute:

— Desculpe incomodar, mas tivemos um pequeno problema com uma das sobremesas. Pode vir nos acudir, Rute?

— Claro. Vamos até a cozinha. Você vai ficar aqui, Juliano?

— Não, acompanho vocês.

Enquanto isso, na piscina:

— Mamãe, mamãe, onde está Rute?

Viviane olhou em volta:

— Não sei, meu querido — respondeu voltando-se para Tiago.

A mãe de Viviane interveio:

— Eu vi Rute e Juliano indo em direção ao rio. Devem estar por lá.

André, ao ouvir isso, falou com o filho:

— Tiago, fique aqui e espere que voltem, certo?

Sempre obediente, Tiago sorriu e respondeu:

— Está certo, papai. Falo com ela quando ela voltar — e correu de volta para perto da irmã, sentando-se à beira da piscina e colocando apenas as duas pernas na água; batia-as vigorosamente, divertindo-se com a espuma produzida.

Nesse instante, chegaram algumas visitas inesperadas. Um casal com a filha que estudava com Marília. André e Viviane foram recebê-los e Marília os acompanhou ao encontro da amiguinha.

Todos ficaram entretidos com a chegada inesperada, menos Tiago, que permanecia sentado onde estava. De repente, seus pés foram parando de bater na água e Tiago olhou em direção ao rio. Ficou parado assim, por alguns segundos, e depois levantou-se muito devagar e começou a caminhar quieto, com o olhar fixo no percurso à sua frente. Ao lado dele, um vulto o abraçava apoiando uma das mãos no ombro do menino, e repetia coisas sem parar. O menino não o ouvia direta e claramente, mas suas palavras penetravam no pensamento dele: *Vá até o rio, para que esperar que Rute volte? Vai ser divertido, você pode até nadar sem ela. E a água é bem mais fresca que a da piscina, lá tem peixes de todas as cores. Vamos, é melhor do que esperar por Rute aqui*. E o garoto, influenciado por aquele espírito, pela primeira vez desobedeceu as ordens do pai.

Quando se aproximou dos bancos onde havia pouco Rute estava com Juliano, não vendo ninguém, teve o impulso de voltar. Mas sua companhia leviana mais uma vez intercedeu para fazê-lo mudar de ideia: *Vai desistir agora? E daí que não estão aqui? Já que veio, aproveite para dar um mergulho. Você já é um rapaz, é meio ridículo depender de uma babá para tudo o que quer fazer!*

O fim da tarde estava se aproximando e o vento já soprava mais forte, fazendo com que o fluxo do rio estivesse mais vigoroso e turbulento. As aves haviam cessado seus cantos e se recolhido em seus abrigos para se protegerem dos predadores noturnos.

Tiago coçava a cabeça, parecia confuso com seus próprios pensamentos. Mas diante da ingenuidade do pequeno, o espírito ganhava força e estava direcionando os atos dele, exatamente como queria: *Vamos lá, veja só que delícia essas águas; você sabe nadar, é um menino esperto e está na hora de mostrar isso aos outros. Imagine o orgulho que sua irmã vai sentir de você!*

Rute estava voltando para a piscina e viu Marília brincando com a amiguinha. Acenou para a menina enviando um beijo. Todos já estavam começando a se secar para seguirem para a área onde seria servida a refeição. Olhou para um lado, sorriu para o pai de André, que se servia de uma bebida, olhou para o outro, onde outro grupo conversava animado, viu Juliano se aproximando e sentiu um calafrio lhe percorrer a espinha. No mesmo instante, Juliano teve a mesma sensação e os olhares de ambos se cruzaram assustados. Rute gritou:

— Onde está Tiago?

Todos os presentes se sobressaltaram com o grito da moça e olharam por toda a área da piscina. Nada do menino. André, mais calmo, falou em tom um pouco mais alto para que todos ouvissem:

— Ele deve estar dentro de casa. Talvez tenha ido até o quarto.

A mãe de André logo descartou a possibilidade:

— Não, eu estava lá até agora. Fui me deitar por uns instantes e, até eu sair, ele não apareceu por lá.

Viviane, com um rasgo de princípio de pânico, falou com a voz vacilante dirigindo-se a Juliano e Rute:

— Vocês não estavam no rio? Tiago estava à sua procura, Rute.

— Eu falei para ele ficar aqui esperando por ela — disse André contrariado.

Juliano, sentindo a respiração crescer em seu peito, foi em direção a Rute, pegou sua mão e, sabendo exatamente o que o amigo estava sentindo e pensando, ela o acompanhou, correndo em direção ao rio. Viviane, André e Marcelo os seguiram nervosos.

O que viram ao chegarem às margens do rio os deixou paralisados: o menino estava em pé sobre uma pedra coberta de lodo, muito lisa e escorregadia, olhando para as águas como se estivesse hipnotizado.

Juliano parou aterrorizado. Se o sobrinho caísse, talvez nem desse tempo de salvá-lo por causa da correnteza cada vez mais forte. André teve o impulso de correr e gritar pelo filho, mas foi contido por Marcelo.

— Calma, André, se ele se assustar pode realmente cair.

Rute sentiu uma forte pressão na nuca e levou a mão ao pescoço tentando aliviar o desconforto. Em seguida, Juliano teve a mesma sensação, só que mais forte, acompanhada de um peso inexplicável nos ombros e nas costas. Aquela dor o fez ficar sem saber o que fazer, deixou-o embaraçado e sem ação. Rute sentiu uma presença horrível bem próxima a eles, uma energia repleta de negatividade. Percebendo o estado de Juliano, teve certeza de que algo o estava impedindo de salvar Tiago.

Todos, em silêncio, observavam apavorados o menino, que parecia nem ter se dado conta de que estavam ali. Rute começou a orar baixinho, e o espírito que estava se apoiando nas costas de Juliano e segurando seu pescoço começou a ficar inquieto e incomodado. Ao perceber que Rute orava, Juliano a acompanhou também baixinho, até que a sensação ruim e a dor foram amenizando até sumirem. Juliano olhou com gratidão para Rute e foi em direção a Tiago bem devagar para não assustá-lo. Com cuidado, subiu na pedra, e um de seus pés escorregou, fazendo com que os pais de Tiago, Marcelo e Rute sentissem o coração quase parar. Mas ele se recompôs com facilidade e se aproximou do sobrinho. Quando tocou o braço do menino, este o olhou e com um sorriso disse:

— Oi, tio. Acho melhor sairmos daqui com cuidado. Papai vai ficar zangado comigo, mas juro que não fiz por mal.

— Não se preocupe com isso agora. Seu pai não vai brigar com você, fique tranquilo. Agora, dê-me sua mão e venha comigo devagar.

Ao se aproximarem dos outros, Viviane e André correram para abraçar Tiago, que ainda estava envergonhado pelo que havia feito. Ele não entendia por que desobedecera o pai. Rute e Marcelo se aproximaram de Juliano e o abraçaram também. Assim, todos voltaram para casa felizes por não ter acontecido uma tragédia.

Duas figuras observavam tudo. Uma delas disse repleta de raiva:

— Você não passa de um covarde! Veio com uma conversa para cima de mim que isso, que aquilo, que seria fácil encontrar e destruir André e sua família perfeitinha... falastrão! Você fala muito, mas na primeira tentativa se acovarda e não faz o que deve!

O outro, mais irritado, respondeu:

— Cale sua boca, Lílian. Você não sabe de nada, não entende nada. E se me chamar de covarde mais uma vez pode ter certeza de que a levo para uns amigos que vão adorar ter diversão nova! E lhe garanto, você vai sofrer como nunca imaginou que seria possível!

Ela engoliu em seco:

— Você está blefando. Não teria coragem.

Ele deu uma sonora gargalhada:

— E por que não? Você é muito estúpida mesmo! Entenda de uma vez por todas: você não é minha amiga, não me interesso absolutamente nada pelo que lhe acontece. Estamos juntos apenas por um objetivo em comum, e nossas energias vibram em sintonia, o que me deixa mais forte para chegar aonde quero. Entendeu? É esse meu único interesse em você. Mas se falar desse jeito novamente comigo, pode ter certeza de que não hesitarei em sumir com você. Sei perfeitamente me virar sozinho, sou experiente, já você...

Falando isso, ele deu as costas a ela e desapareceu.

Ela ficou apavorada e com medo que ele a deixasse, por essa razão tratou de segui-lo o mais rápido que pôde.

Capítulo 15 | O Evangelho no Lar

Passado o susto, todos se reuniram para a refeição. Viviane conseguiu convencer André a não repreender o filho, uma vez que tinha sido a primeira desobediência dele. Aos poucos, o incidente foi esquecido e o ânimo de todos, reavivado.

Apenas Juliano e Rute sentiam-se apreensivos. Enquanto a sobremesa era servida, os dois se afastaram e voltaram ao rio, onde comentaram o ocorrido. Quem começou a falar foi Rute:

— Você também sentiu que havia uma vibração muito negativa aqui, não é, Juliano? Por essa razão começou a orar comigo.

Ele respondeu de forma grave:

— Sim, Rute. Percebi que havia algo estranho com você e logo em seguida senti um grande peso sobre mim, uma força que me impedia de agir em favor de Tiago.

— Nunca comentei com você, Juliano, mas lembra do sr. Genésio, ajudante de Marcelo?

— Sim, claro que lembro. Um senhor muito simpático.

— Pois bem, ele esteve aqui uma ocasião e fui recebê-lo no portão. Por mais que eu o convidasse, ele se recusou a entrar. Na hora não compreendi, mas depois, sentada sozinha, pude sentir uma energia muito ruim no jardim. Era uma vibração pesada, carregada de negatividade. A mesma que senti hoje.

Juliano fechou os olhos, fez uma rápida prece e continuou:

— Com isso que você está me dizendo, vejo que devemos conversar com Viviane e André. Podíamos sugerir fazermos o Evangelho no Lar. Se por alguma razão algum espírito sofredor ou desajustado está entre nós, podemos ajudá-lo com orações.

— É uma excelente ideia. Fortaleceremos as energias da família e ainda podemos ajudar esse espírito sofredor. Falaremos hoje mesmo, o que acha?

— Assim que todos se forem vamos conversar com eles.

Já havia anoitecido quando Rute levou as crianças para o quarto e voltou para se sentar ao lado de Juliano na sala, onde estavam André e Viviane.

Juliano sabia da opinião do irmão, mas resolveu abordar o assunto diretamente:

— André, Viviane, gostaríamos de lhes dar uma sugestão — falou sob o olhar aprovador de Rute —, gostaríamos de convidá-los a participarem, aqui, do Evangelho no Lar.

— Do que você está falando? — perguntou André.

Viviane segurou a perna do marido sinalizando que gostaria de ouvir mais a respeito da ideia de Juliano. Então, o rapaz continuou:

— O Evangelho no Lar é antes de mais nada uma reunião entre nós, encarnados, para amadurecermos espiritualmente e revigorar nossas forças pelo Evangelho. Ao nosso lado estarão os trabalhadores espirituais nos dando sustentação e amparo.

Rute estava em dúvida se poderia aprofundar o assunto, mas resolveu falar devagar, sentindo até onde eles poderiam compreender:

— Além disso, caso haja algum espírito em sofrimento, querendo compartilhar do ambiente da família, podemos ajudá-lo com nosso estudo e nossas preces.

André não se conteve:

— Como assim? Você está dizendo que pode haver fantasmas aqui?

Juliano sorriu:

— Não é bem isso, André. Quando uma família entra em uma casa, pode ser que ela já seja habitada por espíritos desencarnados que, por alguma razão, insistem em permanecer onde estão. Podem ser antigos moradores, desafetos de antigos moradores ou até espíritos que habitavam a região antes mesmo de a casa ser construída. Esses espíritos, muitas vezes, não têm nenhuma relação com os atuais moradores, mas por diversas razões se ligam a eles, à família e permanecem assim enquanto podem. Diversas crenças afirmam isso, e por essa razão muita gente quando compra uma casa, uma loja ou um escritório chama um padre para benzer o local. Vocês já viram isso. É a forma que encontram de purificar o ambiente dentro do que acreditam.

Juliano achou melhor omitir a possibilidade de aqueles espíritos terem forte relação com os donos da casa.

Viviane ouvia tudo atentamente e muito interessada, mas André sentia-se bastante desconfortável com o assunto:

— Então, foi exatamente o que eu disse. Fantasmas estão por toda parte e vocês querem rezar na minha casa para expulsá-los! Que loucura! Um exorcismo, como no filme.

Viviane deu um beliscão no marido, dizendo:

— André, deixe de brincadeira e escute!

— Na verdade, André, caso aconteça de ter realmente algum espírito como mencionei, nós não o expulsamos. Esses espíritos estão perdidos, desorientados, geralmente carregados de ódio, inveja e revolta. Na verdade, com o Evangelho no Lar, nós os convidamos a participar, por meio de preces e do estudo das palavras de Jesus, para que consigam se libertar dos sentimentos negativos e aceitar ajuda de espíritos mais evoluídos, e para que possam seguir sua própria evolução, deixando para trás valores arraigados pela vida terrena, responsáveis por todo o sofrimento pelo qual passam. Dessa forma, o benefício é de todos. Caso eles não aceitem nossa intenção de ajudá-los e nossas orações, acabam ficando fora de sintonia com o ambiente e a família, percebem que não terão espaço para suas ações, e acabam indo embora.

Desta vez, André não brincou:

— Vocês sabem o que penso a esse respeito. Não posso induzi-los a pensarem como eu, mas sabem que não acredito nisso.

Viviane tomou a frente da conversa:

— Eu já ouvi falar sobre casos assim, de casas que eram habitadas por espíritos, mas nunca me aprofundei no assunto, embora o considere muito interessante. Mas vocês acham que pode estar havendo algo semelhante aqui?

— Nunca ouvimos correntes se arrastando pelos corredores, nem móveis se movendo sozinhos, nem vozes, nada dessas coisas que costumamos ver em filmes — falou André, tentando convencê-los de que não havia nada de errado ali.

Rute interveio:

— Isso não é um filme, é vida real. Muitos fenômenos acontecem de diferentes formas, mas não acho que seja o caso mencionarmos detalhes agora.

— É verdade, André — prosseguiu Juliano —, o que importa é que o Evangelho no Lar é uma reunião benéfica a todos, independentemente de estar ou não acontecendo alguma interferência de espíritos ignorantes.

Viviane queria saber mais:

— Vamos supor que estivesse entre nós esse tipo de espírito; por que iria querer nos fazer mal? Nunca fizemos mal a ninguém.

Foi Rute quem esclareceu:

— Existem diversas classes de espíritos imperfeitos e ignorantes. Alguns não são essencialmente maus, mas sim levianos e inconsequentes. Muitas vezes interferem na vida dos encarnados apenas por diversão, para criar tumulto. Já em outros casos, existem os que sentem prazer ao causar o mal. São espíritos que ficam satisfeitos quando encontram oportunidade de criar situações de sofrimento.

— Mas por que fazem isso? — perguntou André curioso.

— Quando não existe um motivo pessoal, eles o fazem apenas porque sofrem e se revoltam com a felicidade alheia. Isso os incomoda e já é motivo suficiente para que interfiram e causem o mesmo sofrimento pelo qual passam. Em seu entendimento ainda tão primitivo, eles estão fazendo o que acham justo.

André estava querendo colocar um fim no assunto:

— Bem, mas se nada disso acontece aqui em minha casa, não vejo por que devemos nos preocupar; mas se querem fazer essa reunião, que seja, não me oponho.

Juliano e Rute ficaram aliviados e felizes. Não podiam dizer a André e Viviane sobre a presença que sentiram e as péssimas vibrações vindas dela.

Isso iria assustá-los. Mas com o consentimento de André, fariam as reuniões e, com certeza, tudo passaria.

Viviane quis saber mais e perguntou:

— E como são essas reuniões?

André, vendo que não conseguiu encerrar a conversa, pediu licença, tentando não ser desagradável:

— Desculpem, preciso me retirar por uns instantes. Não demoro.

Juliano, assim que André saiu, respondeu à cunhada:

— Nós escolhemos um dia na semana, pode ser qualquer dia, mas que todos os participantes tenham tranquilidade e disponibilidade para que não comecem a faltar. E então, sempre nesse dia e no mesmo horário, nos reunimos. A união de nossos corações na fé, com certeza, é uma acolhida para as bênçãos de paz, saúde e consolo para nossas aflições ou dúvidas.

Rute continuou:

— Nós colocamos uma jarra com água sobre a mesa e um copo para cada participante. Essa água é para a fluidificação, que depois lhe explicaremos melhor. Iniciamos a reunião com uma prece e, em seguida, começamos a leitura breve do livro *O Evangelho Segundo o Espiritismo*. Após a leitura, todos fazemos nossas considerações sobre o texto e a mensagem. Dessa forma, esclarecemos nosso espírito. Você vai gostar e verá em sua alma os benefícios imediatos, acredite.

Viviane ficou entusiasmada, e algo em seu coração dizia que era o caminho que deveria seguir.

Lílian e seu acompanhante a tudo ouviram, de longe, de forma a não serem percebidos por Rute e Juliano. Lílian olhava com atenção para o homem ao seu lado, tentando descobrir o que se passava dentro dele, mas logo ele mesmo falou:

— Pobres coitados! Eles acham que conseguirão me vencer e me fazer desistir. Não importa o que façam, vou seguir até alcançar meu objetivo.

Lílian perguntou:

— Nunca me falou realmente qual o seu objetivo. Aliás, nunca falamos nada sobre isso.

— Não temos que falar, mas sim, agir. Quando a encontrei, fui atraído por sua vibração de ódio e vingança. Eu não fui ao seu encontro casualmente. Você, sem perceber, convidou-me para estar ao seu lado. Como buscamos a mesma coisa, nossas energias nos tornaram mais poderosos. Eles não vão conseguir nos deter.

— Mas esse Juliano e essa Rute têm algo em torno deles que me irrita, me incomoda.

— Eles têm muita luz e proteção. Mas nós dois podemos vencê-los.

— Mas se são assim tão protegidos, como poderemos atingi-los? Eles vão proteger André e a família também.

— Temos de tomar medidas mais drásticas e continuar abordando quem é mais frágil, assim a dor será ainda maior.

Lílian percebeu na hora as intenções do outro:

— Tiago?

Ele riu alto:

— Existe sofrimento maior para os pais do que o sofrimento de um filho? É por aí que começaremos nossa vingança. Mas isso será só o início. Vou destruí-los completamente!

— Você ainda não me disse por que esse ódio todo.

— Na hora certa você saberá. Vamos, temos de nos preparar para nossas próximas ações. O caminho será longo, mas eu vou acabar com André.

Capítulo 16 | Ajuda bem-vinda

Chegou o dia da primeira reunião para a realização do Evangelho no Lar. Eles haviam marcado o encontro para o começo da noite e como Viviane não conseguia imaginar o que aconteceria, preferiu deixar Tiago e Marília na casa dos avós. André aceitou participar, um pouco a contragosto, mas a curiosidade contribuiu para sua decisão.

Na hora marcada, Rute ajeitou uma bela toalha branca rendada sobre a mesa de jantar, dispôs os copos, cada um na frente do lugar que seria ocupado, uma jarra com água cristalina e onde Juliano se sentaria colocou o exemplar de *O Evangelho Segundo o Espiritismo*.

Viviane estava ansiosa; talvez em sua falta de conhecimento, imaginara que alguma coisa fantástica aconteceria.

Todos se sentaram e Rute iniciou a reunião com uma prece. Pediu a Deus que bons espíritos os assistissem e protegessem enviando muita luz para todos os presentes, para que permanecessem abertos aos conselhos recebidos, livres de orgulho, vaidade e pensamentos negativos. E caso algum espírito com más intenções viesse tentar se introduzir entre eles, que não encontrasse acesso ao coração de nenhum dos participantes. Logo em seguida, Juliano abriu o livro aleatoriamente e o texto que se apresentou foi "Amai vossos inimigos".

A reunião estava transcorrendo em paz e uma energia de amor e compreensão envolvia o ambiente. Viviane estava relaxada e atenta. André mantinha sua postura de incredulidade, mas também estava tranquilo.

Após a leitura, Rute iniciou o comentário:

— Esse é um belíssimo ensinamento. Se amamos nossos amigos, amar nossos inimigos é a aplicação máxima do princípio da caridade. O bem que fazemos aos nossos desafetos se converte imediatamente em um bem maior, pois pagamos com caridade a quem nos causou algum mal.

Juliano complementou:

— Devemos ser gratos aos nossos inimigos, porque é por meio deles que vencemos muitas vezes duras provações, das quais saímos mais fortalecidos e engrandecemos nosso espírito.

Viviane estava dividida, sem saber ao certo o que pensar:

— Mas é quase impossível agir assim diante de tanta crueldade que vemos por aí. É muito difícil!

Rute interveio:

— Exatamente por ser difícil, quando você vence o primeiro obstáculo e consegue olhar seu malfeitor com indulgência, a felicidade em seu coração será tão grandiosa que a levará a crer que amar seu inimigo a liberta. E assim, os bons sentimentos vão tomar conta de seu coração cada vez mais fortalecido.

Viviane ouvia tudo e analisava cada palavra. Para ela, teoricamente tudo fazia sentido, mas ainda não se sentia capaz de sentimentos tão nobres.

Já André, com sua visão extremamente materialista, em momento algum concordou com o que ouvia e resolveu opinar:

— Desculpe, Rute, mas quer dizer que aparece alguém que me prejudica de alguma forma e eu ainda tenho de perdoar e gostar da pessoa? Isso não tem cabimento.

Juliano tomou a frente da conversa:

— Não estamos falando de ternura, carinho ou amizade, André. Isso não seria natural. O que devemos fazer é não nutrir o sentimento de ódio em nosso coração, não sair em busca de vingança. O revide afasta cada vez mais a possibilidade de uma reconciliação.

— Reconciliação? — falou André espantado. — Eu me considero uma ótima pessoa, nunca desejei mal a ninguém, procuro agir sempre corretamente, aí alguém apronta alguma maldade comigo e eu tenho de ficar quieto? Ah, isso também não. Se eu posso me esforçar para ser boa pessoa, os outros também podem. Se não o fazem, vão ter de pagar por seus atos.

Eu acho que fazer justiça é um direito de cada um! Esse é o certo!

Nesse momento, Lílian e seu acompanhante surgiram em um canto da sala, e o homem disse:

— Eu sabia que André nos daria uma brecha! Foi mais rápido do que eu imaginava.

Lílian o acompanhava todo o tempo, mas na maioria das vezes não entendia o que ele dizia e fazia. Sempre tinha um questionamento:

— Do que você está falando? Brecha?

O homem explicou satisfeito:

— Essas pessoas estavam reunidas envoltas em bons sentimentos e isso era péssimo para nós. Mas, agora, com André desmonstrando ser a favor da vingança, alimentando sentimentos de falta de perdão, ele está de certa forma nos apoiando e abrindo as portas de seu coração para nossos conselhos e interferências. Cada vez que ele manifesta esses sentimentos, eu me sinto mais fortalecido e convicto de que estou no caminho certo. Se ele acha que a justiça deve ser feita, eu a farei, não duvide!

— E eu tenho de fazê-lo pagar pela minha morte. Quero destruir essa família perfeita, todos são culpados pelo que me aconteceu! — disse Lílian tomada pelo ódio.

O ar no ambiente ficou subitamente pesado e logo foi percebido por Juliano e Rute. André ia continuar com suas considerações, mas o irmão o interrompeu:

— Cale-se um pouco, André, por favor. Vamos nos dar as mãos e orar com fé para que você, meu irmão, se liberte desses sentimentos contrários ao amor e à caridade.

André relutou, mas Viviane logo pegou sua mão e o repreendeu com o olhar.

Juliano, com os olhos fechados, iniciou uma sentida prece:

— Senhor Todo-Poderoso, não nos deixe cair em erro. Espíritos benevolentes que nos protegem, desviai de nós todos os maus pensamentos e dai-nos forças para resistir à sugestão do mal.

Logo em seguida, iniciou o Pai-Nosso e foi acompanhado pelos outros.

Lílian, em sua ignorância, vendo André e Viviane tão perto dela, achou que podia atingi-los de alguma forma e não queria perder a oportunidade. Partiu para cima deles, mas o homem a seu lado a deteve:

— Onde pensa que vai?

— Vou atacá-los. Minha vontade é apertar o pescoço dessa sem sal até deixá-la sem respirar! Deixe-me ir.

Ele, muitas vezes, perdia a paciência com Lílian:

— Não seja tola. Ainda não é o momento de fazermos nada. Você tem muito o que aprender.

— Está certo, outra hora você me ensina. Mas quero pegar Viviane agora! Largue-me!

Querendo que a mulher aprendesse a lição pela sua teimosia, o homem falou tranquilamente:

— Quer ir, que vá! — e soltou-a.

Ela partiu em direção à mesa onde todos estavam sentados.

Quando estava a apenas alguns passos, uma intensa luz azul começou a surgir no centro da mesa. Foi crescendo, se expandindo e envolvendo os dois casais que concentrados oravam. O brilho era tão forte que Lílian estancou e levou o braço diante dos olhos. Ela virava a cabeça, tentava tirar o braço para olhar, mas não conseguia. Parecia que seus olhos queimavam. Não suportando mais, ela recuou até chegar perto de seu comparsa, que, mais experiente, já havia se virado de costas prevendo o que aconteceria.

Lílian estava furiosa:

— Que droga é essa?

Sem se virar para ela, o homem respondeu:

— Eu tentei avisá-la de que não era o momento de agir. Mas você é teimosa. Eles estão protegidos por bons espíritos. Não vamos conseguir nada agora; será desgastante e não precisamos disso.

— Mas quem são esses espíritos? O que eles têm a ver com isso?

— Nada, apenas têm as qualidades para fazer o bem de acordo com o grau que alcançaram na escala da evolução espiritual. Talvez sejam ligados a eles desde sempre, podem ser parentes, amigos, mas o que interessa?

Podem ser espíritos ainda mais puros que vêm em auxílio dos homens em momentos de perigo e aflição. São conhecidos como anjos, lembra?

— Eu não acredito! Anjos para mim eram histórias bonitas contadas para crianças. Então eles de fato existem?

— Você agora mesmo teve a prova que sim, e a prova do poder deles. Vamos embora. Não há mais nada a fazer aqui.

— E tudo vai ficar assim? Eles estão ali e mais uma vez vão se sair bem?

O homem irritou-se:

— Vamos embora agora mesmo! Você vai acabar arranjando encrenca. Será que terei de continuar meus planos sozinho?

Todas as vezes ele utilizava a mesma tática de ameaçá-la dizendo que a deixaria para trás, e todas as vezes funcionava.

Ao terminar a oração, Rute pegou a jarra com água já fluidificada, colocou nos copos e todos beberam.

Viviane perguntou:

— Afinal, o que é essa água fluidificada?

Rute respondeu:

— Falaremos com detalhes depois, mas essa água foi magnetizada por fluidos aplicados pelos bons espíritos que nos assistiram nesta reunião. A água contribui de forma generosa à nossa saúde física e mental e é considerada um veículo pelo qual as energias curativas podem ser armazenadas e passadas adiante.

André olhou para o copo, deu um gole e voltou-se para os outros:

— Para mim tem gosto de água.

Juliano, Rute e Viviane não conseguiram resistir e começaram a rir de André. Em seguida, Rute foi até a cozinha providenciar um lanche. Juliano pediu licença e foi ter com ela:

— Rute, você sabe que teremos um longo trabalho pela frente, não é?

— Eu sei, Juliano. Existe alguém querendo interferir na harmonia desta família e deste lar.

— Não sabemos do que se trata nem a dimensão dessas más intenções. Mas ficaremos atentos e prosseguiremos com as reuniões. André e Viviane não sabem, mas precisam de ajuda.

Capítulo 17 | Lembranças

Lílian caminhava com dificuldade tentando seguir os passos rápidos do homem à sua frente, não queria perdê-lo de vista um só instante, e ele não parecia se importar com ela. O terreno que percorriam era bastante acidentado e cheio de pedras, o que era mais um transtorno para a mulher.

Depois do que Lílian considerava tempo demais, o homem finalmente parou e sentou-se em um tronco muito grande de uma árvore que parecia ter sido incinerada, e falou satisfeito:

— Ficamos por aqui; é um lugar agradável para conversarmos.

Lílian se aproximou dele ofegante, olhou ao redor e ficou se perguntando qual o conceito de agradável para ele. O lugar era horrível. Como sempre, desde que deixara o hospital, Lílian apenas havia passado por lugares escuros, onde a noite parecia eterna, e ali também era assim. No chão, uma mistura de pedras e lama por toda a parte; era possível ver muitas flores, mas todas secas e murchas. Bem diante do lugar onde haviam parado existia algo que parecia ser um pequeno lago, mas diferente dos lagos que Lílian conhecia. Era desprovido de qualquer sinal de vida e suas águas eram escuras, uma mistura de vinho tinto e cor negra. Não havia vento, frio ou calor, mas o ar era pesado. Pelo menos, ao que tudo indicava, estavam apenas os dois ali; não havia mais ninguém, tudo estava quieto e isso era muito bom. Muitas vezes, em suas andanças com seu acompanhante, Lílian foi obrigada a cruzar com seres impressionantes, alguns de aparência repugnante, outros que pareciam feras descontroladas e muitos que agiam como loucos, sem qualquer noção do que se passava ao redor. Geralmente, Lílian sentia medo, mas observava a calma do companheiro e buscava segurança, mantendo-se sempre ao lado dele. Talvez o fato de estarem sozinhos tenha sido a razão de ele dizer que o lugar era agradável, e sob essa ótica, realmente era.

Ela sentou-se ao lado dele e ficou esperando para saber o que aconteceria.

O homem permaneceu muito tempo quieto, olhando para o nada, até que se voltou para ela e perguntou:

— Por que esse desejo tão grande de se vingar de André? Você não o amava?

Ela abaixou a cabeça e respondeu:

— Eu nunca o amei de verdade, nem ele a mim, hoje tenho mais convicção disso. Mas mantínhamos uma ótima relação, tanto física como intelectual. Meu marido não conseguia suprir algumas de minhas necessidades, e com André sentia-me completa. Mas ele resolveu virar um bom moço e quis romper comigo. Eu não quis aceitar o rompimento, e numa discussão que tivemos ele me matou! Por esse motivo quero vingança. Se ele me roubou a vida, minha juventude e meu futuro, não vou permitir que seja feliz ao lado da mulher e dos filhos. Se hoje estou sofrendo, é por culpa de todos eles, e a justiça terá de ser feita, eles também devem sofrer.

— Mas até onde eu sei, ele não a matou. Foi um acidente!

— Claro que me matou. Ele sabia o que estava fazendo, caso contrário não teria me empurrado daquela forma. Foi intencional, ele queria se livrar de mim para ter paz ao lado daquela sem sal.

— Bem se vê que André não sabe nada sobre a espiritualidade. Sempre foi e ainda é um cético, só acredita na matéria, e isso vai facilitar bastante nossas ações.

— Por que diz isso?

— Se ele fosse um pouco mais instruído espiritualmente, saberia que um inimigo morto não significa a paz. Pode ser o início de problemas e de uma luta ainda mais intensa e cruel. Mas ele não sabe o que deixa o inimigo, no caso, nós dois, em franca vantagem sobre ele.

— Que vantagem?

— Se ele não acredita, fica vulnerável e não busca ajuda nem proteção. E alimentando sentimentos de vingança e falta de perdão, como ele falou na reunião, ainda envia energias poderosas de sintonia com nossos propósitos. E quanto mais ele proceder de forma a se afastar do espiritismo e de suas práticas, mais vai deixar o caminho aberto para nós.

— Isso é verdade — disse Lílian rindo alto. — Se ele achava que me matando estaria livre de mim, enganou-se! Aqui estou, pronta para acabar com a vida dele como ele fez com a minha.

— Não acredito de verdade que ele tivesse a intenção de matá-la; não foi premeditado. Mas quando aconteceu, você sabe, ele não lamentou. Ele teve medo de ser descoberto e jamais se sentiu culpado pelo que lhe causou. Muito diferente do que fez comigo, aquele maldito!

Dizendo isso, a expressão no rosto do homem se contorceu de ódio e dor, fazendo com que ele levasse uma das mãos até o ferimento em seu peito, que continuava sangrando e o torturando de aflição.

Lílian ficou assustada olhando e perguntou:

— Você quer falar sobre isso? Posso saber por que você o odeia tanto?

O homem mordeu os lábios, balançou a cabeça de um lado para o outro, mas acabou dizendo quase em um grito:

— Aquele maldito era meu irmão!

Lílian arregalou os olhos sem compreender o que ele estava dizendo. Ela só sabia da existência de Juliano, o único irmão de André. Seria esse outro louco que cruzou seu caminho? Perguntou, convicta da resposta:

— Você não sabe o que está dizendo. André só tem um irmão mais novo, o Juliano.

Ele olhou para Lílian com um ar esgotado e respondeu:

— Juliano é irmão de André nessa sua passagem pela vida terrena. Ele é um espírito que tem a missão de proteger e auxiliar André, assim como Rute. Mas em outra época, eu era o único irmão de André; aliás, André não, seu nome era Afonso!

Lílian estava boquiaberta e cada vez mais curiosa:

— Não acredito! Afonso? Afinal, até hoje não sei seu nome.

— Fernando Brandão de Soares e Malta.

— Nossa, parece nome de príncipe.

— Quase isso. Minha família pertencia à alta nobreza e éramos muito ricos e proprietários de muitas terras.

— Que vida boa, hein? Se eu tivesse vivido nessa época com certeza fisgaria para mim um desses nobres irmãos — falou Lílian, dando muita risada.

Fernando não achou graça, porém ela não se importou e continuou rindo. Mas pediu que ele continuasse sua narrativa:

— Mas por que, se vocês tinham uma vida tão rica e confortável? André, ou melhor, Afonso, matou você? O que você fez?

Pela primeira vez, Lílian percebeu algum sentimento diferente do que aquele de revolta e ódio nos olhos de Fernando. Ela agora via uma tristeza tão profunda e sincera, que se comoveu. Fernando respondeu:

— Eu amei! Amei mais que tudo na vida, amei com todas as forças do meu ser. E era correspondido até ser traído pelo meu próprio irmão.

— Se você não quiser falar sobre isso, não tem problema! — disse Lílian agora sem graça, embora muito curiosa para saber toda a história.

— Não, tudo bem, eu falo. Preciso contar para não correr o risco de esquecer o que me fizeram. Não posso esquecer! Só assim terei forças para continuar e me vingar!

— Então fale, o que ele lhe fez?

— Eu amava muito uma mulher maravilhosa, da nobreza também e nossa vizinha, a doce e linda Valentina. Passávamos muito tempo juntos. Eu sentia que ela estava feliz ao meu lado e que também me amava.

— Ela alguma vez disse que o amava?

Fernando ficou aborrecido com a pergunta, mas respondeu:

— Não diretamente, mas eu via o amor em seus olhos. Até que Afonso resolveu se colocar entre nós aproximando-se dela, cheio de galanteios e investidas sutis. Isso deixou Valentina confusa, eu sei, ele era um homem bonito e elegante, como eu. Qual moça não se sentiria dividida tendo dois homens bonitos, jovens e nobres assediando-a?

Lílian fez que sim com a cabeça:

— É verdade, situação difícil.

Ele prosseguiu:

— Até que Afonso me desafiou para um duelo secreto. Um de nós teria de morrer para que Valentina ficasse livre para ser feliz com o outro. Eu sabia que eu era o homem certo para ela e, apesar de ter ficado em dúvida a princípio, acabei aceitando o desafio. Eu era capaz de vencê-lo na esgrima. Mas, infelizmente, não foi o que aconteceu. Afonso me feriu mortalmente. Jogou meu corpo em um poço abandonado e me deixou enterrado lá, com receio que meu pai descobrisse o que ele havia feito. Sem nenhum remorso, sem nenhuma dor! Maldito sangue do meu sangue! Eu fui dado como desaparecido e não sei por quanto tempo minha alma ficou tentando se libertar daquele inferno escuro e frio. A sensação que eu tinha era de que estava sempre me sufocando e, muitas vezes exausto, eu dormia, dormia muito, não sei se por dias, semanas, uma infinidade de tempo... Até que em certa ocasião ouvi um barulho, talvez o primeiro som que ouvi durante todo aquele tempo. Eu estava louco de solidão, de medo, de angústia, e quanto mais alto o som ficava, mais eu sentia minhas energias voltando. Até que, de repente, senti uma força muito grande me puxando, sugando-me daquele buraco. Fiquei em pânico, não sabia o que era aquilo, mas quando me dei conta estava caído no meio do terreno. O terreno onde hoje está a casa de Afonso e Valentina.

Lílian jogou o corpo pesadamente para trás:

— Afonso e Valentina? Você quer dizer que...

— Sim, a minha Valentina hoje é Viviane, e aquele maldito está com ela novamente em seus braços. Por essa razão eu o odeio cada vez mais. Vou destruir sua vida, sua família, vou levá-los ao desespero e à morte.

Lílian estava abismada:

— Mas então, hein, aquela sem sal vale menos ainda do que eu imaginava. Falsa, hipócrita, traidora. Ela vai pagar pelo que fez a você e a mim. Ensine-me tudo que puder para que eu possa ajudá-lo a destruir essa família. É isso que eles merecem.

Fernando virou-se para ela sem alterar a voz:

— Vou lhe mostrar como agiremos. Entenda que precisamos um do outro, que nossas forças juntas serão mais eficientes. Como você viu, eles têm muita proteção e contam com Juliano e Rute para ampará-los. Portanto, vamos atacar como falei, pela parte mais frágil.

A mulher sorriu sentindo-se vitoriosa:

— Pegaremos os filhos, mais especificamente Tiago! Aquele bobinho é uma presa fácil. Vamos em frente, temos muito o que fazer!

Capítulo 18 | Mal-estar

O café da manhã sempre era servido e compartilhado por toda a família. André ia para o escritório e Viviane, após deixar as crianças na escola, seguia para o consultório. Após uma noite bem dormida, havia sempre um clima de alegria e energia matinal. Tiago e Marília tagarelavam todo o tempo, enquanto André dividia sua atenção entre o jornal e os filhos e Viviane organizava o dia com Rute, dando atenção a todos ao mesmo tempo.

Era uma família que vivia em paz, com uma rotina que lhes dava prazer e sem grandes alterações. Tiago e Marília eram crianças boas, sempre aplicados nos estudos. Nunca houve um único contratempo relativo ao comportamento deles na escola. Eram queridos por professores e colegas.

Quando todos saíram, Rute foi cuidar dos afazeres, iniciando seu dia com o planejamento das refeições com a cozinheira. Depois, seguiu para o quarto das crianças, como fazia diariamente, para deixá-los arrumados. Ela mesma fazia questão de cuidar de tudo que fosse de Tiago e Marília. Tinha uma afeição quase maternal por eles e não permitia que mais ninguém interferisse em seu trabalho, além, claro, de André e Viviane.

Depois de ter colocado o quarto de Marília em ordem foi para o de Tiago. Abriu as janelas para arejar o ambiente, ajeitou a cama, guardou alguns brinquedos e roupas, mas quando estava saindo teve uma vertigem perto da porta. Apoiou-se na maçaneta para não cair, fechou os olhos, concentrou-se em sua respiração e, quando sentiu que estava melhor, voltou e sentou-se na cama do menino. Ficou ainda por alguns instantes de cabeça baixa e olhos fechados. Quando levantou a cabeça e olhou em volta, sentiu um forte arrepio lhe tomar todo o corpo. Ela sabia que, naquele momento, uma energia negativa e muito ruim acabara de se instalar no quarto do menino. Ela reconhecia aquela presença, embora não tivesse nenhuma ideia de quem se tratava e as razões que a levavam sempre de volta ao seio de uma família tão boa.

Rute, baseada nos estudos do espiritismo, sabia que os espíritos inferiores possuíam várias razões para se aproximarem de espíritos encarnados, muitas vezes problemas pessoais e outras não. Sabia também que eles se aproximavam quando encontravam um terreno fértil para plantar maldades e revoltas. Pessoas com maus pensamentos e sentimentos, com ódio no coração, egoístas e egocêntricas, preconceituosas e sem nenhuma fé eram sempre as preferidas para esse tipo de interferência. Mas a alma dela não mantinha a porta aberta para a aproximação deles e, naquele momento, ela soube que teria de agir com toda a caridade de seu coração para ajudar aquele espírito, e também para se proteger e proteger o lar de André e Viviane.

Não bastaria pedir ao invasor que se afastasse. Isso não iria surtir efeito. Era necessário eliminar qualquer pensamento e sentimento que entrasse em sintonia com esse espírito. A fé, a caridade e as boas intenções surgiram na oração de Rute:

— Em nome de Deus todo poder e bondade, venho pedir aos bons espíritos que nos amparam e ao nosso anjo guardião forças para resistir a qualquer influência de espíritos levianos, trapaceiros e mentirosos, e todo e qualquer espírito que se aproxime com más intenções. Que a luz da misericórdia leve aos olhos desse espírito aqui presente um raio de esperança que o ilumine em suas imperfeições, a fim de trazê-lo para a morada dos felizes. Que seu coração seja habitado pelo arrependimento de tentar de alguma forma trazer o mal a pessoas de bem e que aceite o auxílio dos bons espíritos, para que apresse seu adiantamento e livre-se do sofrimento.

Ao lado de Rute, Fernando e Lílian ouviam calados e, ao olharem para o outro lado do quarto, vislumbraram duas silhuetas envoltas em uma luz violeta muito tênue. Fernando sentia a energia sutil de amor vindo daquele ponto, chegando até onde ele e Lílian estavam. Mas não queria aquele amor e falou baixo, mas de maneira firme:

— Não adianta tentarem me convencer. Eu não preciso de vocês, não preciso de ajuda. Vocês estão protegendo a quem não merece. Um assassino que cometeu dois crimes cruéis: tirou a minha vida e a de Lílian. Nós sofremos por causa dele, e agora ele vai pagar pelos seus atos com o mesmo sofrimento.

Lílian a tudo ouvia e apenas concordava com a cabeça.

Apesar de Fernando continuar com seu discurso, os espíritos de luz permaneceram irradiando amor, sem sair do lugar ou responder a qualquer provocação de Fernando, que prosseguiu:

— Se vocês não saírem, saímos nós. Mas só por enquanto. Voltaremos para concluir nossa missão. O amor não leva a nada, os bons sentimentos só me fizeram sofrer na vida e na morte. Não adianta que suas energias não vão nos atingir. Quero apenas justiça e terei de fazê-la com minhas próprias mãos. Vocês são fortes, mas eu saberei aproveitar toda e qualquer fraqueza de André. E vocês sabem que ele tem muitas fraquezas. Vocês não vão me impedir!

Dizendo isso, desapareceu com Lílian. A luz violeta se expandiu e tomou todo o quarto de Tiago. Mesmo sem poder vislumbrá-la, Rute sentiu a vibração e agradeceu:

— Obrigada, meu Deus, obrigada espíritos iluminados que vieram em meu socorro. Que minha fé me fortaleça a cada dia.

Sentindo-se repentinamente muito cansada, Rute foi tomar um banho e se deitou.

Uma hora depois, o telefone tocou. Rute havia pedido para não ser incomodada, e quando uma das empregadas atendeu a ligação, seguiu as recomendações:

— Desculpe, mas dona Rute não está. Gostaria de deixar recado?

A voz do outro lado transmitia uma certa apreensão:

— Não, obrigada. Aqui quem fala é Isabel, coordenadora da turma de Tiago na escola. Dona Viviane recomendou que se houvesse qualquer imprevisto entrássemos em contato com Rute. Mas como ela não está, ligarei para a mãe do menino.

A empregada se preocupou:

— Minha nossa! Aconteceu alguma coisa com o pequeno?

— Não, fique tranquila. Está tudo bem. Vou ligar para a mãe de Tiago, obrigada.

Pouco tempo depois de receber o chamado de Isabel, Viviane já estava na escola, bastante surpresa e aflita. Nunca, em anos, ela fora chamada para conversar com os responsáveis pelas turmas de nenhum dos filhos, e não conseguia imaginar o que estava ocorrendo.

Quando entrou na sala da coordenação, Isabel tentou tranquilizá-la:

— Viviane, desculpe se a assustei com meu chamado. Nada de grave aconteceu com seu filho. Mas conhecemos cada um de nossos alunos profundamente, esse é o diferencial da nossa escola. Temos uma estreita relação com cada criança, e quando qualquer uma apresenta alguma alteração de comportamento, passamos a observar com atenção.

A mãe não conseguia conter a ansiedade:

— O que está havendo com Tiago? Ele fez alguma coisa errada?

— Não, ele é um amor de menino, muito bem-educado e tranquilo. Todos os amiguinhos gostam dele. O que está acontecendo é que na última semana ele tem se mostrado apático durante as aulas, e no intervalo prefere ficar sozinho em um canto em vez de brincar e ficar com os amigos como sempre fazia. Parece triste, não sei. Tentei conversar com ele, mas não consegui descobrir nada, seu comportamento me pareceu natural. Mas logo depois, ao voltar para a classe, através da câmera, pude observar que ele voltou a se fechar, não participando das aulas, não interagindo com os outros. Tiago não é assim, e por essa razão fiquei preocupada. Como ele está em casa?

— Em casa está tudo absolutamente normal. Ele se diverte com a irmã, estuda, brinca, vê TV; enfim, segue sua rotina sem problemas.

— Então temos de continuar analisando se ele está insatisfeito com algo aqui na escola. Talvez alguma coisa tenha acontecido e nos passado desapercebida.

— Como ele está hoje? Como foram as primeiras aulas?

— Exatamente como tem sido ultimamente, sem participação. E durante o intervalo sentou-se sozinho no jardim e ficou lá, apesar dos pedidos insistentes de que fosse brincar com os colegas.

A mãe pensou um pouco e decidiu:

— Posso levá-lo comigo para casa? Acho que não terá problema se ele perder o resto das aulas de hoje, não é?

Isabel pensava mesmo em dar aquela sugestão e concordou na hora. Pegou o telefone e falou com sua assistente:

— Por favor, vá até a sala de Tiago e traga-o aqui com todo o seu material e a mochila. Ele vai para casa com a mãe.

Quando o menino chegou e viu a mãe, deu um sorriso acanhado e correu para abraçá-la. Quando tocou no filho, ela exclamou:

— Nossa, você está tão quente!

Isabel levantou-se e pegou um termômetro, colocando-o sob a axila de Tiago. Pouco depois, conferiu a temperatura:

— Ele está com uma febre muito alta — disse Isabel, mostrando o termômetro para Viviane. — Vamos dar um medicamento para controlar essa temperatura. Depois, em casa, sob seus cuidados, tudo ficará bem!

— Meu filho, você sente alguma dor? Tossiu? Espirrou?

O garoto sentia-se muito cansado e respondeu com um fiapo de voz:

— Não, mamãe. Não sinto dor nem nada de gripe. Nem sabia que estava com febre!

— Você deve estar apenas com uma indisposição, meu querido — disse Viviane tentando tranquilizar o filho.

Enquanto a assistente de Isabel acompanhava Tiago até o carro da mãe, Viviane e Isabel trocaram as últimas palavras:

— Eu não quis assustar meu filho, mas tenho receio de que ele esteja com algum tipo de infecção. Essa febre deve estar agindo para combater alguma coisa. Acho melhor marcar logo uma avaliação médica.

— Faça isso. E não se preocupe se ele tiver de faltar por alguns dias. Envio para ele todas as lições para que possa fazer em casa. É um aluno aplicado, não terá problemas.

— Muito obrigada! Darei notícias assim que tiver algum diagnóstico.

Ao sair da coordenação, Viviane ligou para casa e Rute já estava de pé para atender ao telefone:

— Rute, estou indo para casa com Tiago.

— Eu já ia telefonar para você. Não me senti muito bem pela manhã e fui me deitar. Quando acordei, recebi o recado da escola. Está tudo bem?

— Em casa conversamos. Acho que teremos de levá-lo ao médico.

— O que aconteceu?

— Nada de grave, espero. Mas ele está com febre e muito indisposto. E, você, disse que teve um mal-estar pela manhã? Pode ser que alguma virose se instalando. Temos de tomar providências antes que contagie a todos.

— Enquanto você não chega, vou ligar para o pediatra para marcar a consulta. Quer que eu avise André?

— Não, por enquanto não é necessário. Tiago já foi medicado e acho que agora é importante que descanse. Não vamos preocupar meu marido no trabalho sem necessidade.

— Está bem. Estarei aguardando-os. Vou preparar um banho de imersão com uma água bem fresca para Tiago. Ajuda a baixar a febre.

— Logo estaremos aí.

Rute desligou o telefone, mas seu coração ficou apertado e ela sentiu um pressentimento ruim.

Capítulo 19 | Obsessão

No consultório do pediatra, Rute e Viviane mostravam-se ansiosas pelo fim da consulta. Depois de examinar Tiago detalhadamente, o médico pediu a Rute que levasse o menino para a sala de brinquedos enquanto conversaria com Viviane.

— E então, doutor, o que está havendo com o meu filho?

O médico bateu levemente com a ponta da caneta na mesa, ajeitou os óculos e respondeu pausadamente, enquanto abria seu bloco de receita:

— Não sei o que pode ter causado uma febre tão alta. Aparentemente, seu filho está muito bem. Não há nenhum foco de infecção visível, o pulmão está limpo; enfim, não encontrei nada que justifique esse quadro clínico.

Viviane ficou aliviada, mas ao mesmo tempo apreensiva:

— Estranho, doutor. O que devo fazer então?

— A senhora está com problemas familiares? Financeiros?

— Como assim, doutor? Não creio que isso seja relevante neste momento — respondeu Viviane sem entender aonde o médico queria chegar e sentindo-se desconfortável com a pergunta.

O médico sorriu para acalmá-la:

— Desculpe, não me expressei corretamente. Fiz essa pergunta porque muitas vezes esses sintomas como febre, perda de apetite, são puramente psicológicos. Um sério problema familiar, mesmo quando é mantido em sigilo, pode afetar as crianças e causar-lhes reações físicas. É impressionante como elas conseguem captar esse tipo de situação.

— Eu que lhe peço desculpas. Estou um pouco ansiosa e não compreendi suas intenções. Mas não estamos com nenhum problema familiar nem financeiro. Nossa vida é bastante tranquila, vivemos felizes e graças a

Deus mantemos uma estabilidade material e financeira. Não doutor, com certeza não é esse o caso.

— Bem, então só me resta solicitar alguns exames para nos certificarmos do diagnóstico. Vou pedir um exame de sangue e algumas radiografias.

Viviane pegou todos os requerimentos e saiu agradecida pela gentileza do médico.

Ela e Rute conversavam no caminho de casa, enquanto Tiago estava adormecido no banco de trás do carro:

— E foi isso que o médico disse. Que Tiago está bem, sem nenhum foco de infecção.

— Graças a Deus, Viviane! E não passou nenhum medicamento?

— Nada em especial. Apenas um antitérmico caso a febre volte. Mas olhe só, Tiago parece tão abatido!

— Fique calma, Viviane. Se o médico diz que tudo está bem, vamos confiar e aguardar o resultado dos exames.

Com rapidez, Viviane levou-o para realizar os exames. Assim que eles ficaram prontos, ela os levou ao médico, que, muito aliviado, mas surpreso, confirmou que nada havia de errado fisicamente com o menino. Achou melhor receitar apenas uma semana de repouso e observação. Não havia mais nada que ele pudesse fazer.

Os dias se passaram sem que Tiago apresentasse melhora significativa; sua disposição oscilava diariamente. Alguns dias ele acordava bem-disposto, ia pegar um pouco do sol ameno da manhã, pedia para ficar um pouco na piscina e comia bem no café da manhã. À tarde, sem nenhuma razão aparente, tornava-se novamente apático, algumas vezes com febre, outras não.

André e Viviane estavam começando a ficar seriamente preocupados e analisando uma possível ida a outro médico para confirmar o parecer do pediatra. Apesar de sentir o coração partido, Viviane estava com muito trabalho e naquele momento não podia se ausentar do consultório, mas sua tranquilidade era saber que Rute estava incansável em seus cuidados com Tiago.

Certa tarde, Rute, percebendo que o garoto estava muito desanimado, sem até querer comer, sentou-se ao lado dele na cama e tentou fazê-lo falar sobre o que sentia:

— Então, meu querido, não quer beber nem uma vitamina de frutas com aveia que você adora?

Tiago apenas respondeu negativamente com a cabeça. Rute insistiu:

— Você está sentindo alguma dor? Já chequei e vi que não está com febre.

Com muita dificuldade, quase com preguiça de falar, ele respondeu:

— Não, não sinto dor.

Ela sorriu:

— Que ótimo. Deve estar apenas cansado, indisposto. Quer ver um pouco de TV?

Nesse momento, Tiago começou a chorar convulsivamente, e Rute assustou-se:

— O que houve, meu filho? — perguntou abraçando o menino.

Ele nada respondeu, apenas chorava muito, aconchegando a cabeça no colo da babá.

Rute acarinhou os cabelos dele e aguardou que se acalmasse. Em soluços, finalmente ele falou:

— Eu fico pensando... em coisas... coisas que não quero pensar — falou de forma desconexa e que Rute não entendeu.

— Como assim, meu amor? Pensando em quê?

Ele não conseguia parar de chorar:

— Não sei! Não lembro. Mas sei que são coisas que não gosto; tudo fica confuso na minha cabeça. Eu não quero mais pensar!

Rute sentiu uma imensa pena de Tiago. Pegou o interfone e tocou na cozinha:

— Por favor, traga um suco de maracujá bem docinho no quarto de Tiago.

Logo o suco chegou e Rute, secando as lágrimas incontidas do menino, falou docemente:

— Vamos, beba este suco. É refrescante e você vai se sentir melhor.

Com muito esforço, ele deu alguns goles e, aos poucos, foi se acalmando. Deitou devagar e acabou adormecendo, vencido pelo cansaço da emoção e ajudado pelo efeito calmante do maracujá.

Depois de se certificar que seu sono era tranquilo e que estava sem febre, Rute deixou-o por alguns instantes e foi para seu quarto fazer uma ligação:

— Juliano, precisamos conversar.

— Como está meu sobrinho, Rute?

— É sobre isso que precisamos falar. Estou muito preocupada e preciso de sua ajuda.

— Ele piorou? — perguntou Juliano muito aflito.

— Agora ele está bem, está dormindo. Mas creio que está passando por uma crise que não compete à medicina resolver.

Juliano entendeu o que ela queria dizer:

— Vamos conversar hoje à noite no centro espírita. Você falou algo sobre isso com André e Viviane?

— De forma alguma. Não sei a dimensão do que está acontecendo e não acho prudente fazer alarme.

— Você agiu bem. Vamos conversar e depois decidimos o que fazer.

Naquela noite, ao se encontrarem, Rute foi bastante objetiva com Juliano:

— Venho acompanhando o quadro físico e psicológico de Tiago diariamente e tudo leva a crer que ele está sofrendo alguma influência espiritual.

— O que a fez chegar a essa conclusão?

— Tivemos uma conversa e ele me disse que pensa em coisas nas quais não quer pensar; chorou muito.

— Que tipo de coisas?

— Ele não soube dizer. Apenas relatou que pensa em coisas ruins que não quer pensar e que tudo é muito confuso. Ele está se sentindo perdido, talvez isso esteja causando febre, falta de ânimo e perda de apetite. Algo que ele não compreende e que o atormenta; e como ele não sabe explicar, fica angustiado e isso se reflete em seu corpo físico.

— Faz sentido, Rute. Meu irmão conversou comigo e com meus pais e nenhum médico até agora soube explicar o que está contecendo com Tiago.

— Não devemos falar nada por enquanto com André e Viviane. Eles também não compreendem, mas devemos voltar nossas orações para ajudar Tiago e o espírito que o está obsediando.

— Mas por que ele, Rute? É apenas um menino. Quem poderia querer prejudicar meu sobrinho e por quê?

— Isso é cedo para sabermos. É mais provável que não exista um motivo pessoal. Talvez seja um espírito oportunista, que apenas quer perturbar a paz da família para se divertir e satisfazer sua ânsia de causar o mal. Um espírito perdido que acredita que não é feliz faz com que sua infelicidade se espalhe. Mas também pode ser por uma vingança por algo do passado. Sabemos que a maioria dos casos de obsessão é motivada por ódios que se perdem no tempo.

— Você tem razão. Temos de proteger Tiago e ajudar esse espírito sofredor. Vamos focar nossas energias nas reuniões na casa de meu irmão para auxiliar esse espírito a encontrar a paz. Com a assistência de nossos irmãos de luz, ele poderá receber vibrações de amor e começar a pensar em mudar.

— Não creio que seja um espírito vingativo. Pode ser daqueles que apenas precisam de caridade e auxílio. E é isso que faremos.

— E André e Viviane nem precisam saber dos detalhes. Não entenderiam e isso poderia atrapalhar.

— É verdade. Vamos fazer nossa parte com fé e tudo ficará bem. Amanhã à noite no Evangelho no Lar vamos orar por essa triste criatura, para que encontre alento em seu coração.

Alheios às suspeitas de Rute, os pais de Tiago preocupavam-se. Nos dias que se seguiram, passaram com o filho por vários especialistas, mas o resultado era sempre o mesmo: nada havia fisicamente com o menino que justificasse seus sintomas.

Os pais de André começaram a cogitar uma viagem ao exterior. Acreditavam que poderiam encontrar especialistas que pudessem dar uma resposta a tantos questionamentos.

Capítulo 20 | Espíritos de luz

André e Viviane estavam bastante preocupados com o filho. A cada dia ele se tornava mais apático, desmotivado para qualquer atividade, e seu apetite começava a ser atingido por toda essa falta de ânimo. Marília, em sua pureza e ingenuidade infantis, não percebia a gravidade da situação e procurava diariamente animar o irmão com convites para brincadeiras e sessões de filmes e desenhos na TV. Tiago, muitas vezes para não decepcionar a irmã, acabava aceitando, mas não sentia verdadeiro prazer em qualquer atividade. Ele estava emagrecendo a olhos vistos. O menino não entendia o que estava acontecendo. Certa noite, quando se sentia muito triste, foi ao quarto dos pais para conversar. Deitou-se na cama entre eles e quase em lágrimas começou a falar:

— Papai, mamãe, o que está acontecendo comigo?

Os pais, com o coração apertado, não sabiam o que dizer, pois nem eles entendiam o que se passava. Contudo, André tomou a iniciativa de falar na tentativa de acalmar o filho enquanto Viviane apenas acariciava os cabelos do menino:

— Meu filho, você está se tornando um rapazinho. Já tem sete anos e talvez esteja um pouco perdido pelas mudanças que ocorrem a todos nós conforme vamos crescendo.

O menino pensou um pouco e falou:

— Muitas vezes eu tenho vontade de brincar com Marília como sempre fizemos, tenho vontade de visitar meus amigos, mas é estranho, quando penso em fazer alguma dessas coisas de que eu sempre gostei, a vontade passa e não me sinto animado. Sinto um aperto no coração, pai, uma tristeza muito grande.

Viviane interveio:

— Você já pensou em buscar novas atividades, meu filho? Quem sabe um esporte novo, alguns livros diferentes para ler? Quando a gente vai crescendo, nossos gostos vão se modificando. Talvez seja o momento de procurar novos atrativos mais adequados à sua idade.

— Sua mãe está certa. Amanhã mesmo podemos buscar algo que faça você se sentir mais animado, o que lhe parece?

Tiago sentiu-se feliz com as novas perspectivas:

— Acho muito bom. Vocês me ajudam a encontrar algo bem bacana para eu fazer?

André e Viviane beijaram o menino, e a mãe falou com doçura:

— Claro que sim, meu filho. Amanhã vamos resolver isso. Agora, venha comigo, vou levá-lo para o quarto. Quer que eu fique um pouco com você até adormecer?

Tiago sorriu e respondeu:

— Não é preciso, mamãe. Parece que estou mesmo crescendo rápido. Pode ficar aqui que vou me deitar sozinho. Já estou me sentindo bem melhor.

Beijou os pais e saiu do quarto satisfeito por ter achado a solução para seus problemas. Era muito simples, e com ajuda ele logo seria o Tiago de sempre.

André, após a saída do filho, externou sua preocupação para a esposa:

— O que está havendo com nosso menino? Eu não queria cogitar essa possibilidade, mas começo a pensar que ele está passando por um quadro depressivo. Você, que é especialista nisso, o que acha?

Viviane, como psicóloga experiente, respondeu:

— Querido, você sabe que sempre é desaconselhável que qualquer avaliação seja feita por um profissional quando este tem uma forte ligação com o paciente. Não é raro crianças na idade de Tiago passarem por problemas psicológicos e até atingirem graus elevados de depressão e ansiedade. Mas em todos os casos existe um histórico que justifique essa situação. Abandono, maus-tratos, abusos de todos os tipos, problemas de sociabilização, principalmente na escola. Mas nosso filho não tem nada disso, nenhum episódio que se enquadre para que seja possível um diagnóstico desse.

— Você poderia levá-lo a um de seus colegas. Com certeza você pode indicar um profissional competente. Fisicamente já foi comprovado que não há nada de errado com ele.

— Está bem, querido. Amanhã vou providenciar uma consulta.

***

Naquela mesma noite, Juliano e Rute cuidavam do assunto da forma como eles acreditavam ser a mais correta para o caso. No centro espírita, eles conversaram com Gabriel, médium experiente, dedicado e sério, que dirigia as reuniões na casa. Rute relatou o caso de Tiago e Gabriel foi direto:

— Vocês estão certos em suas conclusões. Para mim está claro que essa criança está sendo instrumento de algum espírito perturbador.

Juliano novamente fez o mesmo questionamento que havia feito a Rute:

— Mas por que Tiago?

Gabriel explicou ao mesmo tempo que avaliava as possibilidades:

— Ele é só um menino que pertence, como vocês mesmo relataram, a uma família que não mantém nenhum envolvimento com a espiritualidade. Não participam de nenhum estudo, não cultivam o hábito da prece; enfim, vivem uma vida voltada apenas para o aspecto prático e material.

Rute esclareceu:

— Sim, é verdade. Viviane é mais curiosa, aceita melhor quando mencionamos a Doutrina Espírita, mas André é totalmente cético, só acredita naquilo que pode tocar e ver. Apesar disso, ambos são excelentes pessoas, nunca os vi fazerem ou desejarem o mal a quem quer que seja; não mereciam passar por isso.

Enquanto ouvia, Juliano concordava todo o tempo com Rute em movimentos positivos de cabeça.

Gabriel continuou:

— O merecimento vai além de ser bom e não fazer mal aos outros, outra hora falaremos sobre isso. — Fez uma pequena pausa e prosseguiu: — Pelos relatos, esse espírito não criou situações realmente graves. Ele apenas está influenciando o garoto, confundindo sua cabeça, interferindo em sua vontade. Pode ser um espírito que apenas quer criar confusão, não acredito que vá fazer mal maior ao menino ou sua família. Talvez tenha escolhido essa família exatamente por perceber que não havia nada que o impedisse. O acesso é livre e fácil. A interferência dele é a forma que encontrou para dividir o peso de sua existência sofrida e sem luz. Ele quer incomodar, entristecer, tumultuar a vida alheia da mesma forma que se sente triste, incomodado e tumultuado. Não creio que fará mais mal do que o que já tem feito. É um irmão que precisa de ajuda, de muita ajuda, e a família de André, por sua falta de fé, não vai poder ajudar Tiago. Essa missão caberá a vocês.

Juliano e Rute se entreolharam e o rapaz falou:

— Já conseguimos realizar semanalmente o Evangelho no Lar. André, meu irmão, tem participado, mas não mudou sua opinião a respeito. Viviane ora com fé, mas é perceptível que ela não entende ainda como aquele momento de reunião é importante, principalmente agora.

— Acho que chegou a hora de vocês, na próxima reunião, serem mais objetivos com os pais de Tiago.

— Objetivos como? Quanto? — questionou Rute.

— Explicando a eles que de fato a casa está recebendo visitas de espíritos perturbados e levianos que encontraram ali um terreno fértil para suas maldades. A falta de crença e fé os encoraja. Não é preciso que uma pessoa cometa maldades para atrair esse tipo de espírito. Basta não acreditar, sentir-se superior a tudo no universo e não reconhecer o poder maior que rege nossa vida. Vocês devem explicar a eles a situação, mas evitem falar sobre Tiago diretamente e sobre a influência que certamente ele está sofrendo. Será mais difícil que aceitem algo assim. O menino foi escolhido aleatoriamente, poderia ter sido a irmã. Para o espírito que se aproxima com más intenções, tanto faz. Mas, ao se aproximar da criança, ele acaba atingindo a todos, e sua satisfação é ainda maior. Na próxima reunião, depois de falarem com André e Viviane, dirijam-se diretamente a esse espírito e o convidem para participar. Façam com que ele perceba que nada do que faz os levará ao ódio; que estão ali no firme propósito de ajudá-lo. Acredito que ele vá sentir a energia de amor e, quem sabe, logo aceite o amparo dos espíritos iluminados que estarão presentes. Tudo será resolvido, mantenham a fé e não desanimem.

Na tarde seguinte, Viviane levou Tiago para o consultório de um dos maiores especialistas em psicologia e psicoterapia infantil da cidade.

Depois de consultar o menino sozinho, o médico chamou Viviane para uma conversa em particular:

— Viviane, recomendo que sejam iniciadas imediatamente as sessões de terapia. Você é minha colega de profissão e sabe que essa primeira entrevista é para avaliação da necessidade ou não da terapia. E o caso dele é positivo. Ele me relatou sobre pesadelos e incoerências entre o que pensa, o que faz e o que tem vontade de fazer. Está bastante confuso em seus sentimentos. Não mencionou nenhum problema familiar ou na vida escolar; então, por meio da terapia conseguiremos ir mais a fundo e descobrir o que está causando tanto transtorno na vida dele. Podemos marcar a primeira sessão para amanhã. O que acha?

— Confio plenamente em seu trabalho. Pode marcar, doutor.

Aquela era a noite marcada para o Evangelho no Lar, e André, Viviane, Juliano e Rute já estavam reunidos quando Viviane lhes relatou as informações passadas pelo médico. André rapidamente aprovou o diagnóstico e o início da terapia. Cuidadoso, Juliano mudou o rumo da conversa sem mencionar Tiago:

— Eu gostaria de esclarecer algumas coisas antes da reunião. André e Viviane, é importante que ouçam com atenção, por favor. Sei que é complicado de entender, mas acreditem, temos de nos unir para atingirmos um objetivo juntos. Um bem para todos nós.

André torceu o nariz já imaginando o que ouviria:

— Juliano, já concordei que essas reuniões fossem feitas aqui. O que mais quer?

— André! — repreendeu Viviane. — Você deve ouvir o que Juliano tem a nos dizer. Ele é seu irmão, e por mais que discorde de suas crenças e opiniões, você não pode negar que os estudos dos quais ele participa são sérios. Diga, Juliano, o que está havendo?

O rapaz pigarreou e continuou:

— Acreditem, a vida não é apenas isso que está diante de nossos olhos. Existe um universo fora do mundo material, habitado por espíritos que desencarnaram e que vivem em outro plano, de diversas maneiras, dependendo de sua evolução e necessidades. É um assunto complexo que depois posso esclarecer detalhadamente se quiserem. Em outra ocasião falamos que espíritos levianos e inferiores, às vezes, ligam-se a uma casa ou família apenas para gerar a confusão e o caos.

André completou:

— Ah, claro, lembro-me disso... a história dos fantasmas.

Rute apressou-se em falar:

— Vocês se lembram do sr. Genésio?

Viviane respondeu:

— Claro que sim, o assistente de Marcelo.

— Esse mesmo — confirmou Rute. — Certa vez esteve aqui para deixar um material que André havia pedido. Não quis entrar de jeito nenhum, por mais que eu o convidasse. Tentei saber a razão de sua recusa, mas ele se foi sem nada dizer. Naquele mesmo dia, senti uma energia pesada no jardim. Ele deve ser uma pessoa bastante sensível e também deve ter percebido essa energia. Por essa razão fugiu, com medo. Pode ter sentido, mas não deve saber como lidar com isso.

Juliano continuou:

— André, por favor, acredite! Só queremos a harmonia e a paz de nossa família. Pode estar entre nós, sem nenhuma razão específica ou pessoal, alguém que precisa de nossa ajuda.

— Vamos supor que isso seja verdade — disse André. — Se é alguém que está aqui para nos perturbar, por que devemos ajudá-lo? Temos de escurraçá-lo, isso sim.

— Esses espíritos só se unem a pessoas e lugares onde podem agir sem impedimentos. Se orarmos por eles, sentirão que aqui existe luz e fé, e verão que não conseguirão atingir seus objetivos. Com nossa oração, talvez sejam atingidos pelo amor que emanamos e aceitem sair desse sofrimento seguindo os espíritos iluminados. Sentirão, enfim, uma felicidade e paz no coração como jamais sentiram, e se voltarão para sua evolução espiritual no caminho do bem.

Viviane ponderou:

— Vamos, querido, que mal há nisso? A oração é sempre bem-vinda. Desculpe, Juliano, não consigo acreditar que tem alguém fazendo o mal para nós, mas respeito o que você e Rute pensam. Vamos fazer da forma que vocês nos orientarem.

De repente, André também se colocou favorável:

— Então, diga o que devemos fazer e faremos. Vamos ver o que muda com tudo isso.

Viviane voltou-se para Rute:

— E as crianças?

— Eu os deixei dormindo, tranquilos. Viu só? Como lhe falei, não havia mais necessidade de deixá-los com os avós em dias de reunião. Quem sabe em breve eles não estarão participando também?

Viviane apenas respondeu com um sorriso e assim a reunião teve início.

Depois da oração de abertura, Viviane pediu para fazer a leitura de *O Evangelho Segundo o Espiritismo*. Ao fim, conversaram sobre a lição contida no texto, e Rute assumiu o momento de orar em favor daquele que poderia estar entre eles com intenção de perturbar a harmonia daquele lar.

— Deus amoroso e justo, estenda Sua bondade sobre esse espírito que vem até nós em busca de desamor e desunião. Que os bons espíritos que vivem para levar o bem por onde passam nos protejam e auxiliem a levar alívio para esse coração sofredor. Que seu coração seja tocado pelo arrependimento em fazer o mal, e que o desejo da purificação recaia sobre sua alma. Ajudai-nos, bons espíritos, a conduzir esse irmão sofredor rumo ao adiantamento e aprimoramento.

Lílian e Fernando novamente estavam presentes observando tudo à distância. Ambos, muito incomodados com a reunião daquela noite, viram aproximar-se da mesa dois espíritos de luz que, com as mãos estendidas, enviaram a eles uma luz azul muito brilhante. Fernando os olhava com muito ódio e, não suportando mais aquela intromissão, virou-se para Lílian e falou:

— Não saia daqui! Volto logo. Temos de acabar com essa festa! — disse isso e desapareceu, deixando Lílian aflita e sem saber como agir.

Segundos depois, Tiago apareceu descendo correndo as escadas e chorando muito.

— O que houve, meu filho? — perguntou Viviane abraçando o filho.

— Não sei, mamãe. Apenas acordei, não vi ninguém por perto e fiquei com medo. Deixe-me ficar com vocês.

Assim, eles não puderam finalizar a reunião como de costume. Rute foi preparar um lanche e os outros ficaram na sala com Tiago.

A reunião havia sido interrompida, e era isso que Fernando queria. Quando voltou para perto de Lílian, viu os dois espíritos de luz lançando um triste olhar para eles. Em seguida, partiram.

Fernando sorriu satisfeito e Lílian estava fascinada pela forma como ele agia:

— Você conseguiu, hein! Aqueles dois estavam me irritando, e aquela cantilena de oração, que coisa chata! Mas você é esperto. Acabou com a festa deles.

Fernando estava sentindo muita raiva:

— Vou mudar minha forma de ação. Juliano e Rute não vão desistir e estão quase convencendo André e Viviane. Se a união deles se fortalecer, nós enfraqueceremos. Daqui para a frente, vou levá-los à loucura, não dá mais para esperar.

Capítulo 21 | Importante missão

As sessões de terapia não estavam ajudando na recuperação de Tiago, o que fazia com que André e Viviane ficassem cada dia mais convencidos de que deveriam ir ao exterior consultar um especialista de renome.

Rute e Juliano sentiam-se frustrados. Apesar de toda fé e força de suas orações, não entendiam por que o menino não conseguia se reerguer. Que espírito era aquele e por que não cedia aos apelos e auxílio oferecidos? O que mais ele queria daquela família?

O que se passava com Tiago começava a afetar inclusive Marília, que, vendo o irmão naquele sofrimento, sentia-se triste e confusa também.

Todos estavam muito nervosos e Juliano resolveu que passaria uma temporada na casa do irmão para dar todo o apoio espiritual e moral que pudesse. Rute permanecia incansável nos cuidados com o menino, mas era evidente em seu semblante a tristeza de seu coração.

Certa noite, com as crianças já na cama, André, Viviane, Rute e Juliano foram para a beira da piscina conversar. A noite fresca, a lua cheia e o céu estrelado eram um convite ao relaxamento de que estavam precisando.

Procuravam falar de amenidades, distraindo os pensamentos dos problemas tão difíceis que estavam enfrentando.

Ficaram por mais de uma hora ali, tranquilos, quando, de repente, um grito de horror veio de dentro da casa.

Viviane gritou:

— Meu Deus! É Tiago!

Todos correram em direção ao quarto do menino, enquanto os gritos continuavam cada vez mais desesperados e altos:

— Socorro! Socorro! Tirem ele daqui! Mamãe, papai, socorro!

Quando entraram no quarto de Tiago, encontraram-no sentado e encolhido próximo à cabeceira da cama com o rosto banhado de lágrimas e gritando sem parar.

André e Viviane correram para abraçá-lo, mas ele continuou agitado pedindo ajuda. Rute começou a orar com Juliano pedindo auxílio aos espíritos protetores de Tiago. Lentamente e minutos depois, ele serenou.

Após beber um copo com água fresca, Tiago conseguiu relatar o que o levou àquele desespero:

— Um homem! Um homem horrível estava em pé aqui no meu quarto. Ele estava ferido, muito machucado, e tinha sangue por toda a parte. E ele ficava rindo para mim com uma cara assustadora.

Os quatro adultos se entreolharam completamente aturdidos. Rute preparou um chá calmante e depois todos ficaram com ele até que pegasse no sono. Antes de adormecer, ele implorou:

— Prometem que vão ficar comigo? Não deixem aquele homem voltar.

— Claro, meu querido, ficaremos com você — disse Viviane. — Não se preocupe que nenhum homem virá assustá-lo de novo.

André, não aguentando a pressão daquela situação, saiu do quarto do filho e foi seguido pelo irmão. Ainda no corredor, encostou a cabeça na parede e, chorando, desabafou:

— Meu Deus! Meu filho está enlouquecendo. Por quê? Por que passamos por isso? Coitado do meu filho, tão novo e perdendo o juízo, a razão!

Enquanto consolava André, Juliano tentava acalmá-lo:

— Não se desespere! Seu filho não está enlouquecendo. Tenho fé que resolveremos tudo isso em breve. Acredite, meu irmão, seu filho é tão sadio quanto cada um de nós.

André estava arrasado:

— Sei de casos que crianças simplesmente enlouquecem. São paranoias, distúrbios emocionais, demências irreversíveis. Por que, meu Deus?

Tiago dormiu e Rute e Viviane se aproximaram dos irmãos. Viviane, vendo o marido naquele estado, abraçou-o e eles choraram juntos. Só então Rute se deu conta:

— Meu Deus, onde está Marília?

Todos correram para o quarto dela e a encontraram deitada, chorando baixinho.

Juliano se aproximou dela e falou:

— Querida, não chore. Estamos com você.

— Meu irmão estava gritando. Fiquei com medo!

— Seu irmão apenas teve um pesadelo. Mas já se acalmou e agora está dormindo.

Ela olhou o tio com os olhinhos brilhando:

— Eu vou ter pesadelo também se dormir?

Rute viu que André e Viviane estavam sem condições de atender e acalmar a menina, então disse:

— Não, meu amorzinho. Você terá lindos sonhos, com certeza. Ficarei aqui com você e cantaremos uma bela canção daquelas que você gosta.

Marília abraçou-a e se aninhou debaixo das cobertas. Ambas começaram a cantar baixinho, enquanto os outros se retiraram em silêncio.

Quando Marília adormeceu e tudo voltou a ficar calmo, Rute juntou-se aos demais na sala.

André estava muito mais abalado que Viviane. Ela chorava, mas tentava manter a mente alerta e buscar uma explicação para tudo o que estava acontecendo. André, de cabeça baixa, apenas repetia:

— Meu pobre menino! Ele está fora de si. Demos uma vida serena para nossos filhos, como isso pôde acontecer com ele?

Juliano interveio:

— André, hoje nenhum de nós está em condições de conversar sobre isso. Vamos tentar descansar também e amanhã falaremos com mais calma.

Todos concordaram e se recolheram.

A conversa acabou adiada nos outros dias. Tiago, depois daquela noite, piorou muito. Passava os dias dizendo-se perseguido, sentia que alguém o olhava o tempo todo, e quase todas as noites gritava que o tal homem estava novamente em seu quarto.

Viviane e André acabaram mandando Marília passar uma temporada na casa dos avós. Não podiam expor a menina àquela situação terrível.

Diante do quadro decadente de Tiago, o médico receitou medicamentos que deixavam o menino boa parte do tempo sedado, dormindo ou quieto, sem nenhuma energia.

André afastou-se do trabalho assim como Viviane. Todos só tinham olhos para a recuperação de Tiago. Os pais estavam deprimidos, as olheiras apagaram o brilho de seus olhos e a constante tensão destruiu o viço de suas faces.

A casa parecia sempre fúnebre, sem brincadeiras, sem sorrisos, apenas reinava o silêncio ocasionalmente quebrado pelos gritos de Tiago, que, agora, já não mais saía do quarto.

Exames de sangue foram feitos e foi constatada uma profunda anemia pela falta de alimentação adequada a um menino daquela idade. Mas nada do que fizessem o convencia a comer direito. Até que foi recomendado que ele se nutrisse com aplicação de soro na veia pelo menos por dois dias, o que foi feito em seu próprio quarto, com acompanhamento de enfermeiros contratados por André.

O rosto de Tiago havia se transformado totalmente. Não existia mais aquele garoto de faces rosadas e olhos vivos e espertos. Sua aparência era agora assustadoramente cadavérica, os ossos da face saltados e evidentes, o corpo magro e frágil parecia poder se quebrar a qualquer momento.

Certa tarde, ele estava dormindo e Viviane, exausta, também adormecera na poltrona ao lado da cama do filho.

André e Juliano conversavam no escritório e Rute estava na cozinha orientando sobre o cardápio do jantar. Ninguém tinha apetite, então a alimentação de todos foi alterada para alimentos leves, e no jantar sempre era servida apenas uma sopa.

Tiago acordou novamente aos berros, mas desta vez se debatia ferozmente na cama, rolando de um lado para o outro e agitando os braços freneticamente.

Viviane levantou-se sobressaltada e jogou seu corpo sobre o corpo do filho, enquanto gritava por socorro.

Todos foram ao seu encontro e nada acalmava o menino. O médico foi chamado e aplicou um tranquilizante pesado intravenoso. Só assim ele foi vencido.

O médico foi direto e objetivo:

— Sinto muito, mas acho que a única solução será a internação.

André e Viviane caíram em prantos. Nem conseguiam se expressar. Juliano respondeu:

— A que tipo de internação o senhor se refere? — perguntou temendo pela resposta.

— Numa clínica psiquiátrica. Eu lamento, mas a situação é bastante grave.

Viviane quase desfaleceu e foi amparada por Rute e André. Juliano continuou à frente da situação:

— Doutor, confiamos no senhor e nas suas recomendações. Mas lhe imploro, deixe-nos apenas conversar sobre o assunto e mais tarde entraremos em contato com o senhor.

— Eu entendo — disse o médico sinceramente. — Mas, por favor, não se demorem a tomar uma providência. Essa pobre criança precisa de tratamento intensivo e urgente.

— Fique tranquilo. Entraremos em contato o mais breve possível. Precisamos apenas de um tempo para que André e Viviane consigam administrar esse fato tão doloroso — concluiu Juliano, acompanhando o médico até a saída.

Ao voltar, foi até o quarto de André, onde Viviane, após tomar um calmante, havia se deitado. André e Rute estavam com ela.

Juliano ligou para Gabriel e pediu que ele fosse até lá para encontrá-los. Quando o médium chegou, Juliano e Rute narraram tudo o que estava acontecendo com detalhes. Gabriel pediu que André e Viviane se juntassem a eles para que pudessem conversar.

Juliano abriu a explanação que Gabriel faria a seguir:

— Querido irmão, querida cunhada, sabemos quais são as crenças de vocês e o que pensam sobre a Doutrina Espírita, crença que seguimos. Mas peço a vocês, do fundo do coração, que ouçam o que Gabriel tem a dizer. Ouçam com a alma e a mente abertas, e apenas pensem que tudo o que fazemos e dizemos é visando ao bem de nosso querido Tiago.

André mal tinha forças para se expressar. Apenas assentiu com a cabeça e, de mãos dadas com a esposa, esperou atentamente para ouvir o que Gabriel teria para lhes dizer.

Percebendo que não havia nenhuma resistência por parte de André e Viviane, Juliano fez sinal para que o amigo falasse. Gabriel iniciou a conversa de forma cautelosa:

— Existem muitas coisas que eu sei que vocês compreendem. Mas da mesma forma que não discuto as leis com um advogado, ou cálculos estruturais com um engenheiro, pelo simples fato de não entender sobre o assunto, peço que me ouçam, lembrando que tanto eu, como Juliano e Rute, somos estudiosos da Doutrina Espírita. Não é nosso objetivo alarmar mais ainda vocês, mas pensem que apesar de todos os cuidados já apresentados por vários médicos, nada surtiu efeito favorável ao nosso pequeno Tiago. Então, tenham em mente que o que ocorre com ele a medicina não poderá resolver.

Viviane estava chocada, mas queria saber mais:

— Do que você está falando?

— No início, cheguei a comentar com Juliano e Rute que algum espírito leviano, apenas por maldade e pelo prazer de espalhar o caos, estava interferindo na vida de vocês e usando Tiago. Mas, com o decorrer dos acontecimentos, concluí que a situação é bem mais grave.

Viviane apertou a mão de André. Fez sinal para que Gabriel prosseguisse, e ele assim o fez:

— Tiago, por alguma razão que ainda desconhecemos, está passando por um processo de obsessão.

O simples mencionar dessa palavra fez com que Viviane caísse em um choro convulsivo e André curvou-se para a frente com a cabeça entre as mãos se esforçando para segurar um grito de dor.

Rute levantou-se e foi pegar um chá para todos. Juliano sentou-se ao lado do casal e os abraçou.

Quando Rute voltou e serviu o chá, André, tentando manter a coerência entre o que pensava e o que ouvira, falou:

— Você está dizendo que o corpo de meu filho está tomado por um fantasma? Meu Deus, que loucura é essa? Estamos todos dementes também?

Gabriel tinha o coração sereno e caridoso, e sua compreensão pela dor daquela família o fazia ter toda a paciência do mundo e jamais se ofenderia com aquele tipo de comentário. Esclareceu com tranquilidade:

— Tudo o que vocês já ouviram sobre obsessão, possessão, ou que já viram em filmes e livros de forma sobrenatural e fantasiosa não existe. Um espírito jamais pode entrar em um corpo como se entra em uma casa. Um espírito não pode chegar e ocupar o corpo do espírito que está encarnado naquele corpo. Não existe coabitação de espíritos em um mesmo corpo físico. A obsessão é a forma que um espírito inferior encontra para subjugar e dominar certas pessoas, baseado em desejos de provocar o mal, a loucura até, movido por desejos de vingança. A obsessão paralisa aquele que a sofre e o faz agir de acordo com as vontades do espírito obsessor. Assim, a pessoa acaba agindo e fazendo coisas que jamais faria.

Rute complementou:

— Como naquele dia à beira do rio. Tiago jamais desobedeceu você, André. E você lembra que ele mesmo depois ficou muito constrangido pelo que aconteceu?

Viviane concordou.

Gabriel prosseguiu:

— Esse espírito que está obsediando Tiago não é apenas um espírito leviano querendo se divertir fazendo o mal. Pelo estado em que a pobre criança se encontra, esse espírito quer atingir duramente sua família e está usando Tiago para isso, provavelmente motivado por um desejo de vingança.

Juliano fez pequena pausa e continuou:

— Tiago tem a sensibilidade para ver esse espírito de alguma forma. O modo como ele o descreveu deixa claro que de fato ele o viu. E esse espírito deixou-se ver exatamente para levar o menino à loucura, pois a criança não tem noção do que está lhe ocorrendo. Tiago provavelmente é dotado da faculdade de ver os espíritos, o que não faz dele exatamente um médium vidente, mas alguém que consegue ver os espíritos em determinadas situações, com os olhos da alma.

André e Viviane estavam incrédulos, mas ao mesmo tempo cogitando fazer qualquer coisa para ajudar o filho.

— Você quer dizer que meu filho é apenas um instrumento de vingança desse espírito? — questionou André.

— Exatamente! — explicou Gabriel. — Atingindo Tiago, ele atinge toda a família.

— Mas quem é? Por que quer se vingar de meu filho? De nós? Nunca fizemos mal a ninguém.

— Com certeza é algum desafeto de outras vidas que ainda não se libertou de alguma situação que ele acredita ter sido causada por alguns de vocês.

Rute disse:

— Podemos tentar descobrir quem é e por que está entre nós. Talvez aceite nos explicar suas razões.

— E como faremos isso? Via telefone? — disse André em tom sarcástico e uma risada quase histérica.

Gabriel sorriu e respondeu:

— Não, podemos entrar em contato com ele na reunião do Evangelho no Lar, se Deus nos permitir.

Viviane estava muito nervosa. Embora não acreditasse, na atual situação era capaz de recorrer a qualquer coisa para ter seu filho saudável e a paz em sua família de volta. Pensando assim, quis saber mais sobre o assunto:

— Vamos supor, Gabriel, que vocês estejam certos. Como é possível afastar esse espírito da vida de meu pequeno Tiago? Podemos fazer isso?

— É possível, mas é preciso ter uma grande fé, muita força e coragem e, acima de tudo, não nutrir sentimentos que vibrem em sintonia com os sentimentos dele — esclareceu Gabriel.

— Como assim? — insistiu Viviane.

Ele continuou:

— Vocês não podem se revoltar, sentir raiva ou ódio dele ou dessa situação que estão vivendo. Não devem recorrer a saídas milagrosas e encher o menino de medicamentos, que acabam por intoxicar seu organismo.

— É impossível o que está sugerindo. Como não se revoltar, como não ter ódio vendo meu filho definhando e enlouquecendo dessa forma? — falou André esbravejando.

— Acreditem, esse espírito, se está em busca de vingança, é porque crê de verdade que alguém aqui lhe fez algum mal no passado. É um espírito ignorante, repleto de rancor e que ainda não aprendeu que ninguém é vítima de ninguém e o que faz é apenas consequência de sua pouca instrução e evolução. Se mantivermos firme o desejo de ajudá-lo, esclarecê-lo, perdoá-lo por tanto mal que está causando, isso tocará seu coração, com certeza. Aceitando o auxílio dos espíritos de luz, ele acabará cedendo e buscará alívio para seu sofrimento, sendo levado para alguma colônia de tratamento, onde receberá toda a ajuda necessária, e, finalmente, tudo voltará ao normal em sua casa.

Juliano completou:

— E lembrem-se de orar e conversar com ele nos momentos de oração. Peçam perdão caso tenham feito algo no passado que o tenha ferido de alguma forma. Mas façam isso sinceramente.

André se levantou, revoltado:

— Você só pode estar brincando mesmo. Nem sei quem ele é, se existe, se isso tudo não é um delírio coletivo, e você ainda quer que eu peça perdão?

Juliano não se abalou:

— Meu irmão, você realmente acredita que essa, a atual, é sua primeira passagem pela Terra? Você já viveu anteriormente, já pode ter sido rei ou escravo, bom ou ruim, nobre ou plebeu. Talvez alguém aqui já tenha espalhado sofrimento e deixado para trás desafetos que, movidos pelo ódio, agora buscam o acerto de contas. Faça como estamos falando. Ajude seu filho, pelo amor que tem a ele.

A conversa se encerrou no momento em que André, depois de ouvir Juliano, saiu furioso sem nada dizer. Viviane ainda ficou com eles querendo saber como agir dali em diante.

Todos tinham uma importante missão pela frente.

Capítulo 22 | O plano

Lílian estava eufórica com os últimos acontecimentos. Ela falava sem parar ao lado de Fernando, enquanto eles caminhavam sem rumo pela escuridão do nada.

— Você viu como André está acabado? Nem parece aquele amante maravilhoso com quem convivi durante tanto tempo. E a sem sal, que tal? Está um lixo. Eu aqui, mortinha da silva estou com melhor aspecto que ela — disse às gargalhadas.

Fernando continuou caminhando e apenas ouvindo. Lílian não queria nem saber o que ele estava pensando; apenas queria vibrar com a decadência daqueles que, para ela, haviam destruído sua vida.

— Nem vida sexual eles têm mais. Tudo saiu melhor do que eu imaginava. O menino louquinho, e o casal parecendo mais sem vida do que eu! Logo vão se separar, ninguém aguenta um tranco desses na vida, nenhum casal sai inteiro.

Fernando a olhava como se estivesse diante de uma criança que não sabe de nada. Extraordinariamente, ele estava paciente, talvez por perceber que estava muito próximo de chegar ao ápice de sua vingança. Mas ainda havia muito o que fazer, e, agora, ele teria de contar com a ajuda de Lílian. Suas energias negativas somadas seriam suficientes para o desfecho esperado.

Lílian finalmente estava prestes a concluir sua comemoração.

— Então, Fernando, obrigada por ter me ajudado a destruir essa gente. André está pagando por tudo o que me fez, e era isso o que eu queria. Estou muito satisfeita. Agora que fizemos o que queríamos, qual o próximo passo? O que se faz aqui neste lugar? Para onde vamos?

Fernando balançou a cabeça negativamente, sentou-se em uma grande pedra e disse:

— Você está satisfeita? Sente-se vingada?

— Claro que sim. Olhe o que estão passando, veja o estado de todos da família, claro que estou muito satisfeita.

O homem esfregou as mãos, passou-as pelas pernas, e disse:

— Você está morta, eles estão vivos. Você acha que está vingada? Essa fase vai passar assim que nos afastarmos deles. Levarão um tempo, mas vão se recuperar sem maiores traumas, principalmente contando com a ajuda de Juliano e Rute. E viverão novamente felizes para sempre. É isso o que quer? Está mesmo satisfeita?

Ela não respondeu. Apenas ficou pensando naquelas palavras que estavam lhe parecendo bastante lógicas. Ele continuou:

— Se para você está bom assim, nada posso fazer. Siga seu rumo. Mas eu continuarei até o fim. Isso que eles estão passando não é nada diante dessa existência miserável a qual eles nos condenaram. Olhe para este lugar, o que você vê?

Lílian girou a cabeça, mas ele não esperou sua resposta.

— Você vê a noite, sempre a noite, sem lua, sem estrelas, apenas escuridão. Você vê uma natureza morta, seca, onde nenhuma espécie consegue vingar, nenhuma flor se abre, nas águas há apenas lodo. E quando cruzamos com os que habitam esta região? O que acha deles? Alguns parecem dementes, outros loucos, muitos estão aleijados, sujos e doentes, arrastam-se na lama de um lado para o outro como vermes asquerosos. Ainda existem os que você já viu, que impõem horrores aos mais fracos, torturando, mutilando, humilhando e escravizando. Que tal sua vizinhança? Enquanto isso, eles estão lá, numa bela casa, com luxo, boa comida, boas roupas. Olhe para você, está vestindo trapos imundos, seu cabelo está todo desgrenhado e sujo também, você está com um aspecto deplorável. E ainda fala de Viviane? Ela está sofrendo, sim, está abatida, mas continua linda, assim como quando eu a amei. Tem uma beleza suave, discreta e elegante. E você, apesar disso, continua achando que está vingada de André?

Ao ouvir Fernando falar de Viviane, Lílian sentiu toda a euforia se esvair rapidamente, dando lugar ao ressentimento e à inveja. O ódio retomou sua alma quando Fernando atingiu em cheio, e, premeditadamente, sua vaidade feminina. Furiosa, ela falou:

— Vocês homens, quando se apaixonam, são mesmo uns idiotas. Ela nem é tudo isso. Mas, também, com dinheiro, uma vida mansa e confortável, claro que tinha de ser bem tratada. Agora, como posso estar bem se este lugar é nojento?

— Foi o que eu disse!

— Por causa dela e de André estou aqui. Você tem razão. Se nos afastarmos, nada mais vai interferir no bem-estar deles. Mas até quando e até onde iremos? O que ainda podemos fazer? O menino corre o risco de ser internado, não consigo pensar o que pode ser pior que isso.

Depois de uma pausa, Fernando deu o veredito:

— Nós vamos matá-lo!

Lílian arregalou os olhos, sentou-se ao lado dele e perguntou:

— Nós vamos matar André?

— Não, vamos matar o menino!

A mulher, mesmo com o imenso ódio que nutria por toda a família de André, ficou chocada.

— Mas podemos fazer isso? Temos esse poder?

— Estamos longe de parecer com Aquele que todos reverenciam lá na Terra. Mas temos muito poder, sim, um poder que cada vez mais nos é conferido pelos próprios encarnados. E por não saberem disso, cada vez mais eles nos fortalecem, e sempre encontramos espaço para atuarmos como bem quisermos.

— Olha, até entendi mais ou menos o que você está dizendo, mas ainda não entendi aonde quer chegar.

Fernando coçou a cabeça, sentou-se diante dela e respondeu:

— Está mais do que na hora de você ter algumas lições. Só assim, entendendo como as coisas funcionam, você terá mais condições de me apoiar no que temos de fazer.

Lílian se posicionou prestando muita atenção, e ele começou a explicar apenas o que achava necessário que ela aprendesse para lhe ser útil.

— Estou agindo com o garoto por meio da obsessão. Por que ele? Porque é ingênuo, de uma família sem vínculos com a espiritualidade, e porque sei que possui uma, digamos, facilidade e sensibilidade maior que os outros para perceber nossa influência e até nossa presença, como na primeira vez em que me mostrei a ele. Portanto, é mais fácil atingir meus objetivos por meio dele. E sei que o mal causado a ele atinge em cheio a família toda.

— Ah, agora ficou claro, continue.

— Existem três tipos de obsessão: no início atuei com uma obsessão simples, onde eu apenas influenciava sutilmente as vontades do menino.

— Como aquele dia no rio?

— Isso. Ele sabia que não devia desobedecer o pai, não queria fazer aquilo, mas acabou cedendo à minha influência para que agisse daquela forma. Você lembra que ele não entendeu nada? O que pensava era diferente do que fazia e isso o deixou confuso. Depois, passei a obsediá-lo pela fascinação.

— O que é isso?

— Comecei a interferir diretamente nas vontades e pensamentos dele. Foi quando ele parou de brincar, de fazer tudo o que gostava e até de se alimentar direito.

— Entendo, e depois?

— Percebi que minha ação sobre ele estava cada vez mais fácil. O desespero dos pais, a descrença de André, o medo de todos, os ressentimentos, tudo isso foi abrindo o caminho para mim. E, agora, já existem todas as condições para que eu possa subjugá-lo, que é a terceira forma de obsessão, onde poderei sobrepor minha vontade à dele.

— E assim você pode matá-lo?

— Vamos ver se você entende como funcionam as coisas. A partir de agora, quero que passe a atuar comigo. Esse tipo de obsessão é cansativa para mim. Em alguns momentos, vou sair de cena para que você possa influenciá-

-lo. Você poderá, digamos, "soprar" coisas na mente dele para que aja como você quer. Ele está muito frágil, e você não terá dificuldades. Juntos, com a mesma vibração, vamos atormentá-lo até chegarmos ao nosso objetivo.

— Você está se referindo ao suicídio?

— Não. Muitos, a maioria dos encarnados, não sabem que as pessoas obsediadas podem ser levadas à morte sem que para isso seja necessário o suicídio.

— Não entendi.

— Veja, os encarnados costumam não reconhecer um quadro de obsessão. Tudo começa com o que eles chamam de depressão, que eles até dizem que é a "doença da alma", porque a causa, para os especialistas da Terra, está relacionada aos desequilíbrios emocionais que afetam o cérebro e, consequentemente, dependendo do grau, acabam afetando todo o organismo da pessoa. A parte orgânica e a parte espiritual interagem mutuamente, gerando um desequilíbrio no organismo como um todo, que pode ser tratado espiritualmente e com medicamentos convencionais. Contudo, a maioria das pessoas não sabe disso. Dessa forma, gastam fortunas em médicos, internações, remédios, mas esquecem que se ambos, o físico e o espírito, interagem, também devem ser tratados na mesma proporção. Quando só o físico é tratado, acontece muitas vezes de a pessoa não conseguir se livrar da obsessão, passando a ser internada como louca ou depressiva crônica. Por outro lado, a obsessão pode ser curada com a assistência espiritual, mas os efeitos provocados no organismo físico podem ser fatais, pois não é somente o cérebro que é atingido. Este, por meio do sistema nervoso central, produz substâncias que agem diretamente em todos os órgãos do corpo. Assim, vários órgãos, como rins, fígado e coração, podem sofrer as consequências de todo esse desequilíbrio causado pela obsessão, levando o obsediado à morte, entendeu?

Lílian estava fascinada com tudo o que ouvia.

— Caramba, jamais imaginei uma coisa dessas. Passei a vida toda ouvindo falar que demônios ocupavam o corpo das pessoas, que as faziam cometer suicídio; enfim, tudo muito diferente do que você expôs!

— Tudo isso é lenda, história para filmes e livros. Pois é, essa é a vantagem que levamos, nós que habitamos aqui no umbral.

Lílian mais uma vez interrogou:

— Então o nome deste lugar aqui é umbral?

— Sim. Quando cheguei, espíritos mensageiros de uma cidade do plano superior vieram até mim. Ofereceram-me ajuda, vieram com uma conversa de que eu poderia evitar meu sofrimento se entendesse que minha revolta só seria pior para mim. Queriam que eu perdoasse meu irmão que me matou, acredita? Disseram que poderiam me levar para um lugar onde eu seria assistido e onde teria ensinamentos que me ajudariam a evoluir e crescer espiritualmente. Eu recusei, claro. Jamais desistiria de encontrar meu assassino e fazê-lo pagar pelo que me fez: tirar a mulher que eu amava e minha própria vida.

— E o que aconteceu com esses mensageiros?

— Eles foram embora e não me procuraram mais. De vez em quando, eu vejo alguns por aí, ao longe.

— São sempre os mesmos? Você os reconhece?

— Não, existem vários mensageiros. Eles sempre estão por aqui tentando levar alguns de nós para o tal plano superior.

— Por que ainda não os vi?

Fernando olhou para o infinito negro:

— Não sei! Nunca entendi direito qual o critério que usam para se aproximar. Somente sei que alguns, desesperados, os chamam.

— Você já viu isso acontecer?

— Já — respondeu pensativo. — Foi uma cena estranha, jamais esqueci. Era uma mulher. Estava em condições muito piores que nós dois juntos. Ela havia sido escravizada por alguns desses espíritos perversos do qual falei. Diariamente, eles a espancavam, violentavam em grupos e queimavam com ferros em brasa. Eu sempre ouvia seus gritos. Nessa época, eu andava muito próximo de onde eles a prenderam. Um dia a soltaram, acho que ela já estava em estado tão deplorável que não lhes servia mais para nada. Cheguei a vê-la se arrastando pelo chão, não conseguia nem ficar em pé.

E, de repente, ela começou a gritar com o pouco de força que lhe restava. Pedia perdão por todo o mal que causara, pedia clemência e ajuda. Ela chorava muito. Foi então que aquela luz azulada muito forte apareceu. Eram três mensageiros, dois homens e uma mulher. Quando a que estava deitada viu um dos homens, chorou mais ainda, implorou o perdão dele, pediu que a levasse. Ela desmaiou. Então eles se aproximaram e a luz envolveu todo o corpo dela. Assim, foi colocada em uma maca e todos partiram. Um deles ainda olhou para mim, mas eu não queria ver aquela luz, nem queria conversa com ele, por essa razão virei o rosto. Logo depois, eles sumiram.

— Nossa! Que história incrível. Eu não chamei ninguém, e acho também que não devem simpatizar comigo. E é bom que não venham, pois se quiserem me convencer de desistir de destruir André como fizeram com você, perderão tempo.

— Vamos deixar esse assunto pra lá e voltar aos nossos planos. Você entendeu então como levaremos Tiago à morte?

— Sim. Ele vai ficar tão atormentado, tão debilitado emocionalmente, que seus órgãos físicos serão afetados pelo desequilíbrio do cérebro, é isso?

— Exatamente! Mas para chegarmos a esse ponto, nosso ataque terá de ser violento, constante e maciço. Quero ainda lhe prevenir de uma coisa: Juliano, Rute e Gabriel vão tentar de todas as formas nos deter. Por esse motivo precisamos manter nossa vibração em sintonia, para ficarmos fortes. Provavelmente, vão enviar espíritos como aqueles que vimos na reunião. Vão tentar enganar, principalmente você que é novata e não sabe de nada. Cuidado, você pode ser facilmente influenciada pelas belas palavras deles. Terá de se manter firme em seu propósito.

Lílian levantou-se, adquiriu toda a postura arrogante que carregou por toda a vida e disse:

— Não vou fraquejar! Ninguém vai me fazer desistir. Estarei com você todo o tempo, até termos acabado com eles. E tem mais: eu quero matar André. Podemos fazer o mesmo com ele?

— Não sei! Talvez ele siga o caminho do suicídio pelo desespero. Talvez, enlouqueça. Mas, de uma forma ou de outra, fique tranquila. Assim que matarmos o menino, cuidaremos de André.

Capítulo 23 | A situação piora

Tiago chegou a um estado quase vegetativo. Passava dias calado em seu quarto, vez ou outra era alimentado com soro e raramente ficava desacompanhado. Quando isso acontecia, estava sedado e dormindo.

Lílian, atendendo à orientação de Fernando, resolveu partir para suas primeiras investidas contra Tiago. Depois de conversar muito com Fernando para saber exatamente como deveria fazer, planejou uma forma de atingir diretamente quem alimentava mais o seu ódio.

Certa tarde, Tiago estava sereno, sentado em sua cama quieto, apenas olhando para a TV, sem mostrar interesse no programa que passava. Ao seu lado, no sofá colocado para que os acompanhantes pudessem relaxar de forma confortável, estavam Viviane e Rute conversando baixinho. De repente, o menino virou-se para a mãe, olhando-a por alguns instantes. As duas mulheres se voltaram para ele, aguardando o que iria fazer. Então, ele disse com a voz fraca, mas repleta de raiva:

— Eu não quero que você fique aqui!

Viviane e Rute se entreolharam surpresas, e Rute perguntou ao menino:

— Você quer que eu saia, Tiago? É isso?

Ele mordia os lábios nervosamente e impaciente respondeu:

— Você não! Eu não quero que ela fique aqui — disse estendendo a mão vacilante e apontando o dedo para a própria mãe.

Viviane ficou chocada, mas diante do quadro do menino procurou averiguar, com a calma que lhe era possível, por que o filho falara aquilo.

— O que houve, meu amor? Por que você quer que eu saia? — e dizendo isso foi se aproximando de Tiago para fazer um carinho em seu rosto.

Quando estava bem próxima, ele levantou o braço e bateu com toda a força que ainda lhe restava na mão de Viviane, fazendo-a levar um susto.

— Meu Deus! O que é isso, Tiago?

O menino parecia ter criado fogo nos olhos, pois seu olhar era pura revolta e raiva.

— Não toque em mim. Não a quero perto de mim. Eu a odeio. Vá embora e não volte aqui.

Viviane ficou aterrorizada. Com os olhos cheios de lágrimas, voltou-se para Rute, que, chocada, aproximou-se de Tiago para ver como ele reagiria, e ao mesmo tempo fez sinal para que Viviane se afastasse um pouco. Já ao lado do menino na cama, Rute falou com calma:

— Tiago, por que está fazendo isso com sua mãe, que o ama tanto?

Ele começou a chorar, mas falou com raiva:

— Eu a odeio! Ela não presta e a culpa de tudo o que está me acontecendo é só dela.

Viviane entrou em pânico e sentiu o desespero tomar conta dela.

— O que é isso, Tiago? Por que está falando essas coisas horríveis para mim?

— Você é a culpada, você é nojenta, eu a odeio. Você é falsa, destruiu minha vida e fica bancando a boazinha. Você nunca deixou meu pai me dar atenção como eu queria. Você afastou meu pai de mim, você queria ele só para você. Você nunca ligou para mim; saia daqui, não quero mais vê-la!

Chorando compulsivamente, Viviane correu para abraçar o filho, certa de que ele estava passando por uma crise nervosa. Mas quando tentou tocá-lo, ele começou a esmurrar os braços e o corpo da mãe, sem saber sequer onde a estava acertando. Com a garra inerente a qualquer mãe, Viviane se encheu de coragem e, em vez de se afastar, esforçou-se para conter os ataques de Tiago. Ele dava socos na mãe, tentava puxar seus cabelos e chutá-la furiosamente, na tentativa de afastá-la dele. Rute interveio, tentando segurar o menino, mas parecia que ele havia adquirido a força de um homem adulto. Enquanto os três se debatiam, ele gritava:

— Saia daqui, sua miserável, vagabunda! Eu a odeio, vou matá-la!

O barulho aumentou no quarto e logo outros empregados foram em socorro, mas não tiveram coragem de entrar ao se depararem com cena tão terrível. A cozinheira ligou para Juliano e André, pedindo que eles fossem para casa o mais rápido possível.

A luta estava esgotando o menino, e seu organismo já tão debilitado não conseguia mais enfrentar a força das duas mulheres. Foi então que ele começou a ceder e ficou quieto, encolhido na cama, apenas chorando.

Viviane estava completamente fora de si, abraçou Rute e sentiu que ia desmaiar de tanta tensão. Quando tudo parecia que ia ficar bem, Tiago voltou a falar:

— Você vai pagar por tudo o que me fez. Ele está chegando, e vai me ajudar a destruí-la, sua miserável!

Rute começou a fazer uma oração em voz alta, enquanto segurava Viviane em seus braços.

— Deus de infinita bondade e justiça, imploro que afaste de Tiago esse espírito que o obsedia; se for de Vossa vontade colocar fim a essa provação, conceda-me a graça de impor minha autoridade a esse espírito.

Nada parecia surtir efeito. Ele continuou ofendendo a mãe de todas as maneiras, aos gritos, até que, de repente, parou e ficou olhando para um canto do quarto. Viviane e Rute, assustadas, não se mexeram, apenas ficaram observando.

Tiago ficou de joelhos na cama olhando apavorado para a frente, e a mãe e Rute não entendiam o que estava acontecendo.

Diante de seus olhos, nitidamente, Tiago viu novamente o homem ensanguentado que o estava atormentando de tempos em tempos. Dessa vez, o homem não olhava para ele, mas para sua mãe, Viviane, e caminhava para ela com ar ameaçador. Ao lado dele, uma mulher horrorosa olhava para o menino com um sorriso macabro. O homem chegou bem perto de Viviane e levantou os braços, como se fosse atacá-la de alguma forma. Tiago começou a gritar aos prantos:

— Mamãe, mamãe, cuidado, eles vão matá-la!

Viviane, não fazendo a menor ideia do que ele estava falando, mas reconhecendo o jeito carinhoso do filho, correu novamente para ele e conseguiu abraçá-lo enquanto ele gritava:

— Vamos fugir, mamãe! Eles estão aqui e vão nos matar! Mamãe, eu a amo e não quero que morra!

Pela primeira vez, Rute ficou tão atordoada que não sabia o que fazer. Viviane apertava o filho em seus braços e dizia:

— Calma, meu filho, tudo vai ficar bem. Estou com você e não o deixarei.

Tiago tremia tanto que a mãe mal conseguia contê-lo. De repente, o corpo do menino ficou quieto, muito quieto, e ele não disse mais nada.

Viviane e Rute ficaram paradas, achando que ele havia desmaiado, mas foram apenas alguns segundos até que Viviane soltasse um grito que demonstrava a dor lancinante que lhe atingia o peito:

— Meu Deus, Rute! Socorro! Meu filho não está respirando!

Nesse momento, Juliano e André entraram correndo no quarto acompanhados de dois enfermeiros que correram em socorro do menino, enquanto André afastava a todo custo Viviane, que não queria largar o filho. Um dos enfermeiros pediu que todos saíssem, e Juliano ajudou para que ele fosse atendido.

No corredor, arrasada e sem forças para falar, Viviane apenas abraçava o marido, que estava completamente aturdido, sem entender o horror que havia se passado naquele quarto. Rute, em um canto, muito nervosa, tentava em poucas palavras descrever a Juliano em voz baixa o que havia presenciado.

Passaram-se apenas alguns minutos para que um dos enfermeiros saísse do quarto, mas para eles a espera durou uma eternidade. Um rapaz olhou para os pais de Tiago com uma expressão de profundo pesar e, sem saber como lhes dar a notícia, foi objetivo, consciente de que não havia nenhuma maneira de poupar aquele pobre casal do sofrimento que iriam enfrentar:

— Senhor, senhora, eu sinto muito. Nós fizemos o possível, mas perdemos o menino.

Viviane sentiu as pernas fraquejarem, curvou o corpo agarrando o marido enquanto Juliano e Rute se aproximaram para amparar André e Viviane. André gritou:

— Como assim, perderam? O que houve com meu filho? — interrogou com o rosto banhado pelas lágrimas.

O enfermeiro foi taxativo:

— O menino teve um infarto fulminante. Não tivemos como reverter a situação; lamento muito.

André abraçava a esposa e gritava desesperado:

— Morto! Meu filho está morto! Como pode uma criança morrer assim? Pelo amor de Deus, alguém me ajude e diga que isso não é verdade!

Enquanto o rapaz voltava para o quarto e fechava a porta, Juliano e Rute levaram o casal para a sala. Não seria bom que eles vissem Tiago naquele momento.

Sentados no sofá, eles estavam inconsoláveis, nada diziam, apenas ficavam abraçados e chorando. Até que no limite de suas forças, Viviane desmaiou nos braços de André.

Depois de ser levada ao quarto e colocada na cama, Viviane acordou lentamente; mas, ao começar a ter noção da realidade, agitou-se, querendo se levantar para ver Tiago. Um dos enfermeiros deu-lhe um calmante, e ela dormiu rapidamente.

Rute sabia que André não estava em condições de tomar nenhuma atitude naquele momento e por essa razão se ofereceu para cuidar das medidas práticas que teriam de ser seguidas. O pior para ela seria avisar os avós de Tiago e ajudá-los a dar a notícia à irmã do menino. Ela saiu e foi cuidar de tudo, deixando André sob os cuidados de Juliano, que, ao lado do irmão, permanecia em silêncio sofrido. Depois de muito tempo, já sem lágrimas para extravasar sua dor, André falou:

— Juliano, não consigo me conformar. Por que tudo isso está acontecendo? Meu filho era uma criança normal, saudável e alegre. De uma hora para outra começou a enlouquecer, ficar doente, cada vez mais magro, e agora isso... um infarto! Na idade dele, como é possível?

Juliano não sabia exatamente como falar com o irmão. Ele entendia em parte o que havia acontecido, mas sabia que se falasse, principalmente naquele momento, não seria ouvido e ainda poderia magoá-lo ainda mais.

— Meu irmão, — disse André surpreendendo Juliano —, posso estar enlouquecendo também, mas aquele assunto que você e Rute conversaram conosco tempos atrás, sobre espíritos nesta casa, isso é mesmo possível?

Juliano respirou com certo alívio por André ter abordado o assunto, dando-lhe enfim uma chance para expor sua opinião. Falou, não querendo perder a oportunidade:

— É possível, sim, meu irmão. E, creia, é quase certo que Tiago tenha sofrido com isso.

— Nenhum médico soube dar um diagnóstico e uma cura para ele. Tudo o que fizeram foi paliativo, tratavam os sintomas, mas nunca a causa, porque nenhum soube identificá-la. É muito difícil para mim entender e aceitar, mas gostaria que você me falasse mais sobre isso.

Juliano ajeitou-se na cadeira, serviu um suco para André e falou:

— Tudo indica que um espírito inferior esteja nesta casa buscando afetar e atingir diretamente sua família.

— Mas por que atacou Tiago?

— Já lhe expliquei, pelo simples fato de ter sido mais fácil. Existem, como também já lhe expliquei, vários canais de abertura entre os encarnados e os desencarnados. Por meio deles, passam os sinais que se sintonizam, se identificam. Tiago era só uma criança, pura, e vivia em uma família de bem, mas que não mantinha nenhuma ação ou relação com a espiritualidade; uma família voltada apenas para o mundo material. Digamos que Tiago tenha sido um acesso fácil, só isso.

— Quer dizer que esse fantasma...

— *Espírito*, André, *espírito*!

— Certo, esse espírito maltratou meu filho, matou-o, apenas porque foi fácil chegar até ele?

— Não. Tenho certeza de que não foi só por esse motivo. Existem espíritos levianos, que incomodam as pessoas apenas por diversão, apenas para gerar o mal. Mas este caso foi e é muito mais grave. Esse espírito, pela forma como agiu, está querendo muito mais, provavelmente uma vingança. Eu já lhes disse isso. Depois daquela nossa conversa, você orou por essa alma como solicitei? Pediu perdão por algo que tenha feito no passado?

— Claro que não, Juliano; aquilo tudo me pareceu tão absurdo que não pude levar a sério.

— Pois devia ter levado. Esse espírito tem muito ódio de vocês, de sua família. E, com certeza, está em busca de vingança. Não sei aonde isso pode chegar, mas temos de tomar medidas urgentes para tentar identificá-lo e saber as razões que o trouxeram até aqui. Somente dessa forma poderemos libertá-lo desse desejo de vingança e ajudar a todos nós a reencontrar a paz.

— Mas ele acabou com a vida da minha família. Ele matou meu querido filho, como posso pensar em perdoá-lo, ou seja lá o que for? Eu quero que ele vá para o inferno, se existir.

— Não fale assim, André. Você vai ter de entender que o ódio que está sentindo provavelmente é o mesmo ódio que ele sente, só não sabemos as razões. Com esse sentimento, você apenas faz com que os laços que os unem fiquem mais fortes.

— Não entendo!

— Um espírito vingativo, ou leviano, quer atingir os encarnados, fazê-los sofrer como eles sofrem no plano em que se encontram. Se eles se aproximam de pessoas encarnadas, que vivem com o coração repleto de amor, pensamentos positivos, que fazem da oração uma companheira diária, que vivem para espalhar o bem e a caridade, e, acima de tudo, a fé, não encontrarão um ambiente que lhes permita agir. Tudo o que eles tentarem será combatido com amor e fé. Não conseguindo atingir seus objetivos, acabam se afastando.

André sacudiu a cabeça levemente, demonstrando que estava, ao menos em parte, vendo, sentindo aquilo. Juliano continuou:

— Mas, se esse espírito vem com a intenção de desarmonizar, tumultuar uma família, e essa família traz muito ódio no coração, irrita-se e cria situações de briga, de intriga, o invasor sente que está ganhando espaço, que aqueles a quem escolheu estão vibrando em sintonia com ele, no ódio e na falta de fé. Dessa forma, a situação fica cada vez pior, chegando a casos graves como o daqui.

André pensou um pouco e perguntou:

— O que podemos fazer? Nada trará meu filho de volta, mas quero tentar proteger o restante de minha família. Será que agora que se vingou ele foi embora?

— Não podemos afirmar. Não sabemos a dimensão de seu ódio e até onde quer ir com essa vingança. Pode ter sido algo pessoal, apenas com Tiago...

— Como pessoal? Meu filho era só uma criança!

— Agora ele era uma criança, mas já lhe falei, meu irmão, existem vidas anteriores pelas quais todos nós passamos. Não sabemos quem foi Tiago, quem é esse espírito, o laço que os unia. Temos de tentar contato com ele. Pode ser que Tiago tenha sido apenas um instrumento para atingir um objetivo maior, mas pode ter algo mais.

— Quer dizer que pode ser um acerto com mais alguém aqui de casa? Qualquer um de nós?

— Isso mesmo. Vamos fazer uma coisa: deixemos passar uns dias e conversarei com Gabriel. Com certeza ele vai nos ajudar.

— Eu não acredito em nada disso, mas quando a racionalidade não consegue me dar as respostas de que preciso faço qualquer coisa e passo a acreditar em tudo. Quero proteger Viviane e Marília. Tudo já vai ser muito difícil daqui para a frente, não sei se aguentaremos suportar essa dor. Temo pelo futuro de minha família.

— Vamos deixar o tempo passar um pouco. Eu e Rute estaremos com vocês incondicionalmente e vamos ajudá-los a superar este momento difícil.

— Superar? Acho que jamais serei o mesmo de antes. Eu gostaria de morrer com meu filho.

Juliano abraçou André:

— Não diga isso de forma alguma! Jamais.

— Se eu tivesse coragem, me mataria. Mas sou muito covarde.

— André! Covarde é quem busca no suicídio a fuga para não enfrentar as provas da vida. Você tem de se manter forte. Sua mulher e filha, além de seus pais e os de Viviane, precisam estar unidos e necessitam de sua força. Você aceita que eu e Rute os ajudemos da forma que pudermos?

André coçou a cabeça e, muito cansado, respondeu:

— Neste momento, não consigo raciocinar. Vou me deitar um pouco ao lado de Viviane, mas antes quero ver meu filho.

— Não será bom, André. Um carro está vindo buscar Tiago e os enfermeiros estão providenciando a saída dele. O corpo terá de passar por uma autópsia; a morte foi incomum, e, para atestar o óbito, um médico legista terá de examiná-lo para confirmar que foi morte natural. As circunstâncias assim exigem.

André levou as mãos ao rosto:

— Que tragédia, meu Deus!

— Vamos, vá se deitar um pouco. Tome este comprimido. Vai fazer com que você também descanse para enfrentar tudo o que ainda está por vir.

André aceitou sem hesitação e foi se deitar ao lado da esposa, que dormia profundamente.

Juliano finalmente saiu e foi ajudar Rute.

Seriam dias tristes e cansativos que todos teriam pela frente.

Capítulo 24 | Seguindo o caminho

O funeral de Tiago foi profundamente penoso para a família e todos os muitos amigos que compareceram. Viviane e André mal conseguiam caminhar para acompanhar o cortejo. Ninguém acreditava que uma coisa tão cruel pudesse acontecer: uma criança, com a vida toda pela frente, morrer de repente e de uma forma impensável para alguém de tão pouca idade.

Marília não quis ficar na casa de uma amiga como os avós recomendaram. Ela disse que queria estar com o irmão o tempo que pudesse. Acabou contando para Rute e Juliano que Tiago lhe falava sobre as visões que tinha, e, enquanto todos o consideravam louco, ela acreditava em tudo o que ele dizia e procurava lhe apoiar. Agora, ela dizia que o irmão estaria na companhia de anjos lindos que ela também já vira. Rute e Juliano ficaram emocionados e, ao mesmo tempo, felizes porque sabiam que mantendo essa visão da situação, Marília, com certeza, suportaria melhor que os pais o sofrimento da perda.

Quando voltaram para casa, Viviane sentou-se prostrada no sofá e não conseguia falar nada. As lágrimas haviam secado, deixando apenas um profundo e silencioso vazio. André, sentado ao seu lado, finalmente teve coragem e forças para externar toda a raiva e revolta que, aos poucos, tomaram o lugar da tristeza da perda. Olhando para o irmão com os olhos repletos de rancor, ele falou de forma provocativa:

— E então, Juliano, o que você, Rute e suas crenças me dizem agora? Justiça, caridade, de que vale tudo isso? Nada daquilo em que vocês acreditam pode trazer meu filhinho de volta. E também nada foi capaz de impedir que ele fosse tirado de mim.

Viviane, que antes costumava interceder em defesa do cunhado e da amiga Rute quando surgia esse assunto, agora se mantinha calada em uma demonstração de concordância com as palavras do marido. André continuou falando sem a interferência de Juliano, que sabia que aquilo nada mais era que um desabafo justo e necessário:

— Agora, não me venha falar em Deus! Não me venha falar em bons espíritos protetores. Se de fato algum fantasma ruim assombrou meu filho, ele é infinitamente mais poderoso que qualquer um desses espíritos iluminados. Se não fosse, teria sido impedido de fazer tamanha maldade. Além do que, não acredito em nada disso. Meu filho, infelizmente, foi perdendo a razão, o juízo, até enlouquecer por completo. E com a saúde tão debilitada, seu pobre coração não suportou.

Nesse momento, Viviane olhou para Rute. Ela não conseguia estabelecer uma conexão coerente sobre o que se passou no quarto de Tiago instantes antes de ele falecer e a medicina convencional. Mas também não compreendia como um espírito desencarnado poderia interferir de tal forma na vida de alguém na Terra. Mas, no íntimo, sabia que por alguns momentos o filho não estava naquele quarto ou, pelo menos, não estava no comando de seus sentimentos e ações. Mas ela estava cansada demais para pensar a respeito; apenas ouvia a conversa guardando para si as impressões e os sentimentos.

Juliano tentava contemporizar:

— André, não vamos falar sobre isso agora. Você não está em condições de buscar as respostas que procura. O tempo é a cura para todos os males. As respostas virão naturalmente. Abra seu coração e poderá encontrá-las.

André não deu nenhuma importância às palavras do irmão, mas Viviane as registrou bem fundo do coração.

A partir daquele dia, e todas as noites, Viviane rezava pedindo algum auxílio que pudesse amenizar sua dor. Se de fato o que Rute e Juliano diziam era verdade, ela estava se abrindo para receber os esclarecimentos para tão cruel realidade que estava vivendo.

Entretanto, semanas se passaram e ela não conseguia encontrar resposta. Passou a rezar pelo possível espírito que poderia estar causando tanto mal e sofrimento em sua família. Pedia perdão a ele, mas, apesar de atingir de alguma forma os espíritos de Fernando e Lílian, não havia uma convicção da parte dela, não por falta de vontade, mas de conhecimento.

André retomou o trabalho, mas agora ele já não sorria como antes. Estava sempre com o semblante sombrio, apático, e cada passo dado profissionalmente era um grande sacrifício. Sua vida social foi totalmente banida da rotina do casal, e os raros e poucos momentos de sincera alegria era quando ele, Viviane e Marília se reuniam para algum momento de lazer em casa. Rute conseguiu convencer os pais da menina de que ela precisava da força deles para não sofrer demais a perda do irmão. Por outro lado, eles se surpreendiam quando ela tentava reconfortá-los falando do lugar onde Tiago estaria.

E era nessa hora, em que narrava o mundo lindo onde imaginava estar o irmão, que no plano espiritual Tiago se sentia confortado e fortalecido pelo amor da irmã.

Ela não sabia na verdade, mas Tiago estava de fato em um lugar especial e muito bonito, uma das muitas colônias dos diversos planos existentes no mundo espiritual. Tiago estava na Colônia Alvorada Nova, assistido por espíritos bem mais evoluídos, que buscavam, além de instruí-lo sobre o motivo dos problemas de sua última existência, confortá-lo, porque onde estava também sofria com a dor, principalmente de seus pais. Certo dia, ele perguntou ao espírito que o acompanhava desde que chegara à colônia:

— Minha mãe e meu pai estão sofrendo muito. Sinto que ainda não tenho condições de ajudá-los, mas, vocês, que já estão em níveis mais evoluídos, não podem fazer nada por eles? Queria tanto que soubessem que estou bem, que entendo que nada é injusto e que existe uma real motivação para todos os acontecimentos, por mais dolorosos e inadequados que pareçam.

O acompanhante passou as mãos nos cabelos dele e falou com tanta suavidade que foi o suficiente para aquietar aquele coraçãozinho angustiado:

— Não se preocupe, pequeno! De fato, ainda é cedo para que você tenha condições de interceder e ajudar. Mas sua mãe tem orado com fé em busca de conforto e esclarecimentos. Seu pai ainda não. Ele nem sequer cogita a possibilidade de buscar ajuda espiritual. Mas o desejo de sua mãe será atendido.

Tiago vibrou de felicidade e, curioso, perguntou:

— Como será isso? O que podem fazer por ela?

— Ela será conduzida, durante seu descanso do corpo físico, até um de nossos mentores.

— Quem são eles?

— São espíritos ainda mais evoluídos que nós, que vivem aqui na colônia para nos auxiliar em nossos trabalhos.

— E minha mãe vai conversar com algum deles?

— Sim, de certa forma. O mentor vai lhe explicar o que envolve todo esse drama que sua família está vivendo na Terra e as razões que contribuíram para esses acontecimentos.

— Eu vou poder vê-la? Estar com ela?

— Não, isso ainda não será possível. Mas fique tranquilo, ela estará bem, e você sentirá isso em breve por meio das próprias vibrações dela.

— Meu pai também vem?

— Ele não está aberto nem preparado para essa experiência. Mas sua mãe, depois desse encontro, vai ajudá-lo.

— Acho muitas coisas engraçadas. Ela não vai se assustar?

Sorrindo, o espírito respondeu:

— Ela não vai se lembrar do encontro ao acordar.

— Mas então do que adiantará isso? Se ela nem vai lembrar...

— Ela não terá a lembrança viva em sua mente, mas a terá no coração e na alma. Ficará com a boa e positiva impressão desse encontro, que sem que ela mesma perceba vai auxiliar para que busque os caminhos para o entendimento e, consequentemente, o alívio para sua dor.

E continuaram caminhando. Tiago, incansável em seus questionamentos, queria cada vez aprender mais.

E como o espírito protetor do garoto havia dito, algumas noites depois, Viviane, adormecida em seu corpo físico, sentiu o espírito se libertando como fazia todas as noites. Desta vez, duas luzes vibrantes de um lilás quase branco envolveram-na, sem que ela tivesse qualquer gesto de resistência, e levaram-na ao encontro daquele que a esperava com algumas das respostas que ela tanto buscava. Os dois seres iluminados, de quem ela não conseguira perceber a forma física tampouco ouvira a voz, deixaram--na em um grande salão branco, sem nenhum objeto ou mobiliário, onde, em apenas um dos lados, havia uma bela fonte de onde jorrava uma água límpida e cristalina. Logo depois, surgiu um homem vestido de branco com os cabelos levemente ondulados e castanhos bem curtos. Tinha cerca de cinquenta anos. Sua expressão era de uma suavidade nunca vista por Viviane, e ela pensou que era o pai que qualquer pessoa gostaria de ter. Ao vê-lo, sem surpresa, perguntou:

— O que me trouxe aqui?

Ele, sem relutar e com uma belíssima voz, foi direto ao ponto:

— Estou aqui para lhe mostrar que tudo o que aconteceu tem uma razão de ser, para que fiquem cientes de que os acontecimentos que desencadearam o que você e seu marido veem apenas como uma grande crueldade e injustiça da vida nada mais é do que tudo o que já estava previsto. Nada é por acaso.

— Por favor, eu preciso saber.

— Seu filho Tiago cumpriu sua missão na Terra e, sendo assim, chegou a hora de ele partir. Nada sem uma justa razão, tenha a certeza.

Com lágrimas brotando de seus olhos, ela perguntou:

— E que missão era essa? Por que entraria em nossa vida, sendo nosso bem mais precioso, para depois partir?

— Vocês já viveram juntos muito tempo atrás, na Rússia Imperial. Tiago era um poderoso mago, prestigiado por seus poderes e procurado por toda a nobreza em busca de solução para seus problemas. Um dia ele foi procurado por um conde falido, que sabia que a única salvação para não cair na miséria total era se apossar da fortuna do irmão, que era viúvo e possuía um único filho, seu herdeiro natural e direto. Dessa forma, o conde e a mulher resolveram procurar o mago para encomendar a morte do irmão e do sobrinho, por um processo de magia negra, para que ele se tornasse automaticamente seu único herdeiro.

— E qual a relação disso tudo com a minha vida?

Viviane não estava preparada para o que ouviria a seguir:

— O conde e sua mulher são encarnações anteriores de você e André.

Ela ficou totalmente aturdida mas silenciou, curiosa pelo resto da história:

— Por meio da bruxaria, o mago conseguiu liquidar com o irmão do conde e seu filho pequeno. A fortuna acabou nas mãos do conde André, que a usufruiu ao lado da esposa até o fim da vida.

— Que horror! Não consigo entender e aceitar que eu tenha feito algo assim. Mas se eu e André cometemos crime tão vil, por que tivemos uma vida rica e feliz até esse acontecimento terrível tomar conta de nós? Então isso tudo aconteceu para nos punir? Foi a sentença que recebemos?

— Não! Isso não foi uma punição. Vocês foram castigados pela própria culpa e pelos atos cruéis enquanto vagavam pelo umbral.

Ao ouvir isso, foi como se Viviane revivesse instantaneamente os horrores passados nesse período.

— Não quero falar disso. Não sei exatamente como foi, mas só a menção desse lugar me apavora.

— E você tem razão de ficar assim. Tanto você como André foram barbaramente torturados, humilhados e execrados por espíritos cruéis, perversos, que só foram afastados quando, no limite de suas forças, vocês rezaram sinceramente pedindo auxílio de Deus e perdão pelos erros que cometeram.

Viviane tremia e transpirava porque algum resquício de lembrança tomava forma em sua mente. O mentor prosseguiu:

— Na colônia de recuperação, todos se reencontraram. O mago, hoje seu filho, sentia grande remorso por todo o mal que causou e pelos crimes que cometeu. Vocês queriam uma chance para se reabilitar e evoluir espiritualmente; assim decidiram que voltariam como uma família. O desencarne de Tiago seria uma forma de ele se redimir da brutalidade cometida no passado e ajudar você e André a encontrarem o caminho da luz por meio da mudança radical de suas crenças.

— Dessa forma, tanto ele como nós, vivendo uma vida voltada para o bem e para a espiritualidade, seríamos absolvidos de nossos erros?

— Não veja assim, mas como um reajuste pelos erros cometidos.

— E agora, o que tenho de fazer? Meu marido jamais vai acreditar quando eu lhe contar.

— Você não vai lhe contar. Não vai se lembrar de nada quando despertar no corpo físico.

— Mas, e então?

— Seu espírito vai indicar o caminho que deve seguir. Sua alma compreenderá e dessa forma você, mesmo que não saiba de onde veio a inspiração, será levada a seguir os passos necessários para que sua família reencontre a felicidade e tenha forças para combater as energias do mal que ainda quiser atingi-los.

— Como posso lhe agradecer? Agora entendo que meu pequeno Tiago tinha cometido muitos erros, e nós também. Como pudemos tirar a vida de pessoas inocentes? Um menino que talvez tivesse a mesma idade de meu filho quando tramamos sua morte! Envergonho-me disso tudo.

— É natural que sinta vergonha. Mas o passado ficou para trás. Por essa razão, na reencarnação, o esquecimento é necessário. Caso contrário, não seria possível cumprir as metas e missões por causa da vergonha, do orgulho e de outros sentimentos de vidas anteriores.

Viviane assentiu com o coração transbordando de gratidão.

O homem se despediu:

— Vá em paz! Deus lhe acompanhe. Siga o caminho da caridade, da oração e do perdão. Você já tem a chave que abrirá as portas para reencontrar sua paz e felicidade.

Capítulo 25 | Sob uma nova visão

Quando Viviane acordou, sentia uma leveza na alma como não acontecia desde que Tiago partira. Ela abriu os olhos, respirou lentamente e quase esboçou um sorriso. O ar fresco da manhã entrava pela janela esvoaçando a fina e alva cortina e todo o ambiente do quarto parecia repleto de paz.

Virou-se e viu André em pé, olhando para o jardim, em silêncio. Desde que perdera o filho, André sofreu uma grande alteração em seu sono, e muitas vezes acordava no meio da madrugada e não conseguia voltar a dormir. Como ainda era muito cedo, era bem possível que isso tivesse acontecido novamente. Ele passava horas pensando em tudo o que acontecera e geralmente não queria conversar sobre o assunto com ninguém. O sofrimento dele era de cortar o coração. Viviane também estava destroçada, mas, de alguma forma, estava conseguindo se reerguer com mais coragem e determinação. Algo dentro dela a fazia querer desesperadamente transformar aquela dor da saudade, da perda, em um amor eterno envolto somente em boas lembranças.

Ela levantou-se e caminhou até o marido, abraçando-o e dizendo com afeto e serenidade:

— Meu querido, você precisa descansar. Por que não volta para a cama e tenta dormir mais um pouco?

Ele a pegou pelo braço, virou-a e olhou fundo em seus olhos:

— Eu não consigo esquecer! Não vou conseguir conviver com isso!

— Nós vamos conseguir superar toda essa tragédia. Não sei de onde vamos tirar forças, mas temos de conseguir. Se não for por nós, que seja por Marília. Nossa pequena precisa de nós, precisa de pais que a conduzam com tranquilidade em sua vida, em sua formação. Nosso sofrimento não é bom para ela.

— Eu sei, você tem razão! Não é justo com nossa menina deixarmos essa sombra acompanhá-la para sempre. Mas como faremos isso? Parece um pesadelo do qual não consigo acordar. Juro que busco forças todos os dias, mas a lembrança do sofrimento pelo qual nosso filho passou me destrói a alma.

O casal se abraçou e começou a chorar. Ficaram assim em silêncio por alguns instantes, até que Viviane arriscou:

— Eu gostaria de lhe fazer um convite; é uma ideia e, por favor, antes de recusar, pense um pouco e vamos conversar a respeito.

Ele se afastou e disse, parecendo contrariado:

— Eu acho que já sei o que vai falar! Não tente me convencer novamente sobre isso.

Dessa vez ela não se deu por vencida e insistiu:

— Sei que já falamos sobre isso várias vezes. Eu mesma tenho dúvidas se vai adiantar alguma coisa, mas, pense bem, nunca conseguimos entender o que de fato aconteceu com Tiago. Ele era uma criança saudável e feliz. É incompreensível que tenha passado por tudo aquilo. E uma coisa você não pode deixar de admitir: não houve sequer um médico que tenha conseguido nos dar uma explicação para o que ocorreu.

André balançou a cabeça negativamente, mas Viviane continuou:

— Quem sabe não conseguimos encontrar algo que aquiete nosso coração e nos ajude a seguir em frente? Algo que finalmente nos ajude a compreender? Juliano e Rute parecem tão convictos do que dizem... Por favor, meu amor, por Marília, vamos tentar!

André caminhou até a cama, sentou-se e ficou em silêncio. Viviane foi até o banheiro da suíte e deixou o marido analisando suas palavras. Quando voltou, André falou:

— Está certo, querida. Você talvez tenha razão. Se existe uma única esperança de conseguirmos alívio para nossa dor, temos de tentar. Nossa filha merece que recuperemos nossa estrutura para proporcionar a ela um lar e uma família feliz e equilibrada. Pode falar com Juliano e Rute. Vamos ver o que eles têm a nos dizer. Vou tomar um banho e dar uma passada no escritório. Diga a eles que hoje, no jantar, poderemos conversar sobre isso.

André pediu que a cozinheira levasse uma pequena xícara de café ao quarto. Aprontou-se e saiu sem ver mais ninguém na casa.

Depois, Viviane desceu para tomar seu café da manhã. Rute tinha acabado de chegar da escola de Marília e foi sentar-se à mesa, atendendo ao chamado de Viviane, que, com alegria, contou-lhe a novidade:

— Rute, finalmente hoje o André aceitou conversar com você e Juliano sobre o que pode ter acarretado toda essa infelicidade. Disse que à noite, na hora do jantar, quer falar sobre o assunto.

— Que felicidade, querida. Acredite, vocês encontrarão o conforto que tanto buscam.

— Eu quero muito acreditar nisso. Não suporto mais essa dor que parece que vai me consumir a cada dia. Não aguento tanta tristeza cada vez que vejo como meu marido está desolado; parece que ele perdeu totalmente o interesse pela vida. Mas, diga-me, você realmente acredita que existe um espírito que tenha sido o causador de tanto mal?

— Tudo leva a crer que sim. Talvez para André seja mais difícil entender porque ele não presenciou os últimos momentos de Tiago. E, pela gravidade da situação, é um espírito que realmente quer atingir duramente a família de vocês.

— Só não consigo entender por que alguém poderia nos desejar tanto mal. Mas hoje acordei com uma sensação de paz muito grande e uma certeza de que esse é o caminho para desvendarmos essa questão e resolvê-la. E, principalmente, o caminho para reencontrarmos o equilíbrio e a felicidade.

— Você está certa sim, e logo que a vi percebi que havia algo diferente em sua expressão.

— Diferente como?

— Não sei explicar, mas seu rosto está mais suave, sereno.

— Acredite, havia muito tempo não acordava tão bem. Estou até com apetite, coisa que já nem sentia mais. Vamos comer e depois continuaremos nossa conversa.

Durante todo o dia, Viviane pensava na conversa que teriam à noite. Estava de certa forma ansiosa e não entendia bem por que, mas algo dentro dela indicava que estava no caminho certo.

Juliano chegou ainda em dúvida sobre a intenção de André, que sempre fora muito seguro de sua posição cética e materialista. Antes do jantar, os quatro se reuniram na piscina e foi André quem iniciou o tema:

— Juliano, hoje pela manhã eu e Viviane conversamos e estou disposto a saber mais sobre os últimos acontecimentos. Preciso encontrar uma explicação, caso contrário, vou à loucura. É inadmissível que fato tão cruel envolva uma criança tão nova e tão boa quanto meu filho Tiago. A revolta que sinto no peito é enorme; daria tudo para ter morrido no lugar dele.

Nesse momento, Juliano interveio:

— Não diga isso, meu irmão. Tudo acontece exatamente como tem de acontecer.

Viviane interrompeu:

— É mais ou menos como dizem: "*tudo está escrito*"?

— De certa forma, sim — respondeu Rute.

Juliano prosseguiu:

— Não sabemos qual a razão de esse espírito querer causar mal a vocês, mas, com certeza, ele está observando e atuando na destruição de sua família. Podemos entrar em contato com ele com a ajuda de Gabriel.

André tinha tantas dúvidas, tantas perguntas, que mal conseguia organizar as ideias:

— Mas o que existe de justo na morte de uma criança?

Viviane apoiou o marido:

— É verdade. Por mais que eu queira entender, não consigo encontrar uma lógica. Apenas sinto que estou sem chão, vendo uma vida promissora se perder, sentindo uma dor que jamais pensei que pudesse existir. Não faz sentido para nós.

Juliano prosseguiu tentando falar da forma mais simples para que eles tivessem facilidade na compreensão:

— Meus queridos, o desencarne de uma criança é extremamente chocante para todos nós encarnados. Ela é o símbolo da pureza, da inocência, é a esperança do futuro. Entendo que é muito complicado aceitar que essa vida possa ser interrompida por alguma justa razão. Mas, se vocês aceitarem que a reencarnação existe e que por meio dela todos temos a oportunidade de evoluir espiritualmente, reajustar atitudes que atrasam nossa evolução e até nos reconciliar com inimigos do passado, tudo começará a fazer mais sentido e, a partir daí, será mais fácil administrar essa dor que sentem agora.

Rute falou para complementar o pensamento de Juliano:

— O maior medo que o ser humano tem é do desconhecido. Quando não entendemos algo, geralmente aquilo nos assusta e intimida. Claro que a saudade, a ausência física de Tiago, nunca vai desaparecer. Mas, com o tempo, o estudo e a compreensão, vocês conseguirão enxergar essa situação com outros olhos e isso será um bálsamo para o coração de ambos. Só o conhecimento da espiritualidade conforta e acalma.

André sentiu os olhos se encherem de lágrimas e segurou a mão de Viviane, que também estava muito emocionada.

— Digamos que tudo isso esteja certo e que meu filho não morreu de fato. Onde ele pode estar agora?

Juliano também se sentia bastante comovido.

— Eu gostaria que vocês entendessem o seguinte: Tiago nesta vida viveu apenas como uma criança. Mas seu espírito pode ser mais antigo e evoluído que qualquer um de nós. Isso é que eu gostaria que vocês sempre se lembrassem, pois faz com que o entendimento leve à aceitação de forma mais tranquila. Tiago cumpriu a missão que se propôs antes de reencarnar. Talvez isso tudo tenha acontecido para que ele pudesse se reajustar e prosseguir em sua evolução, mas tem algo mais.

André e Viviane o olharam curiosos. Ele continuou:

— Talvez isso tenha a missão de levar vocês a uma situação que vai contribuir para a evolução espiritual de vocês.

André mostrou-se impaciente:

— Sim, mas você sabe me dizer onde está meu filho agora, já que me diz que seu espírito ainda vive?

— Deve estar em alguma das muitas colônias existentes no plano espiritual, onde, pelas circunstâncias de sua passagem, está recebendo auxílio de espíritos mais evoluídos e dando prosseguimento ao seu aprendizado. Mas, prestem atenção: o sofrimento de vocês, as vibrações negativas emanadas pela revolta e pela dor, não auxiliam o menino. Com isso, vocês podem estar jogando uma carga pesada para ele, que, ao sentir o sofrimento de vocês, sofre também por se saber incapaz de ajudá-los.

Viviane estava sorrindo, embora as lágrimas lhe escorressem pela face. André, quase sem conseguir falar, perguntou:

— Nosso filho pode estar aqui entre nós?

Rute esclareceu:

— Acredito que ainda não lhe seja permitido vir até nós. Mas é possível que ele possa receber ocasionalmente notícias daqui. E, com certeza, os bons sentimentos que vocês nutrirem no coração chegarão até ele em forma de vibrações.

Juliano continuou:

— Fiquem em paz que Tiago está assistido e bem. Agora vocês devem se preocupar em cuidar da vida de vocês e de Marília. É preciso que a harmonia volte a este lar. Faremos o que pudermos para isso.

André tomou coragem e fez a pergunta que mais o incomodava:

— Por que Deus permite que um espírito vingativo e obsessor mate uma criança encarnada na Terra? Não seria um absurdo acreditar nisso?

— Mas não foi Deus quem permitiu. Observar esse fato apenas do ponto de vista material é absurdo. Aliás, não só um fato como este, mas todas as tragédias do mundo, se observadas com os olhos da matéria, nos parecerão absurdas e injustas. Os hospitais estão cheios de crianças com câncer, sofrendo os horrores da quimioterapia, da radioterapia e das cirurgias invasivas. Há crianças cruelmente assassinadas, as que sofrem violências sexuais traumatizantes ou acidentes que as deixam mutiladas para o resto da vida, e muitas ainda morrem poucas horas depois de nascerem. Tudo isso não parece absurdo e injusto?

Todos permaneceram calados e Juliano, percebendo que era escutado com atenção, prosseguiu:

— Só quando descobrimos a reencarnação e as leis da vida é que vamos perceber que tudo está certo como está. Onde vemos dor e sofrimento, há espíritos se reajustando com o passado e se libertando de suas culpas. Os sofrimentos nas crianças representam o retorno de suas atitudes negativas em outras encarnações. Poderia ser diferente? É claro que sim. Deus nunca pune ou castiga ninguém. Por esse motivo, antes do reencarne, os mentores espirituais conversam com esses espíritos culpados e os orientam para que reparem seus erros pelo bem e pelo amor. Mas a maioria não consegue se libertar da culpa, que é imensa. Por essa razão, pedem para renascer em sofrimento, pois só assim vão se libertar do remorso que os incomodam. Tudo é uma questão de escolha, pois Deus jamais nos impõe o sofrimento e a dor. Diante dos erros, devemos aprender a nos arrepender e procurar fazer diferente. Reconhecer o erro é fundamental, e corrigi-lo com amor, com atitudes benéficas, é o melhor caminho; mas o homem, infelizmente, aprendeu a se culpar e a não se perdoar. Posso afirmar que é mais fácil para o espírito perdoar os outros do que a si mesmo.

André e Viviane estavam tocados com aqueles ensinamentos, mas ele, ainda não satisfeito, voltou a perguntar:

— Mas por que Deus permite que um espírito mate um encarnado?

— Não é Deus que permite. Podemos dizer que Tiago era uma criança e não podia discernir nada, mas isso não é verdade. O espírito dele nasceu mergulhado nas malhas da culpa, sentindo-se devedor por algum crime cometido no passado. Quem nasce assim exala uma energia depressiva que permite que o espírito vingativo conclua seus objetivos. O mesmo ocorre quando há um assassinato ou outro crime qualquer. Enquanto estivermos mergulhados em sentimentos de culpa e depressão, todo mal pode nos acontecer. Por essa razão o ser humano deve se esforçar para nunca deixar pensamentos negativos tomarem conta de sua mente.

A explicação foi convincente e André levantou-se, secando as lágrimas que ainda lhe enchiam os olhos, e foi dar uma volta pelo jardim. Caminhou até o rio e ficou por vários minutos pensando. Não entendeu a razão, mas, de repente, várias lembranças de Lílian povoaram sua cabeça e ele sentiu-se bastante incomodado. Não sabia que, às margens do rio, estavam Fernando e Lílian observando seus passos. Lílian falava sem parar com ele, ofendendo-o e jurando vingança. Dizia que só quando conseguisse destruir toda a família teria sossego. Indiferente à interferência dela, André pensava o quanto sua vida havia mudado desde que se casara. Pensara que teria sempre uma vida perfeita, que tinha sido abençoado de todas as formas, mas a reviravolta foi grande e sofrida. Ele já não era o mesmo. Não só fisicamente; as mudanças ocorreram de forma muito rápida: seu cabelo já apresentava fios grisalhos, apesar da pouca idade; sua expressão facial estava mais madura e menos viçosa. Mas a mudança maior aconteceu em seu interior. Suas crenças anteriores estavam frágeis, e ele começava a admitir que existia de fato um caminho regido por forças superiores, que ele ainda desconhecia. Começou a perceber que não era o dono da situação e quem determinava as ocorrências em sua vida. Antes, ele achava que bastava querer que algo fosse de um jeito, e assim seria. Sentia-se o próprio Deus com o poder de dirigir os fatos à sua maneira. Agora, percebia de forma irrefutável sua fragilidade e sabia que sozinho não conseguiria prosseguir. Pela primeira vez em sua vida, com o coração repleto de esperança e sinceridade, ele olhou para o alto e falou:

— Meu Deus! Ajude-me a aceitar e compreender as razões dessa fatalidade. Dê-me o apoio e a coragem de que preciso para prosseguir como chefe de minha família, proporcionando a estrutura adequada para a harmonia, a felicidade e o equilíbrio.

Depois, André voltou para perto da mulher e falou:

— Viviane, quero saber se você concorda em me acompanhar ao centro espírita que Juliano e Rute frequentam.

A mulher levantou-se e abraçou o marido. Juliano e Rute sorriram com alegria. Juliano questionou:

— O que você busca com essa decisão, André?

— Talvez tenha errado durante toda a minha vida. Se existe mesmo outros mundos, reencarnação, se os mortos podem estar aqui entre nós, quero aprender, quero conhecer e entender. E, acima de tudo, quero paz no coração. E sinto que somente dessa forma poderei encontrá-la.

Rute aproveitou o momento:

— Gostaria de saber se podemos marcar uma reunião com Gabriel. Vamos tentar descobrir quem é esse espírito e quais suas verdadeiras intenções.

Viviane, preocupada, falou:

— Eu temo por Marília e todos nós. Jamais suportarei vivenciar outra experiência como a que passamos com Tiago.

Juliano foi firme:

— Veja, agora a energia que envolve esta casa mudou. E vocês são os responsáveis. Com o estudo no centro espírita, o Evangelho no Lar e a ajuda de Gabriel, vocês vão se sentir cada vez mais protegidos e a fé e determinação crescerão a cada dia, tenham certeza disso. Mas não precisa ter medo. Virei ficar aqui com vocês até toda essa fase passar. Gabriel vai orientá-los sempre que tiverem dúvidas.

André agora se sentia ansioso como Viviane:

— E nessa reunião com Gabriel, o que podemos descobrir?

— Não é sempre que os espíritos se manifestam entre os encarnados de forma direta.

Viviane parecia uma criança assustada e curiosa:

— Direta como? Ele vai aparecer aqui? Poderemos vê-lo? Não sei se quero.

Rute não conteve o sorriso e acalmou a amiga:

— Não, é provável que nenhum de nós o veja. Mas podemos fazer com que se manifeste entre nós de alguma forma que nos ajude a entender suas intenções. No dia da reunião vocês verão como tudo acontece. O importante é mantermos o espírito elevado nas nossas intenções.

Juliano interveio:

— Isso vale particularmente para você, André. Não é nossa intenção contatar esse espírito para alimentar ainda mais o rancor e o ódio. Não sabemos quem ele é, o que passou e passa para agir de forma tão cruel; então, antes de mais nada, temos de tentar ajudá-lo a se manifestar e esclarecer essas questões. Foi por esse motivo que já lhes disse que é preciso rezar por ele e pedir perdão.

André fez uma expressão insinuando a dificuldade que ainda sentia ao ouvir falar naquilo, mas Juliano, percebendo, adiantou-se:

— André, você verá que tudo vai se encaixar e ficará bem. Não tente se antecipar; apenas faça bom e proveitoso uso de suas idas ao centro espírita; vá de coração aberto e encontrará alívio para sua alma.

***

Juliano saiu para procurar Gabriel. Queria que a reunião fosse marcada o mais rápido possível, mas foi desencorajado pelo médium, que achou melhor que André e Viviane participassem de algumas reuniões no centro espírita e continuassem com o Evangelho no Lar por mais algum tempo para estarem mais bem preparados. Juliano concordou.

Depois de alguns dias, Fernando e Lílian deixaram a casa e voltaram para o lugar onde viviam. Ele estava muito irritado com o rumo das coisas. Falou sem dar chance para Lílian interferir:

— Eles estão cada vez mais unidos. O tiro saiu pela culatra. A morte do garoto não os destruiu, foi apenas momentâneo. Eles não podem se fortalecer nem seguir o que Juliano e Rute falam. Tenho de pensar em algo e rápido. As coisas saíram de forma diferente do planejado por mim e agora tenho de dar um jeito nisso.

Capítulo 26 | Caminho da evolução

As semanas que se seguiram foram totalmente voltadas para a retomada da normalidade da vida da família e a busca de consolo e entendimento sobre toda a situação pela qual estavam ainda passando André e Viviane.

Uma vez por semana, o casal ia ao centro espírita acompanhado de Rute e Juliano. Começaram a participar mais ativamente e, quando a reunião terminava, os dois iam para outra sala onde faziam parte do grupo do ESDE — Estudo Sistematizado da Doutrina Espírita. Nesse grupo, todos estudavam os livros de Allan Kardec e debatiam sobre cada tema abordado. Depois do estudo do dia, eles se reuniam com Juliano e Rute e todos se dirigiam à sala de passe, onde colaboradores experientes transmitiam boas energias aos presentes.

A cada dia que voltavam para casa, sentiam-se mais tranquilos e serenos. André surpreendeu a todos, pois de maneira muito rápida estava totalmente à vontade no ambiente do centro espírita. Era um dos mais entusiasmados nas reuniões do ESDE; sempre questionando, abrindo debates, numa postura clara de que finalmente estava querendo de coração entender a Doutrina Espírita.

Quando estavam com a pequena Marília, conversavam com ela sobre o Espiritismo. A menina logo mostrou que também gostaria de conhecer mais e parecia até que já possuía familiaridade com o mundo espiritual. Viviane então a inscreveu em um grupo infantil, e ela ficou muito feliz, dizendo que cada dia estava mais perto do irmão.

Certa tarde, quando conversavam em casa, André abriu seu coração para a esposa:

— Querida, pouco mais de dois meses se passaram desde que tomamos a decisão de dar uma chance a Juliano de nos mostrar esse novo caminho. Agora sinto que foi a nossa melhor escolha.

Viviane estava serena e muito feliz:

— É verdade, André. Não sei como está sendo para você, pois percebi que nesse tempo pouco falamos de nosso filho. Mas hoje consigo lembrar de Tiago e falar nele sem sentir aquela opressão no peito. Veja, consigo falar nele sem chorar.

André concordou:

— Comigo também é assim. Claro que a saudade ainda parece que vai explodir dentro do peito, mas agora é como se ele tivesse ido morar em outro país, como muitos filhos fazem, e que, assim que possível, vamos nos reencontrar.

Viviane sorriu:

— É exatamente o que sinto. Não existe mais em meu coração aquele sentimento e dor da perda. Existe a saudade pelo afastamento temporário. E, dessa maneira, já sinto que posso seguir minha vida, meu trabalho; enfim, sinto paz finalmente. E você sabe que quando sinto muita falta dele, vou para o computador e lhe escrevo um e-mail — disse sorrindo.

André foi solidário:

— Não precisa ficar envegonhada em dizer isso. Eu tenho conversado muito com ele. Só que acho engraçado que agora, em vez de lhe ensinar as coisas, como todo pai tradicional, eu lhe peço conselhos, falo sobre meus sentimentos e sobre como imagino que ele esteja. E sempre no fim dou uma ordem — concluiu rindo.

— Ordem? — perguntou Viviane.

— Sim, afinal, o pai ainda sou eu! Digo que quero que ele seja muito feliz, que estude bastante e seja cada vez mais um espírito iluminado a caminho da evolução.

Ambos se abraçaram e fizeram uma oração de agradecimento por terem descoberto esse caminho maravilhoso dentro do conhecimento da Doutrina Espírita.

Gabriel foi visitado por Juliano, e ambos conversaram sobre a reunião que fariam na casa de André. Juliano explicou a evolução do irmão e da cunhada para o médium:

— Eles estão muito felizes, Gabriel. Abraçaram verdadeiramente a Doutrina Espírita e até Marília está participando do grupo infantil. Agora eles já administram muito bem a ausência de Tiago, entendem que não perderam um filho para a morte, mas que ele agora vive em outro plano, e isso fez com que conseguissem superar todo o sofrimento. Você acha que chegou o momento de fazermos nossa reunião?

— O espírito voltou a se manifestar de alguma forma?

— Não. Estou morando na casa de André e tudo por lá está envolto em harmonia e tranquilidade, como sempre foi antes desses episódios terríveis.

— Não sabemos ainda se o espírito ficou satisfeito com a morte do menino ou se está apenas ganhando tempo.

— De qualquer forma, ele pode estar se sentindo enfraquecido agora que percebeu que a família está se fortalecendo no Espiritismo. Talvez não tenha força para enfrentar a luz que emana em torno de todos e já não consiga agir e penetrar de forma a interferir na paz de André e Viviane.

Gabriel analisou e respondeu:

— É, pode ser. Mas acho que ainda devemos fazer a reunião e tentar contato com ele. Mesmo que se sinta enfraquecido e sem espaço para agir, ele é um espírito sem luz e vive em sofrimento. Pela Lei da Caridade, precisamos ajudá-lo no que for possível. É muito triste saber que existem almas perdidas e desesperadas, ou iludidas na escuridão. Mas você acha que André e Viviane estão mesmo preparados para, caso aconteça, enfrentarem o causador de toda a tragédia que se abateu sobre eles, sem se descontrolarem, sendo novamente tomados pelo rancor e ódio?

— Tenho certeza de que estão. Podemos marcar. Eles não me falaram sobre isso, mas sei que hoje já não há espaço no coração deles para sentimentos negativos.

***

Durante todos aqueles anos, Alfredo Ramos, viúvo de Lílian, viveu sozinho sem se casar. Depois da morte da esposa, ele se deu conta da grande companheira que ela era. Formavam um casal que possuía uma ligação muito forte por terem características muito parecidas, principalmente no que dizia respeito ao caráter de cada um. Por mais que ele tenha buscado formar nova parceria, se casar, ninguém era boa o suficiente para ser digna de substituir Lílian. E não faltaram candidatas, pois quase todas as mulheres solteiras ou divorciadas da cidade, ao saberem que o viúvo rico estava disponível, logo ficaram alertas para ver qual conseguiria fisgá-lo.

Apesar das dificuldades que ele enfrentava na época da morte de Lílian, ele conseguiu, mais uma vez, usando de toda sua artimanha, reerguer-se e manter seu patrimônio intacto. Sentia profundo pesar ao imaginar que a mulher havia se suicidado por medo dos tempos de pobreza que ameaçavam a vida do casal. Lamentava que ela tivesse tirado a própria vida sem dar oportunidade de ele lhe mostrar que nada de ruim aconteceria. Ela devia ter confiado mais nele, pensava com frequência. Mas, enfim, agora nada podia fazer a não ser seguir seu caminho e, quem sabe um dia, seria capaz de encontrar uma nova companheira. Muitas vezes ele se pegava pensando na ex-mulher, relembrando os momentos juntos, o quanto ela o apoiava e entendia seu modo de conduzir os negócios e a vida. O que ele não sabia é que muitas dessas vezes Lílian estava por perto observando e invejando o fato de ele ainda usufruir a riqueza, e ela não. Mas também se envaidecia ao ver que ele sentia sua falta. Esses momentos eram uma força a mais alimentando seu desejo de vingança.

***

Finalmente chegou a noite da reunião. André e Viviane, embora estivessem totalmente cientes do objetivo daquela ocasião, sentiam-se um pouco ansiosos. André chegou a confidenciar ao irmão:

— Sei que estou preparado, mas agora que chegou o momento, tenho receio de não ser forte o suficiente para encarar a situação com a serenidade necessária.

Juliano o tranquilizou:

— Sei que você está pronto, meu irmão. E minha cunhada também. Vamos tentar saber por que esse espírito escolheu sua família e procurar ajudá-lo. Dessa forma, ajudaremos a todos nós também. Lembre que ele está perdido, como você e Viviane estavam. Assim como eu e Rute procuramos lhes ajudar a descobrir o caminho da paz e da luz, tenha piedade dele e procure ajudá-lo também. Juntos, com nossas energias e nossa fé, aliadas ao conhecimento que todos possuímos, tenho certeza de que iremos enfrentar esse momento com grandeza espiritual.

Gabriel chegou e, após uns minutos de conversa, sentaram-se à mesa, que já estava pronta para recebê-los.

Iniciaram a reunião com uma oração conduzida por Juliano:

— Senhor Deus, que os bons espíritos sejam enviados em nosso auxílio e que sejamos protegidos daqueles que possam querer nos ludibriar com falsas boas intenções. Que todos nós consigamos colocar em prática os conhecimentos adquiridos, e que cada um se sinta fortalecido ao sair daqui. Caso seja necessário, que consigamos, pelo auxílio recebido dos bons espíritos, enviar instruções que sejam proveitosas aos espíritos sofredores e ignorantes e para os quais pedimos a misericórdia de Deus!

Depois, foi iniciada a leitura do Evangelho, desta vez feita por André. Ao término da mensagem, todos debateram o assunto em busca de esclarecimento. Logo Juliano sentiu-se um tanto desconfortável e começou a se remexer na cadeira. Gabriel, médium experiente, passou a observá-lo com atenção. A cada minuto Juliano ficava mais inquieto. Levou várias vezes a mão à testa tentando secar um pouco do suor que lhe molhava a fronte. Todos perceberam que havia algo acontecendo. Viviane, apreensiva, segurou com força a mão do marido, que sentia sua respiração ficar cada vez mais forte e acelerada.

Gabriel, com tranquilidade, pediu que todos dessem as mãos e iniciou uma nova oração:

— Senhor, rogamos espalhar sobre nós, espíritos encarnados, e sobre os espíritos errantes, as graças de Vosso amor e de Vossa misericórdia. Dê, a todos nós, em especial a Juliano, a força para resistir ao mal e vencê-lo na caridade. O caminho do perdão é fortificante. Dê a graça de percorrê-lo e mostrai o mesmo caminho aos que se desesperam para que se preparem para um futuro glorioso.

Assim que a oração terminou, Juliano deu uma sonora gargalhada. André e Viviane olharam para ele, mas imediatamente apertaram suas mãos uma à outra e intimamente, cada um, começou uma prece pedindo forças.

Ninguém falou nada, esperando que o espírito parasse de rir. Assim que ele o fez, imediatamente falou:

— Cambada de idiotas! Vocês não vão conseguir me vencer. Só estou aqui porque me chamaram e sei da curiosidade de vocês. Pois bem, vim especialmente para dizer que vou acabar com vocês. Por que, Valentina? Por que você deixou que ele interferisse entre nós? Eu sei que você me amava.

Todos se olharam de forma interrogativa e Gabriel dirigiu-se ao espírito:

— Você está entre pessoas que não lhe desejam o mal. Estamos aqui para ajudá-lo a resolver qualquer questão que tenha ficado pendente em seu passado. E o que Valentina lhe fez?

Juliano levantou o braço e apontou o dedo para Viviane:

— Ela, Valentina, me abandonou sabendo que eu a amava loucamente.

Levando a mão em direção a André, falou com raiva:

— E você, seu miserável, aproveitou-se da ingenuidade dela e a tirou de mim. Afonso, vou matá-lo, não vou deixar que usufrua o amor da única mulher que amei na vida. Você me matou, matou meus sonhos, meu futuro. Agora chegou a hora de pagar pelo que fez. Já comecei a matar também seus sonhos e seu futuro. Já tirei de você um de seus bens mais preciosos, seu filho Tiago.

Ao ouvir aquilo, André apertou os olhos pedindo a Deus sabedoria e clemência. Pediu a Deus compreensão para ele e para aquele espírito que demonstrava claramente ter o coração também dilacerado pela dor e pelo ódio. Viviane agia da mesma forma.

Gabriel dirigiu-se a Fernando:

— Como é seu nome?

— Fernando Brandão de Soares e Malta.

— E por que você quer destruir esta família?

Tomado por toda a fúria que sempre o acompanhou, ele respondeu:

— Você, Afonso, você se meteu entre mim e Valentina para nos separar. Como ela relutava, porque sempre me amou, você me desafiou para um duelo e me tirou a vida. Jogou meu corpo em um poço abandonado e ninguém nunca descobriu que você... meu próprio irmão... também foi meu assassino. E o poço fica justamente aqui, no terreno onde você construiu sua bela mansão. Fiquei preso aqui por muito tempo, porém consegui sair e agora não descansarei enquanto não destruí-lo totalmente.

Sem conseguir raciocinar, no mesmo instante em que Fernando terminou de falar, André foi tomado por forte emoção e começou a chorar.

— Meu irmão? Meu Deus!

— Você já entendeu e vai pagar por me proporcionar essa vida de miséria, solidão e sofrimento.

André continuou aos prantos:

— Meu Deus! Tende piedade de nossa alma. Eu não tinha noção de nada disso. Não fazia ideia do mal que lhe causei. Ouça, eu lhe peço do fundo de minha alma, perdão por tudo. Se houver alguma coisa que eu possa fazer para reparar esse mal, diga-me! — E continuou sem controlar a emoção: — Eu lhe peço que tenha piedade de mim. Se você me perdoar, poderemos encontrar a paz.

Viviane estava estarrecida; nada conseguia dizer.

Fernando virou-se para ela e falou:

— Por que, Valentina? Nós poderíamos ter sido tão felizes... Eu a amava tanto... Mas, após a minha morte, você não hesitou em esquecer-me para se juntar a ele. Eu a amava e fui cruelmente traído por você. Agora vou matar Afonso e destruí-los, assim como fizeram comigo.

Gabriel novamente interveio:

— Fernando, estamos aqui reunidos para esclarecer os erros do passado e perdoarmos uns aos outros. Você tem sofrido muito, a família aqui também. Tenha certeza de que caso você consiga atingir totalmente seu objetivo, isso não lhe trará a paz que deseja. Sentirá um imenso vazio, pois verá que seu coração não será abrandado pela vingança. Veja, estão entre nós espíritos bons que vieram para ajudá-lo. Estão aqui para dar-lhe auxílio e conduzi-lo para uma colônia onde poderá se recuperar de todo esse tempo de privação e sofrimento. Estenda-lhes a mão e você encontrará a paz. Veja, André já lhe pediu perdão e está sinceramente empenhado em ajudá-lo. Aceite, perdoe e vá continuar sua evolução em um bom lugar, onde não sofrerá mais e estará cercado de espíritos iluminados que não vão abandoná-lo.

Fernando olhou para André com os olhos marejados:

— Meu irmão! Eu o admirava, sentia orgulho de você.

Dizendo isso, Fernando se recompôs e falou novamente em tom ameaçador:

— Não duvidem. Vou liquidá-los, pois só assim terei sossego.

Logo em seguida, Juliano deixou a cabeça tombar para a frente por alguns segundos e depois a levantou lentamente. Rute se apressou a entregar-lhe um copo com água e Gabriel agradeceu em oração a oportunidade que tiveram naquela noite, pedindo proteção para todos os presentes, encarnados e desencarnados.

André e Viviane estavam bastante abalados com a história que ouviram, e todos foram conversar em outra sala. Era preciso que muito fosse dito para eles prosseguirem em seu objetivo de ajudar Fernando.

Capítulo 27 | Paz

André e Viviane estavam arrasados com o contato de Fernando. Agora eles começaram a compreender que ninguém, em sua passagem pela Terra, é totalmente inocente. O casal tinha muitos questionamentos e Gabriel estava tranquilo e sereno à disposição para esclarecer suas dúvidas. O primeiro a fazer uma pergunta foi André:

— Gabriel, pelo que estou entendendo, todos nós encarnados estamos aqui para pagar algum mal feito no passado?

— Não exatamente. Eu não costumo usar essa palavra "pagar". Os espíritos reencarnam porque precisam de algumas provas para prosseguir em sua evolução espiritual. Muitas vezes, eles têm de se redimir de algum mal cometido no passado, outros têm a missão de contribuir para que outros encarnados também evoluam e possam reencarnar para vivenciar o perdão e a reconciliação. São muitas as provas e razões para a reencarnação, mas nunca para pagar. A vida não cobra ninguém. O mais certo é dizer que viemos para reparar o passado pelo bem e pelo amor, embora a maioria escolha o caminho tortuoso da dor. O trabalho dos espíritos superiores gira em torno de acordar os encarnados para essa realidade.

Viviane pensou em Tiago:

— No caso de nosso menino, além do reajuste com o seu passado, ele veio com a missão de fazer com que nos aprofundássemos na Doutrina Espírita para auxiliar em nossa evolução também, é isso?

Gabriel respondeu positivamente:

— Uma morte, principalmente trágica como a de Tiago, serve para nos conduzir a uma reflexão maior acerca da imortalidade da alma. Muitas pessoas só atentam para essa realidade após passarem por uma situação dessas. Passamos a vida achando que tudo se resume a este mundo material, que representa apenas um ponto diminuto no universo; mas a vida é muito mais que isso, e quando as pessoas envolvidas demais pelo materialismo do mundo não querem acordar para a realidade espiritual, acontecem as tragédias, as doenças difíceis, as obsessões severas e cruéis. Assim, despertam para a verdade da vida, que não significa apenas seguir ou conhecer o Espiritismo, mas conhecer as leis do universo, entender como a vida funciona, independente de rótulos religiosos. É um remédio amargo, mas que vai nos beneficiar muito no futuro.

André continuou:

— No caso de meu irmão Fernando, o que posso fazer agora para ajudá-lo e para que ele entenda que eu, nesta encarnação, não fazia ideia do que havia acontecido? O que posso fazer para que ele me perdoe?

Juliano prosseguiu:

— Você tem consciência de que Fernando foi o causador de tudo o que aconteceu com seu filho?

André assentiu. Juliano continuou:

— E mesmo assim você quer ajudá-lo? Tem condições de perdoá-lo?

André abaixou a cabeça e disse:

— É muito difícil para mim. Mas quando penso em todo o sofrimento que causei a Fernando, tirando sua vida ainda jovem, tomando o amor de sua mulher, chego a ficar envergonhado. Algo, no fundo de meu coração, me diz que isso foi verdade e que fui culpado pelo sofrimento dele. Também penso no que nós fizemos na reencarnação vivida na Rússia. Meu Deus! Tudo foi muito cruel. Não consigo assimilar que fomos capazes de atos tão baixos e mesquinhos.

Gabriel retomou a palavra:

— Essa é uma das razões para que no reencarne não nos lembremos do que vivemos em vidas passadas. Essas lembranças poderiam nos induzir ainda mais ao ódio ou à vergonha, impedindo que caminhássemos rumo à missão definida ainda no astral. Mas se seu passado foi revelado agora é porque você já tem condições de enfrentá-lo e vencer. Os segredos da vida só são mostrados a quem já tem condições para assimilá-los corretamente e evoluir com eles.

Viviane falou com lágrimas nos olhos:

— Nosso Tiago se sacrificou por nós, para nos ajudar, mas também porque ele precisava passar por isso para se reajustar com o passado. Agora compreendo e quero apenas orar para que ele esteja em bom lugar, cercado por bons espíritos e que continue sua caminhada de aprendizado em paz e cercado de muita luz. Quanto a Fernando, de minha parte, sofro só de imaginar a dor que carrega na alma. Deve ser muito difícil para ele aceitar tudo o que aconteceu.

— Exatamente — disse Gabriel. — Por essa razão, precisamos ajudá-lo, rezando com ele, conversando e pedindo perdão pelos erros cometidos. Temos de conseguir tocá-lo em seus bons sentimentos.

André se antecipou:

— Fernando não deve ser um espírito com índole ruim, está apenas magoado com o que sofreu, pois não aprendeu a perdoar.

— É verdade — completou Juliano. — Ele é apenas um espírito sofredor, perdido e preso ao passado que o levou ao estágio atual. Tenho certeza de que se nos unirmos com fé conseguiremos que Fernando aceite ajuda espiritual e desista de sua vingança. Além do mais, apesar de toda a crueldade que temos no mundo, eu não acredito que a maldade humana seja verdadeira. Tenho certeza de que o mal é fruto das ilusões e da ignorância do homem, e um dia vai desaparecer da Terra. Por tudo isso, os espíritos que chamamos de maus na verdade são ignorantes, presos às ilusões do orgulho e do egoísmo. Todos nós viemos de Deus, por essa razão somos naturalmente bons, generosos, capazes de amar e perdoar a todos sem distinção.

Enquanto conversavam, Fernando e Lílian observavam o grupo. Era nítido que ele estava tocado pelas palavras de André e Viviane. A parceira percebeu e ficou muito irritada:

— O que está acontecendo? Parece-me que está se deixando enganar por meia dúzia de palavras bonitas.

Fernando estava com uma expressão muito séria e a olhou com raiva:

— O que você tem a ver com isso? Não lhe dei o direito de interferir em meus assuntos.

Ela riu debochando:

— Ah! Agora não me dá o direito! Mas quando precisou de minha ajuda para eliminar o garoto você não pensou assim.

Fernando estava cada vez mais irritado:

— Nunca precisei de você. Apenas me aproveitei de sua intenção de se vingar de André. Mas eu poderia ter feito tudo sozinho. Você é que estaria em maus lençóis se eu não estivesse todo esse tempo ao seu lado. E quer saber de uma coisa? Estou cansado de você. Deixe-me em paz!

Dizendo isso, ele desapareceu. Passada a surpresa pela atitude dele, Lílian permaneceu onde estava e, aproximando-se de André, murmurou em seu ouvido:

— Aquele pamonha foi embora. Não sei o que se passa na cabeça dele, mas eu não vou desistir. Vou acabar com você, André, e com essa mulherzinha sem sal. Vou trazê-los para perto de mim e então vocês verão em que lugar miserável me meteram. A culpa é de ambos e não vou sossegar enquanto não estivermos juntos no inferno!

Com toda aquela conversa sobre o mundo espiritual, os diversos planos e os sentimentos que os espíritos mantêm quando desencarnados, de repente André lembrou-se de Lílian. Veio à sua mente, como Lílian estaria. Ela havia morrido na sua frente. Ele tinha consciência de que havia sido uma acidente, mas será que ela tinha essa mesma consciência?

Lílian, percebendo e captando os pensamentos dele, não se conteve e caiu na gargalhada:

— Finalmente você está começando a lembrar do mal que me causou. E não foi acidente, seu assassino. Não vou deixá-lo esquecer isso. Agora estou sozinha, mas saberei o que fazer para acabar com você.

Viviane percebeu o desconforto do marido:

— André, você está bem?

— Estou, é que toda essa situação me deixou muito abalado. Se vocês me derem licença, vou me deitar um pouco.

Lílian começou a vagar sozinha pelo umbral, não conseguia encontrar Fernando em lugar algum. Estava decidida a prosseguir com seu plano de vingança, com ou sem o cúmplice. Educada na crença católica, achava que estava no inferno, atirada às penas eternas. Caminhava sem rumo por lugares onde achava não ter ainda passado, mas tudo era muito igual, sujo, escuro e assustador. Quanto mais ela se embrenhava por lamaçais sem vida, mais o ódio crescia em seu peito. Na verdade, ela estava se sentindo perdida e desamparada sem Fernando, e a arrogância começou a dar lugar ao medo. Não via ninguém e não sabia o que fazer. Então, quase tomada pelo pânico, começou a correr desesperadamente. Sem saber para onde estava indo, correu muito, por muito tempo, até que estancou exausta à beira de um penhasco. Tudo estava muito escuro e mal conseguia ver a que altura estava e o que havia lá embaixo. Tremendo e ofegante, ela ficou parada tentando pensar para onde iria, mas antes que pudesse decidir o que fazer, sentiu uma mão em suas costas que, em segundos, empurrou-a morro abaixo. Ela rolou por um tempo, sentindo a dor das pedras ferindo todo seu corpo. Quando parou, percebeu, ainda atordoada, que estava em um piso áspero e úmido.

Arrastou-se sentindo o corpo arder pelas feridas e só então percebeu que estava numa praia. Sabia que era uma praia porque ouvia o barulho das ondas, mas o cheiro que vinha do mar era podre e fétido. Tentou se levantar, mas, na primeira tentativa, sentiu um chute no braço que a fez rolar novamente. Começou a gritar desesperada:

— Quem está aí? Socorro! O que está acontecendo?

Sem conseguir abrir totalmente os olhos por causa da areia que se espalhara por seu rosto, ela percebeu três vultos. Dois permaneciam em pé e o outro se abaixou, falando quase colado ao seu rosto:

— Você está perdida? Para onde estava indo? O que quer por aqui?

Lílian estava aterrorizada, mas respondeu pensando que aquelas criaturas iriam embora:

— Não vim procurar nada. Cheguei aqui por engano, mas vou me recompor e seguir meu caminho. Preciso terminar algumas coisas que tenho de fazer.

— Está na cara que você vai aprontar alguma. O que é? Conte-nos — falou criatura, rindo.

Ela não sabia o que fazer e resolveu abrir o jogo:

— Está bem. Não sei quem são nem me interessa. Vou embora porque tenho uma missão importante. Preciso destruir quem me colocou aqui. Só vou ter sossego quando conseguir.

As criaturas levantaram Lílian bruscamente, jogando-a de um lado para o outro, como se ela fosse uma bola. Ela não conseguia se manter em pé, porém não caía porque cada um a segurava antes que ela fosse ao chão. Ela gritava e eles gritavam mais alto, deixando-a atordoada. Até que um deles a segurou com força e disse:

— Você quer destruir alguém, então vamos ajudá-la.

Ela apenas olhou intrigada e disse:

— Por que fariam isso?

Eles riram.

— Não é preciso uma razão. Estamos no inferno e temos de nos ocupar com alguma coisa, não é? E sabe, existe um prazer imenso em sentir o sofrimento de outros. A dor é excitante, estimulante. Além de tudo, é divertido. Algumas pessoas acreditam que as almas que estão no inferno não podem ir à Terra; coitadas, não sabem de nada...

Ela ainda estava zonza, mas perguntou:

— Então vocês vão me ajudar só por prazer? Não querem nem saber por que quero eliminar essas pessoas?

— As razões não interessam. Se nós sofremos, por que não causarmos o sofrimento a outros também? Parece justo. Ninguém se interessa pelo motivo de estarmos aqui. E nós também não nos interessamos.

Ela começou a achar que foi um bom negócio encontrar aquelas criaturas. Pareciam bem mais decididas que Fernando. Ajeitou-se um pouco e falou:

— Como podem me ajudar?

Um deles, que parecia o líder, falou:

— Vamos lhe mostrar nossa região. Enquanto isso, você nos conta tudo. Estudaremos um plano perfeito. Nunca falhamos.

Do alto do penhasco, Fernando, auxiliado por uma réstia de luz, conseguiu observar Lílian cercada por aqueles monstros. Sem entender, Fernando gritou:

— Lílian, você está louca? Saia já daí.

Ela virou-se e não conseguiu vê-lo nitidamente, mas percebeu a pouca claridade e reconheceu sua voz:

— Ah, resolveu reaparecer? Pode ir embora, não preciso mais de você.

— Você não pode ficar aí. Se prosseguir estará perdida.

O líder aproximou-se de Lílian, e, de repente, sua figura monstruosa e deformada transformou-se em um homem forte, másculo e extemamente bonito. Ele abraçou Lílian por trás e, beijando a orelha e o pescoço dela, murmurou:

— Quem é o idiota? Uma mulher tão atraente e inteligente como você não pode estar envolvida com alguém assim, um paspalho.

A vaidade de Lílian foi tocada no ponto certo. Sentindo o calor em seu corpo como havia muito não sentia, ela encheu-se de energia e gritou para Fernando:

— Você me abandonou! Quero que vá embora. Não preciso de você e não quero mais vê-lo. Você é um idiota, só vai me atrapalhar. Desapareça!

Assim, ela virou as costas e partiu com as três criaturas.

Fernando voltou pelo mesmo caminho que o levou até o penhasco, seguindo para o lugar onde gostava de ficar e onde já estivera inúmeras vezes na companhia de Lílian.

***

Durante as semanas seguintes, as reuniões deixaram de ser na casa de André e passaram a se realizar no centro espírita.

Em todas elas, André, Viviane, Rute, Juliano e Gabriel oravam por Fernando, sempre pedindo que ele perdoasse e aceitasse as orações.

Fernando sempre estava presente, mas nada dizia. A cada dia ele sentia que seu coração estava mudando e geralmente ia embora com lágrimas nos olhos.

Até que, muito tempo depois, mais de dois meses, a reunião transcorria como sempre e Fernando, novamente através de Juliano, entrou em contato com os presentes, dirigindo-se a André e Viviane:

— Meu irmão, Valentina, eu não aguento mais. Não quero mais sofrer. Estou cansado. Eu sofro, vocês sofrem, e isso não me leva a lugar algum. Por amor a Deus, ajudem-me.

Dizendo isso, Fernando começou a chorar, emocionando a todos. André, também em lágrimas, disse com dificuldade:

— Meu amado irmão, perdoe-me por ter lhe causado tanto sofrimento. Saiba que hoje, em meu coração, só existe lugar para o arrependimento e o desejo de vê-lo em paz e feliz.

Viviane também falou:

— Não sabemos os desígnios de Deus e o que teremos ainda de enfrentar, mas siga seu caminho, Fernando. Aceite o auxílio dos bons espíritos que podem conduzi-lo ao descanso de tanto sofrimento. Siga em seu aprendizado, em sua evolução, pois um dia estaremos todos juntos, com sentimentos renovados, e com certeza viveremos em paz. Perdoe-me, assim como nós o perdoamos pelo mal que causou ao nosso filho.

Nesse momento, uma intensa luz violeta envolveu a sala, e Tiago apareceu de mãos dadas com dois senhores vestidos de branco. Olhou para Fernando e disse com uma ternura desconcertante:

— Venha, Fernando! Chega de sofrimento. Vamos abençoar essas pessoas e seguir. Tem um lindo lugar esperando por você, que receberá cuidados físicos e espirituais. Olhe, sua ferida parou de sangrar.

Fernando levou a mão ao peito e, apesar de ainda sentir a ferida, de fato ela estava seca.

Sorrindo, Tiago disse:

— Posso lhe pedir um favor? Diga aos meus pais que estou bem. Que sigo em paz e que quero que eles sejam felizes. Por favor, não posso me comunicar ainda.

Fernando falou:

— Afonso, Valentina, estou aqui com o pequeno. Ele me pede para lhes dizer que está bem e em paz, e que deseja que vocês sigam em frente com força e fé, felizes.

André e Viviane se abraçaram soluçando, enquanto Fernando prosseguiu:

— Estou realmente cansado. Vivi e vi coisas horríveis nos lugares por onde andei, e descobri que a infelicidade e o sofrimento eram alimentados apenas por mim, pelo meu ódio e desejo de vingança. Mas percebi que nada disso me deu a satisfação que eu procurava. O sofrimento só aumentou. Quero lhes agradecer por rezarem pela minha alma. Se for merecedor da misericórdia de Deus, quero seguir meu caminho me restabelendo e trabalhando em favor do bem e da caridade. Vocês me estenderam a mão quando eu mais precisava. Quero que saibam que a partir de hoje, tudo farei para que recuperem a felicidade que lhes roubei. Perdoem-me e fiquem com Deus.

Ainda antes de ir, voltou-se para Viviane:

— Valentina, jamais deixei de amá-la, e esse amor acabou sendo minha redenção. Seja feliz, querida.

Tiago se aproximou de Fernando e, com os dois senhores, eles seguiram pela estrada de luz até desaparecerem.

Rute estava emocionada, não conseguia controlar as lágrimas. Juliano se recompôs e todos oraram o Pai-Nosso, encerrando a reunião e agradecendo a graça alcançada.

Tudo naquele momento era paz. No coração de todos só havia amor, e, enfim, eles puderam celebrar a vida, a fé e a vitória do bem.

Capítulo 28 | No pior dos lugares

Depois daquele dia, o lar de André e Viviane voltou a ficar cercado de paz como havia muito não acontecia. Aos poucos, o casal retomou sua rotina profissional, procurando deixar dois dias na semana para se recuperar de todo o sofrimento pelo qual passara.

Marília estava novamente vivenciando sua infância tranquila ao lado dos amiguinhos da escola e os novos que conhecera no centro espírita. Agora ela contava para os pais, toda feliz, que costumava sonhar com o irmão frequentemente e que ele sempre lhe dizia que estava bem, que já era quase um rapaz e que sentia estar amadurecendo rapidamente. Dava conselhos para a irmãzinha e geralmente enviava algum recado aos pais.

André e Viviane acreditavam que isso era de fato possível e sabiam que o filho, onde estivesse, estava olhando por eles e lhes transmitindo a energia e força para prosseguirem a vida.

Certo dia, Viviane teve uma ideia e foi até o escritório do marido para saber sua opinião e ter o seu apoio:

— Querido, estava pensando no que passamos, principalmente quando perdemos Tiago, e senti vontade de ajudar outras famílias que sofrem pela perda das pessoas queridas e de um filho.

André ficou interessado:

— Bela iniciativa, meu amor. Mas como acha que poderá ajudar essas pessoas?

— A princípio, pensei na internet. Atualmente a informação é muito rápida e pensei em criar um *site* sobre o assunto, onde todos possam escrever, desabafar e contar suas experiências. Dessa forma, uns ajudariam os outros. Poderia ter um fórum de discussão, uma parte tratando do Evangelho e, assim, poderíamos divulgar o Espiritismo também. Pois foi por meio dessa doutrina que encontramos a força para atravessar toda a fase terrível. Depois, o conhecimento nos deu a tranquilidade para continuarmos vivos e serenos, mesmo diante de perda tão dura!

André pensou um pouco e falou:

— A ideia é maravilhosa, pode contar com meu apoio total. Sabe, querida, tem dias que sinto uma saudade tão grande de Tiago que meu coração chega a doer. Mas quando penso em tudo o que aprendemos e conhecemos, faço uma oração e converso com meu mentor espiritual e com nosso filho. É mantendo esse contato que consigo me restabelecer e reagir. É essa certeza de que um dia nos reencontraremos que me dá suporte para prosseguir.

— Comigo também é assim. Às vezes, fico triste porque quando falo com Tiago, quando converso com ele ou escrevo os e-mails, não recebo a resposta. Mas um dia me dei conta de que ele nos responde sim, por meio do que pensamos ou de uma sensação boa que nos acomete repentinamente. Sabe que outro dia cheguei a sentir o aroma da colônia que ele gostava de passar após o banho?

André sorriu e questionou:

— Quando será que nosso filho terá permissão para ter um contato maior conosco?

— Não sei, mas não fico contando com isso, e acho que você também não deveria pensar nesse assunto. Vai gerar uma ansiedade em todos e não causará nenhum bem a ninguém. Se esse dia chegar, será naturalmente. Se todos estivermos preparados, com certeza vivenciaremos essa experiência maravilhosa. Mas enquanto isso não acontece, temos de continuar orando, enviando-lhe nosso amor, as boas energias e cuidando de nossa pequena filha também.

— Você está certa, querida. Voltando ao assunto do *site*, vou chamar um dos melhores rapazes da empresa da área de informática. Ele vai lhe dar toda a ajuda para montar e colocar sua ideia na rede.

— Que coisa boa! Estou ansiosa para começar, mas não quero atrapalhar o serviço de ninguém.

— Fique tranquila. Temos uma excelente equipe e tenho certeza de que o rapaz ficará feliz em ajudá-la. Sabia que ele, Paulo, também começou a frequentar o mesmo centro espírita que nós? Você vai reconhecê-lo quando o vir.

André pegou o interfone e pediu ao jovem que fosse até sua sala. Quando ele chegou, de fato Viviane lembrou-se de tê-lo visto, mas nunca haviam trocado nenhuma palavra. Quando André expôs a ideia de Viviane, Paulo ficou entusiasmado e logo depois seguiram para a sala de reunião, onde conversaram melhor sobre o assunto, deixando André em sua sala para dar continuidade ao seu trabalho.

Meses se passaram e a vida de todos finalmente entrou nos eixos. André e Viviane concluíram o estudo no centro espírita e agora apenas participavam das reuniões e faziam o Evangelho no Lar uma vez por semana. Era comum viajarem com Marília nos fins de semana, sempre levando algum amiguinho para que tivesse companhia. Rute e Juliano estavam sempre com eles também.

Viviam a vida que tinham antes de todos aqueles acontecimentos, porém agora ainda melhor e fortalecida pela ligação espiritual que adquiriram.

Semanas depois, a alegria aumentava: Viviane estava grávida e André não cabia em si de contentamento.

***

Lílian continuou vagando com os três espíritos que encontrara na praia. Desde que os conhecera, ela mudou ainda mais, tornando-se cruel e ainda mais feia e desgrenhada. Depois de um tempo juntos, ela foi levada para conhecer o que de pior existia naquele plano espiritual e começou a se alimentar das atrocidades que via e das quais, em algumas ocasiões, participava com eles. O líder sempre a estimulava a pensar em André e Viviane e na felicidade que o casal recuperou. Enquanto ele a atormentava com essa realidade feliz de André e Viviane, instigava-a cada vez mais a buscar vingança. Nessas ocasiões, ela era tomada pelo ódio novamente e o líder a levava para laboratórios em que criaturas perversas faziam experimentos terríveis com os espíritos desorientados e malévolos. Eram sessões de tortura numa agonia sem fim. Como Lílian estava dominada pelo ódio, acabava sentindo prazer em participar, chegando a infligir as piores dores em espíritos que nem conhecia nem tinha motivo algum para causar-lhes mal.

Nessas idas ao laboratório com o líder e os outros dois, em suas andanças perdidas e quando ela estava mais estimulada por seu desejo de vingança, costumavam pegar aleatoriamente qualquer espírito que estivesse vagando e faziam coisas terríveis com ele, apenas para se divertir e alimentar a perversidade que os consumia. Em uma dessas ocasiões, pegaram o espírito de um pobre homem que caminhava abatido, capengando e sozinho, e o arrastaram para perto do que restara de uma árvore morta, e, amarrando-o e com pedaços de pau, começaram a espancá-lo ferozmente. Depois, o líder tirou o cinto da calça que o homem vestia, arrancou suas roupas e começou a surrá-lo sem piedade. Quando chegou a vez de Lílian atacá-lo com o cinto, o líder começou gritou:

— Pense que ele é André. Pense que é a mulher dele. Quem sabe ele já não foi amigo daqueles dois também? — repetia seguidamente às gargalhadas, enquanto Lílian, tomada por extremo sadismo, ajeitava o objeto em sua mão de modo que a fivela, e não o couro, açoitasse o pobre espírito que já nem gritava e, aos poucos, era transformado numa massa disforme e ensanguentada. Quando cansaram de torturar o coitado, o largaram amarrado e nu e partiram rindo alto e comemorando o feito.

Em outro plano, em uma colônia de recuperação, Fernando conversava com o espírito que o auxiliava em seu tratamento quando uma moça muito bonita se aproximou com ar preocupado e falou:

— Desculpem se interrompo a conversa, mas, Fernando, aquela moça que o acompanhou durante muito tempo está completamente envolvida pelo mal. Eu fazia parte da equipe que tentava resgatá-la, sempre a observando, mas as coisas que ela está fazendo são terríveis. Estamos temerosos do que ainda pode vir a acontecer.

— Você se refere a Lílian?

— Ela mesma.

— Onde ela está? O que está acontecendo? A última vez que a vi ela estava partindo com três criaturas horríveis.

A moça suspirou:

— Exatamente. E continua em companhia deles. Mas agora eles fizeram dela uma criatura tão perversa quanto eles.

— Provavelmente, ela ainda quer se vingar de André.

A moça respondeu apreensiva:

— É muito pior que isso. Ela agora se tornou perversa com quem nem conhece. Faz as maldades contra pessoas que nunca lhe fizeram nada.

Fernando cruzou os braços e falou:

— Meu Deus! Se é capaz disso, será capaz de coisas muito piores com a família de André.

O mentor de Fernando e a moça concordaram, balançando a cabeça afirmativamente. Fernando continuou:

— E será que ela tem poderes suficientes para causar algo ruim a André?

O mentor respondeu:

— Ela está envolvida com espíritos que vivem há muito tempo movidos pela crueldade e pelo mal. Mas só André pode deixar a porta aberta com a invigilância dos pensamentos.

A moça completou:

— E já soubemos que Lílian e eles têm participado de reuniões em que são evocados os espíritos dos dragões e dos magos negros. Toda essa energia perversa vai fortalecendo seus poderes. Sentimos que a família de André está correndo grande perigo novamente.

Fernando sentiu as lágrimas brotando em seus olhos e disse:

— Sou muito culpado por tudo isso. Quando eu a encontrei, fui atraído pelo sentimento de ódio que ela nutria por meu irmão e sua família. Eu quis me aproveitar disso para aliar-me a Lílian e, dessa forma, ter ajuda para destruí-los. Eu facilitei as coisas para ela.

A moça o olhou com ternura e piedade:

— Não diga isso. Naquela época você ainda não havia recebido nenhum esclarecimento, você era cego para as leis do amor e da caridade e também era dominado pelo rancor. Você era um espírito iludido pelas sombras da maldade. Mas sua índole era boa e o sofrimento o fez abrir os olhos e escolher o caminho da luz. Ela poderia tê-lo seguido se quisesse.

Fernando afirmou convicto:

— Quando eu a vi partir com aquelas criaturas, tentei chamá-la, fazê-la desistir, mas ela não me ouviu.

O mentor esclareceu:

— Ela agiu de acordo com seu livre-arbítrio. Poderia ter optado por unir-se novamente a você, mas no caminho do bem. Mas não quis e foi em busca de quem ainda pudesse lhe ser útil em sua vingança.

— E o que podemos fazer por ela agora? — perguntou Fernando ansioso.

A moça falou sem hesitação:

— Pela sua situação, acredito que muito pouco.

Novamente Fernando insistiu:

— Eu posso vê-la?

O mentor e a moça se entreolharam e no mesmo momento abaixaram a cabeça, murmurando uma pequena prece. Fernando ficou observando em silêncio. Depois, o mentor falou:

— Venha, fomos autorizados a levá-lo até ela. Mas quero preveni-lo de que não será uma experiência agradável. Que ir assim mesmo?

Fernando custou um pouco a responder, mas decidiu:

— Vamos, eu preciso ver o que está acontecendo.

Os três partiram rumo ao astral inferior onde Lílian estava vivendo. Quando chegaram, Fernando ficou chocado. Aquele lugar parecia ainda mais feio do que a região em que ele mesmo passara tanto tempo. Havia corpos espalhados por todos os lados, uns por cima dos outros pelo chão. Mal saíam do lugar, mas os gritos e gemidos eram incessantes. Naquele local não havia nenhum tipo de vegetação, nem mesmo as árvores e flores mortas. Era apenas um gigantesco mar de lama que se espalhava até onde a vista podia alcançar. Toda a área era cercada por rochas altas, como paredões, e

Fernando podia ver outros espíritos que subiam e desciam por caminhos estreitos de pedra. Alguns andavam em filas, outros quase rastejavam e muitos caminhavam sozinhos. Foi quando, de repente, uma cena chamou a atenção dele. Vindo pelo caminho, quase já próximo ao solo onde se espalhavam os corpos, desciam três criaturas puxando uma outra com uma espécie de coleira. Enquanto o arrastavam, a única mulher do grupo batia com algo que lembrava uma barra de ferro no que parecia ser um homem. Quando estavam mais próximos, Fernando pôde ouvir o prisioneiro gritando:

— Vocês eram meus amigos. Deixem-me ir por caridade.

Lílian foi a primeira a gritar:

— Amigos? Não seja idiota! Você era nada mais que um parceiro.

O que parecia o líder gritou:

— Ainda bem que captamos suas intenções de ir para o outro lado. Você ia nos trair e agora vai pagar por isso.

— Vocês podem mudar também. Eu sei que podemos sair daqui, descobri um caminho. Não aguento mais este lugar, estou desesperado e quero ir embora. Venham comigo. Deus terá piedade de nós se pedirmos com sinceridade no coração.

O homem gritava desesperado, e quando chegaram ao lamaçal, os outros três pegaram o pobre coitado e o amarraram com braços e pernas presos de forma que ele nem conseguia se mexer. Puxaram sua cabeça para trás e começaram a enfiar porções grandes de lama pela sua boca, enquanto Lílian gritava:

— Isso é para você nunca mais se atrever a falar e evocar nenhum nome daqueles que se dizem do bem. Você nunca mais vai falar!

O homem tentava se debater, mas não conseguia. Logo estava sufocado pela lama que agora eles espalhavam por todo o seu rosto, até que, finalmente, abriram um pequeno buraco no chão e enfiaram a cabeça do infeliz, deixando-o praticamente de quatro com a cabeça enterrada, fecharam o buraco e partiram cantando e rindo.

Fernando tremia muito e pediu para irem embora. Foi atendido prontamente. Quando chegaram à colônia, ele estava arrasado e mal conseguia falar:

— Meu Deus! Durante todo aquele tempo em que vivi naquele lugar jamais presenciei tanta crueldade. Eu sabia que aconteciam coisas terríveis, ouvia alguns gritos, vi algumas brigas, mas nada parecido com aquilo.

A moça disse com pesar:

— Foi o caminho escolhido por ela. Infelizmente, existem muitos espíritos que fazem o mesmo, você mesmo viu. Preferem continuar alimentando o ódio, a inveja, a cobiça, enfim, se alimentam de toda a energia ruim que existe. Eles não acreditam que existem outros planos, não acreditam que podem ainda alcançar a felicidade, não querem esquecer e perdoar os inimigos. Acham que estão ali por culpa dos outros e se vingam levando quem estiver ao alcance para o mesmo sofrimento.

Fernando não conseguia tirar as imagens da cabeça:

— Mas por que aquele lugar é muito pior do que onde vivi?

O mentor esclareceu:

— "Existem muitas moradas na casa de meu Pai", disse Jesus. Se você leu João, 14:1-3, sabe do que estou falando. A casa do Pai é o imenso universo que abriga diferentes moradas. Cada uma acolhe os espíritos de acordo com seu adiantamento, do grau de evolução. Você, quando desencarnou, era um jovem de boa família, que foi levado a atos reprováveis, como o duelo com seu irmão, movido por sentimentos ainda primitivos, mas você não era má pessoa. Apesar disso, poderia ter matado seu irmão em vez de ter sido morto por ele. Ainda tinha muito o que aprender, passou vagando e sofrendo pelo sentimento de revolta e vingança que o acompanhou por muito tempo. E foi preciso que sofresse tudo o que sofreu para que entendesse e buscasse sinceramente o auxílio dos bons espíritos. Por tudo isso o seu lugar, o mesmo em que encontrou Lílian, era um plano de sofrimento, mas ainda muito diferente de onde ela está agora. Ela foi levada por espíritos do nível mais baixo, com sentimentos dos mais primitivos, criaturas que compactuam com o mal por pura opção e acabam permanecendo naquele lugar por muito tempo.

— O que vai acontecer com aquele homem que Lílian torturou e quase enterrou com os outros?

— Não se preocupe. Quando estávamos nos retirando, vi uma equipe de socorristas chegando para levá-lo. Ele estava sinceramente arrependido de seus malfeitos, por tudo isso os outros o infligiram aquele sofrimento. Mas ele agora já está sendo assistido, o que no caso dele, por tudo o que já havia feito, será um longo trabalho e será necessário muito estudo e esclarecimentos para prosseguir em sua evolução.

Fernando ouvia atentamente até perguntar:

— Não podemos ajudá-la então? Sinto-me tão responsável pelo que ela está passando.

A moça o confortou:

— Você não é culpado de nada, eu já disse. E não há nada que possamos fazer por ela agora. Eu e minha equipe fizemos várias tentativas, no tempo em que ela ainda estava recém-chegada àquele plano. Mas ela sempre nos afastou com agressões verbais e com escárnio. Sinto muito, Fernando, mas você não deve mais pensar nela agora. Deve se convencer de que não é responsabilidade sua e pensar naqueles a quem você ainda pode proteger e ajudar.

Fernando a olhou com interrogação e ela esclareceu:

— A família de André ainda corre grande perigo. Você pode ajudá-los se quiser.

Fernando olhou para o mentor, que lhe disse:

— É verdade. Você agora tem em suas mãos a chance de se redimir perante àqueles que um dia quis destruir. Está disposto a fazer isso?

Fernando, esquecendo completamente o que vira, falou com entusiasmo:

— Claro que sim. Se a família de André corre perigo e se houver algo que eu possa fazer para evitar o mal e protegê-los, claro que quero fazer.

O mentor prosseguiu:

— Vamos nos reunir no Ministério do Auxílio, onde são tomadas todas as decisões mais importantes. Lá conversaremos com nosso mestre, o mais evoluído dessa colônia. Vamos expor a situação a ele, que, com o conselho dos mais sábios, nos indicará o caminho a seguir e nos mostrará até que ponto você tem permissão para intervir na vida daquela família.

Fernando arregalou os olhos:

— Eles podem não me deixar ajudar?

A moça sorriu:

— Tranquilize-se. Eles apenas nos mostrarão como e até que ponto você já tem condições de ajudá-los.

O mentor completou:

— Talvez você não possa evitar que o mal aconteça, mas pode ajudá-los a ter forças para suportar as provas que ainda enfrentarão.

Fernando ficou aflito:

— Vamos, então. Preciso ver o conselho o mais rápido possível. Quero fazer alguma coisa antes que o pior aconteça.

Capítulo 29 Aproveitando a desatenção

Lílian estava cada vez mais próxima de Alfredo, dedicando agora grande parte de seu tempo para passar ao lado do ex-marido. Não o deixava em paz e ficava murmurando coisas em seu ouvido, semeando a dúvida e a ira na mente do homem. Uma ocasião, estava ela ao lado de Alfredo na casa onde moraram, quando o líder apareceu se divertindo com o que ela provocava no marido.

Depois de observar tudo por alguns instantes, o líder falou:

— Desse jeito vai levá-lo à loucura.

Lílian deu de ombros e, com ar de desdém, respondeu:

— O que me importa? Se sua insanidade não atrapalhar nossos planos... Pensando bem, acho que quanto mais louco, melhor.

— Sabe que quando conheci sua história cheguei até a acreditar que você gostava de seu marido — disse o líder com sarcasmo.

— Gostar? É, eu gostava sim. Ele era uma boa companhia.

— Ele lhe rendia muitos frutos materiais, é isso que quer dizer.

Ela o olhou entediada:

— Que diferença faz? A vida é assim. Você se une a quem tem algo para lhe oferecer em troca. E tem de ser uma troca muito boa e rentável para valer a pena.

Ele continuou olhando para ela de forma analítica. Insistiu:

— Você nunca quis ter filhos?

Ela fez cara de nojo:

— Filhos? Você está louco?

— Crianças são adoráveis, não são?

— Crianças são problemas. Vivem sujas o tempo todo, é uma troca de fraldas interminável. Depois, babam! É incrível como babam, não sei de onde sai tanta baba. Gritam, choram, se machucam. Não, nem por todo o dinheiro do mundo! Além do que, sabe o que uma gravidez é capaz de fazer com um corpo escultural como o meu? Arrepio-me só de pensar.

O líder não conseguiu conter o riso. Estava adorando provocar e ouvir Lílian; voltou a perguntar:

— E com todo o dinheiro que sempre teve, nunca pensou em fazer uma obra assistencial ou algo assim? Talvez se tivesse tentado ajudar um pouquinho o próximo estivesse hoje em um lugar um pouco melhor.

Ela respondeu indignada:

— Próximo? Que próximo? Próximo de quem? Os próximos de mim tinham tanto dinheiro e poder quanto eu, não precisavam de minha ajuda.

— Refiro-me aos mais pobres!

— Ah! Esses nunca estiveram próximos a mim. Você está louco? Eu os mantinha a uma distância imensa, a mesma que existia entre nossos mundos. Pobres são como crianças, já reparou? Vivem sujos, babam quando veem boa comida, choram para comover os outros e gritam quando não são atendidos. Conclusão: são tão irritantemente indesejáveis quanto as crianças.

O líder estava se divertindo como não se divertia há muito tempo:

— Lílian, acho que, na verdade, eu é que tenho de aprender com você, em vez de ensinar alguma coisa.

— Pelo menos você concorda comigo. Na Terra, a hipocrisia me dava náuseas. Aquelas velhotas que eu conhecia, e que viviam me convidando para bazares e chás de caridade, colocavam suas roupas de costureiros famosos, seus perfumes franceses, seus sapatos italianos e iam arrecadar dinheiro para os pobres. Mas pergunte se alguma delas queria levar um pobre para casa. Pergunte a uma só, qualquer uma! Elas nem se davam ao trabalho de chegar perto deles. Pegavam as doações, em produtos ou dinheiro, entregavam nas mãos de uma pobrinha, que cuidava de tudo, mas era um pouco menos pobrinha, e ela que resolvesse o resto. Depois que as velhotas comiam tortas e doces feitos pelas melhores confeitarias, enchiam seus buchos obesos até quase explodir, entravam em seus carros importados, com motorista, e voltavam para suas mansões! E cadê os pobrinhos? Ninguém sabe, ninguém viu, nem interessava a elas verem. Deitavam a cabeça no travesseiro à noite aliviadas por terem feito um pouco de caridade sem sujar as mãos.

O líder estava de boca aberta olhando para Lílian. Ela estava destilando todo o veneno que sempre tivera de conter em vida, e isso a estava aliviando. Encontrou um bom ouvinte e não quis parar, emendando quase que uma frase na outra, disparando palavras como uma metralhadora:

— Eu não aguentava. Um dia, só porque falei a verdade, que em casa de pobre cada boca a menos quando um morre deveria ser encarado como uma bênção, quase fui crucificada, acredita? Eu falei alguma mentira? Vem esse monte de pobre, se enche de filhos, não tem como alimentá-los e haja bazar e chazinho para sustentar essa gente. Aí, mulheres como eu, que têm tanto com o que se ocupar, têm de perder tempo com isso. Não era problema meu, não fui eu quem arrumou os filhos, cada um que cuide de sua vida. Sabe quantas óperas e exposições, quantos desfiles maravilhosos perdi porque tinha de estar presente nessas chatices? Eu ficava furiosa, mas Alfredo insistia para que eu fosse. Dizia que era bom para os negócios dele que me vissem presente em eventos de caridade.

Ela olhou para Alfredo com fagulhas saindo pelos olhos:

— Agora é muito bom poder perturbá-lo. Faz com que eu me sinta vingada por todo o tormento que era aguentar aquelas velhas horripilantes e mumificadas. Aliás, as múmias do Antigo Egito eram mais bonitas que elas.

Ela desandou a rir sem parar enquanto falava:

— Não pude evitar de lembrar; elas se maquiavam e a cara delas ficava igualzinho a reboco de parede.

Ela estava se contorcendo de tanto rir quando o líder falou, recobrando sua postura mais séria:

— Olhe, Lílian, já nos divertimos bastante. Agora, de volta ao trabalho. Ainda não conseguimos o que queremos e temos muito o que fazer.

Lílian, enxugando as lágrimas de riso, que lhe escorriam pelo rosto, perguntou:

— Você falou "o que queremos". Parece que quem deseja essa vingança é você, ou pelo menos a deseja tanto quanto eu.

— De forma alguma. Ou melhor, eu apenas quero lhe ajudar a fazer o trabalho, só isso. Isso me ajuda a passar o tempo.

Ela falou franzindo a sobrancelha:

— Mas será que você está me escondendo algo? Talvez também conheça André, ou a sem sal, ou tenha alguma rixa com eles como Fernando quando o conheci.

— Não sabia da existência deles até encontrar você, pode estar segura disso.

— Então, talvez esteja esperando algo em troca que ainda não tenha me dito.

Ele começou a se aborrecer, mas respondeu com uma ironia que ela nem sequer percebeu:

— Não quero nada em troca, já disse. Apenas não acho justo que eu esteja nessa vida miserável enquanto outros usufruem coisas boas. O que eles têm de melhor que eu? Nada! Portanto não devem ser poupados também, só isso.

Ela deu uma volta ao redor do líder e falou:

— Você sabe tudo sobre mim e eu não sei nada sobre você. Como foi sua vida? O que você fazia? Era casado? Tinha filhos babões?

Ele fez um sinal com as mãos mostrando que não queria falar sobre o assunto e fechou a cara. Mas com Lílian ninguém podia, e o líder estava começando a perceber isso. Ela tanto insistiu que ele acabou falando:

— Você não desiste mesmo. Não, eu nunca fui casado.

— E fazia o que da vida? Para estar neste lugar, boa coisa não era.

— Aí é que você se engana. Minha última passagem na Terra antes de chegar aqui foi bastante normal, a meu ver.

— Ande, conte-me.

— Nunca fui casado, não tive filhos e nasci pobrinho, como você diz.

Ela levou as duas mãos à boca e segurou um grito:

— Que horror! Você? Um pobre miserável aqui, convivendo comigo?

Ele deu uma risada, bateu levemente no ombro da mulher e falou com satisfação ao ver o espanto dela:

— É, moça, mais uma para você aprender. Uma das poucas verdades que eu ouvia quando estava encarnado é que depois da morte todos são iguais. Acho que agora você nunca mais vai esquecer.

Ela torceu o nariz e fez sinal para que ele prosseguise:

— Nasci pobre, mas não burro, e logo cedo fugi de casa para cuidar da minha vida. Eu não queria de jeito nenhum continuar vivendo naquela miséria.

— Aposto que sua família era grande e você tinha um monte de irmãos barrigudos e doentes.

— Posso continuar? Ou prefere encerrar o assunto aqui?

— Não, não, estou curiosa, continue.

— Não tenho muito o que falar. Fugi de casa ainda cedo, vivi nas ruas até o dia em que a polícia me achou. Acredita que minha mãe tinha dado parte do meu desaparecimento e estava atrás de mim? Aí os guardas me levaram para a delegacia e me colocaram diante dela. Parece que eu estava vendo-a pela primeira vez. Como ela era feia e acabada! Não lembrava de ela ser tão velha... Na verdade, acho que não era, mas tinha a cara cheia de rugas e andava meio curvada.

— E aí, o que aconteceu?

— Diante da lembrança para onde iria com ela, comecei a gritar que ela era louca, que não era minha mãe, que era uma mulher má, que se aproveitava de crianças sozinhas no mundo. Os guardas ficaram confusos diante da minha atuação brilhante e me deixaram ir embora. Lembro ainda que ela chorava e implorava para eu ficar, dizia que me amava, mas eu saí correndo sem olhar para trás. Muito tempo depois, fiquei sabendo que ela havia ficado muito doente e que estava para morrer. Paciência. Eu mal podia fazer algo por mim, quem dirá por ela! Depois, fui me virando, e como eu lhe disse uma vez, encontrando as pessoas certas nos lugares certos. Até que virei um cara bacana, cheio da grana; morava bem e com muito ouro, se é que me entende.

— E como você ganhava esse dinheiro todo?

Ele riu:

— Fazendo as pessoas felizes.

— Como assim? Patrocinava chás beneficentes?

— Olhe para mim e veja se tenho cara disso. Eu levava felicidade, sonhos a quem quisesse pagar bem por eles. Conheci uma figura legal, conhecedor das coisas, que me mostrou o caminho. Devo tudo a esse cara. A gente dominava uma comunidade e levava umas coisinhas que divertiam as pessoas.

— Ah, acho que entendi. Você era um traficante de drogas, isso sim.

Ele fechou a cara:

— Qual é? Não gosto dessa expressão. Eu era um empresário do ramo do entretenimento como outro qualquer. Era tão importante que até um figurão, metido com política, era meu amigo. O cara aliviou muita barra pesada e livrou minha cara muitas vezes. E eu, agradecido e bem educado, em troca prestei alguns favorzinhos para ele sem cobrar nada. Sabe, uma mão lava a outra.

— Imagino como era. E você morreu como?

— Um dia invadiram minha casa e pronto, cheguei aqui. Agora me diz, eu só fazia o que os outros queriam, ajudava livrando aquela gente de suas angústias. Eu merecia estar aqui? Mas, agora, vamos fazer a música tocar e todo mundo dançar. É só por esse motivo que estou lhe ajudando.

— E você nunca mais viu seus amigos? Eles estão vivos?

— Um deles, o cara que me apresentou o trabalho, é o dono daquele lugar onde as pessoas vão para nos pedir favores. O outro, o figurão, era aquele que nós deixamos com a cabeça bem enterrada recentemente.

Ela bateu palmas abismada:

— Aquele era o figurão? Quem diria!

O líder olhou para Alfredo, que se preparava para sair. Chamou a atenção de Lílian:

— Agora chega de conversa. Vá cuidar de seu marido que tenho outro trabalho a fazer.

— Aonde você vai?

— Colocar mais lenha nessa fogueira. Tem gente que não sabe pensar sozinho mesmo, é o fim. — Dizendo isso virou as costas e partiu.

Encontrou Válter sentado sozinho na tosca mesa de madeira em sua cozinha, com um copo de cachaça na mão. O homem pensava quanto iria pedir a Alfredo pela informação que possuía e que, com certeza, valia muito para o advogado.

O líder postou-se ao seu lado, fechou os olhos e começou a enviar energia para Válter. Era uma energia escura e pesada.

Válter tamborilava os dedos na mesa, dava um gole na bebida, até que, de repente, com um estalar de dedos exclamou:

— É isso! Eu posso ganhar muito mais ainda. Se fizer o que estou planejando a bolada vai ser para lá de boa. Por que vou ganhar só de um lado? Quanto o tal de André me pagaria para que seu segredo não fosse revelado? É isso o que vou fazer. Um vai pagar para me fazer falar, enquanto o outro vai me pagar para ficar calado. Finjo que vou me calar, recebo o dinheiro, depois conto tudo ao outro e recebo novamente. Quando a bomba explodir, estarei longe daqui e eles que se danem.

Bem longe de toda essa energia ruim e perversa, Rute e Juliano passeavam tranquilamente à beira da lagoa principal da cidade. Conversavam sobre planos futuros e sobre a Doutrina Espírita, assunto que estava sempre presente entre eles. Rute contava o caso de uma moça que ela conhecera e que havia passado por um sofrimento muito grande:

— Então, Juliano, depois de muito tempo de interferência do espírito malfeitor, ela começou a se render e a perder as forças para combatê-lo.

— Mas como foi que tudo aconteceu?

— Ela era uma boa pessoa, amorosa e boa filha. Até que o espírito passou a atormentá-la. Ela mudou as amizades, começou a se relacionar com pessoas de índole ruim, e a mãe por várias vezes me confidenciou que temia que a filha estivesse se envolvendo com drogas. Mas depois, quando o caso passou, confirmamos que ela nunca chegou a esse ponto.

— Quanta tristeza!

— Mas a moça era uma alma guerreira e forte. Ela mesma começou a se dar conta do caminho terrível que estava percorrendo. E, por causa disso, começou a lutar contra a má influência, orando muito e pedindo forças e proteção a Deus e ao anjo da guarda. Mas, apesar das boas intenções, ela não conhecia nada do mundo espiritual, nunca havia estudado a Doutrina Espírita e, aos poucos, foi perdendo a luta.

Juliano ouviu atentamente e comentou:

— Imagino o que ela passou. Muitas vezes, por falta de conhecimento e informações, as pessoas não compreendem o que lhes acontece. Ficam perdidas, tentam resolver tudo sozinhas e isso acaba deixando-as mais vulneráveis. E ainda pode acontecer o pior, que é cair em mãos de pessoas mal-intencionadas, aproveitadoras do sofrimento alheio, que inventam os maiores absurdos para extorquir dinheiro de quem está desesperado. E esses charlatães, só posso chamá-los assim, acabam confundindo ainda mais as pessoas, fazendo com que a credibilidade de estudos sérios seja muitas vezes colocada em dúvida.

— É mesmo. Essa minha conhecida passou por muitos altos e baixos. Muitas vezes, a criatura dócil que todos conheciam de repente tranformava-se em uma pessoa egoísta e agressiva. Mas, graças ao bom Deus, ela sentiu que estava enfraquecendo e que não conseguia mais lidar com a situação sozinha. Foi quando me procurou querendo ajuda. Hoje está novamente livre e feliz. Vai se casar no próximo mês.

Juliano sorriu:

— O mal está por aí, pronto para se aproveitar das fraquezas humanas. Por esse motivo o Evangelho ensina por meio das palavras de Jesus: "Orai e vigiai". É preciso combater as más tendências, as más influências, para persistir no caminho do bem. Muitas serão as tentações, e como somos espíritos imperfeitos, se não estivermos atentos, poderemos sucumbir sem nos darmos conta.

— Exatamente. Por essa razão precisamos cuidar não apenas de nossas atitudes, mas também de nossos pensamentos. Eles podem nos atrair e nos conectar com o bem e com a luz ou nos levar para uma conexão que nem sequer desejamos.

Continuaram caminhando e enriquecendo a vida com a bela amizade que construíram.

Capítulo 30 | O envelope

André havia acabado de chegar ao escritório quando a secretária entrou em sua sala.

— Desculpe, André, mas logo cedo um garoto esteve aqui e deixou esse envelope para ser entregue a você.

Na mesma hora em que ela estendeu o braço com o envelope branco na mão, André sentiu um arrepio, lembrando-se de quando recebeu as fotos com Lílian daquela mesma maneira. Ficou parado apenas olhando, sentindo uma aflição no peito, e a moça insistiu:

— Você quer ver isso agora ou prefere que eu traga mais tarde?

Ele ainda hesitou por alguns instantes, mas em seguida falou:

— Dê-me aqui, pode deixar. E pode sair que por enquanto não precisarei de você.

Ela já estava quase na porta quando ele acrescentou:

— E, por favor, não me passe nenhuma ligação.

Assim que a moça saiu e fechou a porta, André pegou o envelope e ficou andando pela sala sem abri-lo. Todos os momentos que vivera com Lílian voltaram à sua cabeça, inclusive as ameaças que ela lhe fizera de contar tudo à Viviane. Mas Lílian estava morta! Por que agora ele se preocupava? Ela já não representava nenhum perigo. O conteúdo que tinha nas mãos jamais seria um problema para ele.

Apesar de pensar assim, ele continou batendo levemente o envelope na mão e foi sentar-se em sua cadeira. E então um pensamento o aterrorizou: "Mas e o fotógrafo? Nunca mais soube do seu paradeiro, não sei nem o nome dele. E se tiver guardado aquelas fotos e agora quiser me chantagear?".

Apalpou com cuidado, tentando detectar a espessura do que havia dentro, e percebeu ser algo muito fino, não mais que uma folha de papel.

Respirou aliviado e ficou imaginando que a tensão pela qual havia passado desde o início das crises de Tiago, apesar de agora ser apenas uma lembrança de fatos distantes, ainda poderiam estar abalando muito seu emocional. Sentiu-se ridículo por ainda ter medo, pela insegurança que o assombrava. Para espantar qualquer mau pensamento, ele guardou o envelope em uma gaveta e decidiu dedicar-se ao seu dia de trabalho.

A manhã transcorreu com tranquilidade e André conseguiu resolver todos os assuntos pendentes sem imprevistos. Já era quase hora do almoço quando o telefone tocou:

— André, ligação de sua esposa.

Ele atendeu, ambos conversaram por alguns minutos e marcaram de se encontrar no consultório do médico de Viviane, onde ela faria uma consulta de rotina da gravidez e depois iriam almoçar juntos.

Mal ele havia desligado e o telefone tocou novamente:

— André, tem um senhor na linha. Ele diz que precisa falar com você sobre a entrega em sua casa hoje à tarde. Sabe do que se trata?

André coçou a cabeça; não se lembrava de nenhuma entrega. Pensou em ligar para Viviane e se informar, mas ela havia dito que estava indo para o banho e que já se aprontaria depois para sair.

Ele puxou mais um pouco pela memória, mas foi inútil. Não se lembrava de nenhuma entrega. Mas como eles estavam fazendo muitas compras para a decoração do novo quarto do bebê, achou que poderia ser de alguma das lojas que frequentaram. Decidiu atender à ligação e resolver logo o que fosse necessário.

— Pode passar a ligação.

Logo em seguida falou:

— Pois não, André Meirelles falando.

De imediato não ouviu nada, apenas o som de uma respiração ansiosa. Só pouco depois o homem do outro lado da linha falou:

— Bem, o que achou da encomenda?

André não entendeu nada e buscou explicações:

— Que encomenda? Minha secretária falou que o senhor queria falar de uma entrega. Mas ela ainda não será feita hoje? Do que se trata? É algum móvel? Qual sua loja?

O homem se irritou:

— De que loja está falando? Não sou de loja nenhuma. Falo da encomenda que recebeu hoje de manhã.

— Mas não sei que encomenda... — subitamente André se lembrou do envelope. Abriu a gaveta e lá estava ele, ainda fechado.

André ficou quieto, tentando raciocinar, mas o homem não lhe deu muito tempo:

— E então, não tem nada para me dizer? Estou disposto a dialogar.

André bateu o telefone imediatamente. Nervoso, levantou-se, foi até a janela e ficou olhando o horizonte sem saber o que fazer. Respirou fundo e pensou: "Não adianta adiar. Não sei quem é essa pessoa, mas é melhor que eu veja logo o que quer".

Foi até a mesa e abriu o envelope. O conteúdo era apenas um bilhete, escrito com uma caligrafia que ele mal conseguiu decifrar, mas suficientemente clara em seus objetivos. O bilhete dizia que o autor sabia sobre as circunstâncias da morte de Lílian e também da relação de amizade muito íntima que os dois possuíam. Mencionou ainda Alfredo Ramos e que imaginava o que o advogado faria quando soubesse de toda a verdade!

André sentiu uma tontura, e uma dor lancinante despontou em sua cabeça. Jogou-se novamente na cadeira, desesperado. Aquele homem falou sobre a morte de Lílian! O que ele sabia? Teria visto os dois na beira do rio? E por que só agora aparecia com ameaças? Já havia se passado tanto tempo! Mas se ele viu alguma coisa, deve ter percebido que foi um acidente. Caso fosse à polícia, será que diria o contrário? E como ele poderia provar que era inocente? O marido de Lílian era influente; era provável que, ao saber do caso dos dois, abrisse um processo e fizesse de tudo para colocá-lo na cadeia.

Os pensamentos invadiram sua cabeça como um tornado. O telefone já estava tocando pela terceira vez quando ele atendeu:

— Você desligou na minha cara e isso não se faz. Eu posso ficar muito aborrecido e não querer mais conversar com você.

André transpirava e procurava se controlar:

— A ligação caiu! O que você quer? Quem é você?

— Quem eu sou realmente não faz diferença para você. Mas o que eu quero, isso sim pode mudar sua vida, para melhor ou para pior. Você vai decidir.

Estava confirmada a chantagem. Só restava saber quanto o homem pediria:

— Já entendi tudo. Você quer que eu compre seu silêncio. Mas como posso saber que isso não é um blefe?

— Haveria outra razão para telefonar se não soubesse de tudo? Como eu poderia falar com tanta certeza sobre a relação de vocês? Sobre os encontros no restaurante do parque e... quer que eu mencione o resto?

Na verdade, Válter não sabia de mais nada, não tinha nenhuma outra informação, mas o que dissera foi suficiente para deixar André totalmente vulnerável e em suas mãos.

O homem, sentindo que a pressão surtira efeito, foi direto ao ponto:

— Quero duzentos e cinquenta mil para ficar de boca calada.

André abaixou a cabeça, inconformado:

— O quê? Mas é muito dinheiro!

— Mas o senhor tem muito mais que essa quantia. Esse valor não vai abalar em nada a estrutura de sua vida. Já para mim, vai resolver muita coisa.

— O senhor está enganado. As coisas não são bem assim. Tudo o que tenho, inclusive contas correntes e aplicações, estão em meu nome e de minha mulher.

Válter não queria esticar o assunto:

— Não me venha chorar miséria agora! É isso ou o cornudo vai saber de toda a história e a polícia vai querer investigar como a mulher morreu. Acho que escapar desse problemão vale o que estou lhe pedindo. E quanto à sua mulher, sei lá, invente uma história qualquer.

— Mas eu preciso... preciso de um tempo! Nós podemos conversar e tentar arranjar melhor as coisas.

O homem foi objetivo:

— Nós já conversamos mais que o necessário. Volto a ligar em dois dias para marcamos como e onde será feita a entrega do dinheiro.

Desta vez foi Válter quem bateu o telefone, deixando André completamente atônito.

Aquilo não podia estar acontecendo, principalmente agora, pensava André. Depois de tanto sofrimento, tanta dor, ele e a família estavam felizes e finalmente haviam recuperado a paz e harmonia no lar. Ele não tinha ideia da reação que Viviane teria se viesse a saber de toda a história. Temia pela saúde dela, pela saúde do bebê, mas temia também que ela o deixasse para sempre. Ele não saberia viver longe da mulher e dos filhos. Não suportaria uma separação.

Não! Ele não permitiria que vagabundo nenhum destruísse sua família. Faria o que fosse preciso para impedir. Pagaria sem hesitação o que o homem estava pedindo. Mas ele sabia como agiam os chantagistas; após pago o primeiro valor, logo viria a extorsão novamente, e depois outra, num processo que jamais teria fim. Mas ele tinha de pagar. Não podia permitir que isso chegasse aos ouvidos da esposa. Um escândalo certamente seria o fim de seu casamento. E ainda teria o envolvimento criminal. Ele era inocente, mas quem acreditaria? O melhor era pagar. Depois, veria o que fazer caso o homem não desistisse.

André caminhou até um grande espelho que havia em uma das paredes da sala, olhou-se empertigando o corpo e pensou: "Farei o que for preciso. Matarei, se a situação sair de controle, mas ninguém vai destruir minha vida".

Pegou seu paletó, abriu bruscamente a porta e saiu passando apressado pela secretária, que nem teve tempo de lhe perguntar aonde ia e se voltaria.

Na colônia espiritual, Fernando estava ao lado do mentor observando toda a cena que se passava com André. Aflito, disse:

— Meu Deus! Você ouviu o que ele disse? Que matará se for preciso para que não destruam sua vida.

O mentor apenas fez um sinal afirmativo com a cabeça. Fernando continuou muito preocupado:

— Ele está agindo e pensando como Afonso. Não é possível! Afonso me tirou do caminho, seu próprio irmão, porque me considerava um obstáculo para sua felicidade. Depois de tudo o que passou nessa nova encarnação, tomando conhecimento do passado, André vai repetir o mesmo erro?

Novamente, o mentor nada disse, permitindo que Fernando desabafasse tudo o que o angustiava:

— Então é esse o perigo que a família de André está correndo. Uma tragédia dessa dimensão vai devastar a todos. Mas a conversa que tivemos com o ministro, as decisões que foram tomadas, como poderei ajudar nessa situação? André, novamente um assassino. O que ficou acertado que farei não vai ajudá-los, eu não entendo.

Finalmente o mentor disse com calma:

— Fernando, não se aflija tanto. Não se impressione com as palavras de André. Ele tem sim a opção de recorrer no mesmo erro do passado, tornando-se mais uma vez um assassino. Mas também poderá optar por não seguir esse caminho, e isso é o que acredito que ele fará. O espírito de André hoje está mais instruído, e tenho a impressão de que fará a escolha certa. Quanto à missão que foi acordada para você, tenha certeza de que é o melhor a fazer e que, assim, você de fato estará ajudando a família toda.

Fernando ainda não compreendia muito bem e estava apenas um pouco mais tranquilo com as palavras do mentor. Mas temia pelas atitudes de André.

Viviane estava na porta do consultório havia mais de quinze minutos, ansiosa pela consulta e preocupada com a demora de André. O marido sempre fora pontual. Aguardaria mais uns dez minutos e entraria. Não podia deixar o médico esperando. Assim o fez; André não apareceu.

Quando a consulta terminou, Viviane tentou ligar para o marido diversas vezes, mas o celular dele estava desligado. Eles haviam combinado de almoçar, e agora ela não sabia o que fazer. Sem conseguir contato com ele, achou melhor voltar para casa e esperar que ele desse notícias. Mas a tarde passou e ela não soube do marido. Ligou para o escritório dele logo que chegou a casa e a secretária disse que ele havia saído pouco antes do almoço, mas não sabia informar se tinha algum compromisso ou se surgiu algum imprevisto. A funcionária de André preferiu não comentar que ele saiu bastante nervoso.

Quando a noite começou a cair, Viviane já estava ficando muito nervosa com o sumiço de André. Não quis ligar para os pais nem para Juliano para não alarmá-los. Mas André nunca agira dessa forma, nunca a deixara sem notícias, e isso era de fato preocupante. Foi para o quarto, não queria nem que Rute a visse apreensiva.

Quando já estava perto da hora do jantar, finalmente André chegou. Estava visivelmente cansado e abatido, e quando entrou no quarto e Viviane o viu naquelas condições, correu para ele e o abraçou aliviada:

— Querido, o que aconteceu? Procurei por você o dia todo, estava muito preocupada.

Só nesse momento André se deu conta de que não pensara em nada durante o dia todo, nem mesmo se lembrara do almoço nem calculara o que diria ao voltar para casa. Pensou rápido e começou a falar, sentindo uma profunda vergonha de si mesmo:

— Meu amor, perdoe-me. Aconteceu uma coisa terrível. Um dos funcionários da fábrica sofreu um acidente. Pessoa simples, só com o plano de saúde fornecido pela nossa empresa. A esposa dele me ligou desesperada porque o caso era muito grave e o hospital estava criando mil obstáculos para atender o homem pelo tipo de plano que ele possuía. Imagine uma coisa dessas.

Viviane estava chocada, mas sabia que isso era uma realidade:

— É horrível isso, mas sabemos que acontece. As pessoas pagam para ter um bom atendimento e os hospitais criam muitas dificuldades, exigem o que não podem. Isso é crime, alguém ainda tem de tomar medidas sérias quanto a essa conduta. E depois, o que houve?

— Então, saí correndo para o hospital e constatei que o homem estava quase morrendo. Sofreu ferimentos graves, estava com parte de uma das mãos quase decepada, tinha várias fraturas, foi horrível. Tive de tomar providências por minha conta. Ativei um resgate de helicóptero para que ele fosse levado para Belo Horizonte. A mulher pôde ir junto. Mas a burocracia foi tanta que levou a tarde toda. E só depois, quando já estava a caminho de casa, percebi que o celular havia desligado. Perdoe-me, querida, por tê-la deixado aflita.

Viviane, pensando no dia difícil que o marido tivera, falou com doçura:

— Não pense mais nisso. Imprevistos acontecem. Nem sempre as coisas são como gostaríamos. Vá tomar um banho, relaxar e depois jantamos. Quero lhe contar como foi a consulta.

Ele a olhou preocupado:

— Está tudo bem?

Ela respondeu sorrindo:

— Fique tranquilo. Nosso bebê e eu estamos ótimos. Vou descer e pedir que comecem a providenciar a refeição. Até já.

Assim que a mulher saiu, André ficou enjoado só de pensar na imensa mentira que havia contado. Nada daquilo acontecera, mas ele não podia dizer a Viviane onde passara a tarde. Havia ido conversar com um investigador já aposentado e pai de um grande amigo seu dos tempos de faculdade que havia falecido em um acidente de carro. Na época, André prestou assistência à família do rapaz, tanto moral quanto financeira, e sabia que agora podia contar com a discrição do velho senhor. Ele queria uma orientação sobre a melhor forma de proceder diante da chantagem. Não entrou em detalhes, mas falou o suficiente para que o investigador lhe dissesse o que no fundo ele já esperava: não pague.

Conversaram muito e André deixou a casa muito agradecido, mas não podia ir à polícia. Teria de ceder ao chantagista.

Foi para o banho completamente arrasado, e por vontade dele iria direto para a cama sem jantar. Não queria mais mentir para Viviane, e passar todo o jantar e o resto da noite tentando dissimular seu estado de espírito ia ser muito difícil.

Mas teria de enfrentar a situação com calma e equilíbrio. Achava que em poucos dias tudo estaria resolvido.

Capítulo 31 | O dinheiro

Os dois dias que se passaram desde a conversa com Válter foram terríveis para André. Ele precisou dissimular todo o tempo suas reais condições psicológicas para que a esposa não desconfiasse de nada. André temia as consequências de ceder à chantagem, mas não conseguia pensar em outra coisa a não ser pagar o que o homem estava querendo. Não podia correr o risco de abalar a estabilidade conquistada com muito esforço, sofrimento e sacrifício.

Por outro lado, Alfredo também vivia dias complicados, mas sentimentos muito diferentes de André. Para Alfredo não existia nenhuma ameaça, ele não teria nada a perder com a chantagem de Válter. Muito pelo contrário, em sua mente só passava a possibilidade de ganhar, ganhar a verdade dos fatos sobre a morte de Lílian. Agora ele tinha certeza de que algo muito estranho ocorrera. Nunca se conformara com a teoria de suicídio, mas não possuía nada em mãos para iniciar uma investigação, e na época da morte da mulher sua preocupação maior era se livrar dos processos nos quais estava envolvido. Mas agora estava disposto a pagar o que fosse preciso para saber a verdade, e a quantia era exatamente a mesma que fora pedida a André. Só não imaginava que descobriria muito mais, fatos que talvez preferisse não saber.

Válter já fazia muitos planos pensando na fortuna que, fora receberia. Em toda sua vida simples e sem muitos recursos, nunca ele vira quantia tão alta. Já estava arrumando suas coisas para partir. Como era um homem solitário, não devia satisfações a ninguém sobre seus atos, mas tomou cuidado para que nenhum vizinho ou conhecido percebesse que ele estava de partida. Não queria que ninguém desconfiasse de sua ligação com o que viesse a ocorrer quando Alfredo soubesse da verdade.

Finalmente, chegou o dia de Válter receber o dinheiro de André, que já havia feito a retirada do montante na véspera e guardado em seu escritório, numa valise preta, e onde agora aguardava ansioso a ligação para saber as condições da entrega. No meio da manhã o telefone tocou e a voz do outro lado lhe era familiar:

— E então, doutor, está com tudo pronto?

— Claro que sim! Não costumo descumprir meus tratos.

— Isso é bobagem. Eu não fiz nenhum trato com o doutor. Isso é um negócio e, diga-se de passagem, muito mais vantajoso para o doutor do que para mim. Esse segredo vale muito mais do que eu pedi.

André gelou, imaginando que o homem iria aumentar o valor, colocando-o em uma situação ainda mais difícil. Mas, para seu alívio, não foi o que ocorreu:

— Vamos deixar isso pra lá. Com esse dinheiro vou arrumar minha vida e é isso que interessa.

André pigarreou e perguntou:

— Que garantias eu tenho de que vai cumprir sua parte no negócio?

Válter riu e respondeu:

— Nenhuma! Mas é pegar ou largar.

André ficou mudo, sem saber o que dizer, e Válter deu por encerrada a questão:

— Não quero me meter em confusão, isso não me interessa. Só quero pegar a grana e cuidar da minha vida. Essa é sua garantia. Doutor, não sou bandido, pode pesquisar que não tenho nem ficha na polícia. A única coisa que faço e que dizem que é errado, embora eu não ache, é gostar da minha cachaça e das mulheres que me dão alegria. Mas o destino colocou na minha frente, sem eu esperar, a oportunidade de arrumar minha vida. Aí, doutor, não deu para perder essa chance, não é? Acho que o Homem lá de cima resolveu me dar uma oportunidade, e eu aceitei o presente.

Na colônia, mais uma vez Fernando e seu mentor observavam André. Ao ouvir as palavras de Válter, Fernando comentou:

— Esse homem está fazendo tudo errado. Ele não está interpretando a situação da maneira correta.

O mentor concordou com a cabeça e acrescentou:

— Exatamente. Ele foi colocado à prova e não soube aproveitar a oportunidade.

Fernando continuou:

— Era uma bela chance para sua evolução, para seu aprimoramento espiritual. Se ele tivesse ouvido a conversa e deixado para lá, esquecido, estaria no caminho certo. Mas ele atendeu aos apelos do mal agindo de forma errada e causando danos a pessoas que nem sequer conhece.

— Ele podia escolher e optou pelo caminho do mal. Um dia, terá de se reajustar com essa atitude.

— Isso está sendo uma dura prova para todos. Cada um terá de arcar com suas escolhas. Fico aliviado que André não pense mais em matar o homem, embora isso ainda me preocupe. E Alfredo, que escolha fará? Será que Válter vai mesmo levar adiante seu plano de extorquir o advogado também?

O mentor não titubeou ao responder:

— Pode ter certeza que sim. Mas vamos rezar para que, ao contrário de Válter, os outros envolvidos recebam as energias de luz e do bem e façam as escolhas certas.

No escritório, André continuava sua conversa:

— E então, como vamos fazer?

— O doutor vai seguir minhas instruções direitinho, porque se alguma coisa der errado você enfrentará um problemão.

— Eu já disse que vou fazer tudo direito. Quero acabar logo com isso. O que devo fazer, afinal?

Válter não queria se expor. De forma alguma André poderia saber quem ele era. Então planejou tudo cuidadosamente:

— O doutor vai até a rodoviária. Quando chegar lá, vai alugar um armário em seu nome ou no nome que quiser inventar, isso não me importa. Vai colocar o dinheiro nesse armário e trancar.

— Certo, mas como vou lhe entregar a chave? Vamos ter de nos encontrar.

— Não seja tolo, doutor, claro que não vamos nos encontrar. — disse Válter novamente rindo: — O doutor vai pegar a chave e subir para o segundo andar da rodoviária. Aí vai caminhar para o lado oposto ao das escadas, seguindo pelo longo corredor até encontrar um outro caminho estreito à direita, onde seguirá até o fim. Lá encontrará um porta que dá acesso a uma escada. Vai descer apenas um lance e já verá duas outras portas, uma azul e uma vermelha. Vai entrar na azul, que é um banheiro masculino. O doutor vai levantar a tampa da caixa d'água do vaso sanitário e colocar a chave lá dentro. Vai fechar a tampa direitinho e sair, voltando pelo mesmo caminho. Depois disso, vai cuidar da sua vida e nunca mais ouvirá falar de mim.

— Mas e se alguém me vir? E se alguém encontrar a chave?

— Não se preocupe. Esse banheiro deveria ser de uso dos funcionários da rodoviária, mas como o acesso é complicado, poucos o usam. Inclusive o doutor vai poder ver que a caixa d'água está seca porque o vaso não funciona.

André achou que o homem estava muito bem infomado e imaginou que ele poderia trabalhar na rodoviária. Mas isso de fato agora não interessava. Ele queria acabar logo com tudo aquilo e acreditar que o homem sumiria definitivamente de sua vida.

— Está certo — disse André determinado. — Em uma hora estarei lá e farei exatamente como falou.

Válter concordou, mas acrescentou em tom ameaçador:

— Em uma hora está bom. Mas, doutor, nem pense em fazer qualquer coisa diferente do que falei. Eu sei quem é o doutor e estarei lá, observando cada um dos seus passos. Só vou pegar o dinheiro quando me certificar de que o doutor já está longe; portanto, meia hora depois que o doutor deixar o dinheiro, irei telefonar novamente para seu escritório, e se o senhor não atender à ligação, pode apostar que hoje mesmo marcarei um encontro com o advogado Alfredo Ramos.

André não gostou do tom de Válter e falou com acidez:

— Eu não quero saber quem você é, já disse. Sua vida não me interessa e nunca mais quero ouvir falar de você. Quero que você morra!

Válter agora deu uma sonora gargalhada e finalizou a conversa com ironia:

— Doutor, com essa grana só se eu morrer de felicidade. Mas não vou deixar que isso aconteça porque vou ter muito o que aproveitar ainda.

André desligou o telefone e ficou olhando para a valise. Estava tudo combinado e ele decidido, mas não podia deixar de lamentar por estar cedendo a um chantagista baixo e sem escrúpulos. Em contrapartida, sentiu que o homem estava sendo honesto quando disse que sumiria com o dinheiro, o que o deixou bastante tranquilo.

Pouco depois, André saiu e antes do previsto já estava na rodoviária. Fez tudo exatamente como Válter determinou. Ficou surpreso por não chamar a atenção de ninguém. O movimento era grande e ele era apenas mais um na multidão. Por alguns instantes sentiu-se ridículo por se imaginar em uma situação igual a dos muitos filmes de suspense a que já assistira. Mas a realidade era muito diferente e ele não era nenhum agente secreto que vivia uma vida glamourosa.

Após deixar o banheiro, sem olhar para trás, André seguiu a passos rápido em direção ao seu carro. Em alguns instantes, durante toda sua ação, ele buscou discretamente identificar o homem entre os que passavam por ele, mas era impossível. Estava nervoso e não queria que nada desse errado. Foi embora diretamente de volta ao escritório, e exatamente meia hora depois de sair da rodoviária o telefone tocou:

— Muito bem, doutor, assim é muito bom fazer negócio. Já estou com a chave e agora é a última vez que nos falamos. Só quero lhe dar um conselho, doutor: cuidado com o que o senhor faz por aí. Eu já disse, não sou bandido, mas o senhor um dia pode cair nas mãos de profissionais, e aí... tenho pena do que lhe pode acontecer. Cuide-se, viu, doutor? Foi bom negociar com o senhor.

André bateu o telefone, jogou o corpo para trás reclinando a cadeira e, respirando profundamente aliviado, pensou enquanto relaxava: “Finalmente acabou! Estou para sempre livre desse sujeito e de suas ameaças.

É, não acredito mesmo que ele volte a me ameaçar. Como disse, não é um profissional, apenas um pobre coitado que conseguiu uma oportunidade de se dar bem. Esqueça, André! Vire essa página e esqueça para sempre esse episódio".

Ele levantou e foi até a janela, onde ainda ponderou: "Mas ele tem razão. Nunca mais me meterei em situações que possam servir de instrumento para pessoas mal-intencionadas. Como fui tolo me metendo com Lílian, uma mulher casada, principalmente com um homem rico e influente. Às vezes na vida agimos sem pensar, fazemos coisas pensando só na satisfação do momento e esquecemos que algumas atitudes podem levar sofrimento a outras pessoas. Esse Alfredo Ramos... não acredito que esse tipo de pessoa seja capaz de sentir um amor como o que sinto por Viviane, mas, de qualquer forma, do jeito dele, devia amar Lílian. Não foi correto interferir na vida dos dois. E ainda tem isso, gente que faz qualquer coisa para levar vantagem e acaba se aproveitando dos erros alheios. Jamais farei algo semelhante enquanto eu viver. Aprendi muito nos últimos tempos por meio da Doutrina Espírita; atualmente tenho uma nova visão sobre a vida, e com tudo o que aconteceu desejo levar minha vida com minha família, todos unidos no amor e fazendo o bem, agindo com correção e caridade".

Pensando assim e sentindo uma imensa paz no coração, André retomou sua rotina disposto a colocar definitivamente uma pedra sobre o episódio.

Enquanto isso, Válter já estava em sua casa simples, sentado na cozinha e se deliciando enquanto apalpava as inúmeras notas novinhas que espalhou sobre a mesa. Entre um gole de cachaça e outro, ele pegava algumas notas e levava até o nariz, sentindo o aroma do dinheiro como se fosse de uma cara essência francesa.

Depois de algumas horas ali parado fazendo planos para o futuro, Válter começou a pensar se valia a pena seguir com seus planos: "Nunca vi tanto dinheiro assim. E como foi fácil arrancar essa grana do cara. Ele estava se borrando de medo".

Enquanto pensava e bebia, Válter chegou a achar graça da situação: "Foi mais fácil que tirar um doce de uma criança. A mulher desse cara deve valer muito a pena mesmo. Sei que ele é rico, mas os ricos são assim exatamente porque não querem gastar o que têm, por mais que tenham. Enfim, para ele pode não valer muito, a mulher pode valer mais, o nome pode valer mais, mas, para mim, essa é a chave para a vida boa que sempre quis".

De repente, ele se lembrou de Alfredo Ramos: "Aquele outro cara, o advogado, é diferente. Ele não me pareceu fácil de ser enrolado como esse André. Tem jeito de ser barra pesada. Não sei se devo me meter com essa figura, não". Deu um grande gole na cachaça e levantou, andando pela casa, cambaleante.

Encostou na parede do único cômodo que fazia de quarto e sala e voltou a pensar: "Esse advogado pode me ferrar se as coisas não saírem como eu espero. E o pior, ainda nem consegui pensar como vou fazer para pegar o dinheiro com ele e passar a história toda sem que ele saiba quem sou. Esse negócio vai ser complicado, posso me dar mal e perder o que consegui até agora".

Batendo de leve a mão na cabeça, Válter tentava chegar a uma conclusão: "Pense, Válter! Deixe de ser burro. A bolada que você pegou já resolve sua vida. O tal de Alfredo é muito mais esperto que o outro, e ele não tem nada a perder. É uma situação muito diferente. Estou achando melhor não arriscar e garantir o que já tenho!".

Voltou para a cozinha e começou a arrumar as notas para recolocá-las de volta na valise: "É isso aí! Amanhã mesmo dou o fora daqui e vou para outra cidade bem longe, onde poderei começar uma vida nova e, quem sabe, até abrir um negócio para mim".

Foi até a pia, pegou uma panela de alumínio polido, antiga, mas ainda brilhando pelo pouco uso, olhou seu reflexo e exclamou em voz alta:

— Já pensou, Válter, que chique você empresário e dono do seu negócio? Acho que abrir um bar, seria perfeito para mim. Minha birosquinha, com minhas bebidas e ainda ganhando meu dinheirinho. É, é isso que vou fazer! Dane-se o advogado. Ele nunca mais vai receber nenhuma ligação minha e jamais vai saber quem sou eu também. Vai ficar louco sem nunca descobrir o que eu tinha para falar, mas isso é problema dele, não meu.

Foi calmamente guardando as notas na valise enquanto assobiava sua canção preferida de modo totalmente errado e cheio de falhas, porque o excesso de saliva provocado pelo seu estado de alcoolismo impedia que ele assobiasse direito. Mas ele não estava nem se importando com isso.

Em nenhum momento ele imaginou que durante todo o tempo, desde que chegara a casa, estava sendo acompanhado pelo líder do grupo de que Lílian agora fazia parte, que apenas o observava estudando suas reações e captando seus pensamentos.

Ele estava de braços cruzados e com uma expressão bastante séria. Não estava gostando nada do rumo que as coisas estavam tomando e pensou: "Esse imbecil agora está desistindo. Vai estragar meus planos, não posso deixar que isso aconteça. Eu tinha certeza de ter escolhido a pessoa certa, mas esse cara é um frouxo, covarde. Preciso agir antes que ele coloque tudo a perder e eu tenha de recomeçar, o que vai me dar um tremendo trabalho".

Aproximou-se de Válter, que já estava novamente sentado bebendo, e começou a falar em seu ouvido:

— E aí, vai desistir agora? Você acha que isso é muito dinheiro, isso que tem aí nessa valise? Otário! Isso não é nada diante do que você ainda pode conseguir.

Válter se remexeu na cadeira inquieto, mas continuou bebendo sem se alterar. O líder prosseguiu:

— Vamos lá, cara! Pense grande. Uma birosquinha? É tudo o que você quer da vida? E que tal um bar grande, bacana, com algumas mesas de jogos? Já pensou a mulherada que iria frequentar seu bar? Mulherada bonita e disponível. Todas vão ficar disputando a atenção do dono do lugar. Uma birosquinha vai atrair o quê? Mulheres feias e pobres. Mas um bar, quem sabe com música, aí sim só vai dar mulher bonita para você pegar. Não seja tolo. Você vai precisar de muito mais grana para conseguir isso. E essa grana tá pronta, na mão do advogado, só esperando o momento para ir para o seu bolso. É só você querer.

Válter começou a pensar, influenciado pelo líder, nas vantagens que teria se resolvesse seguir seu plano. Mas ao mesmo tempo em que a perspectiva de uma vida ainda melhor se descortinava à sua frente, seu receio de mexer com um homem tão esperto e poderoso ainda era grande o suficiente para tentá-lo a desistir. Mas o líder estava ao seu lado para não permitir que ele se acovardasse. E insistia no ouvido dele, que já estava bastante confuso:

— Você não tem o que temer. Tudo o que esse homem quer é desvendar o que ainda é mistério para ele. Ele não está nem aí para o dinheiro, ele quer a informação que você tem para dar. E quando ele souber que a mulher tinha um caso, garanto que você não terá mais nenhuma importância para ele. Suas preocupações se voltarão para outro alvo: André.

Válter começou a conversar consigo mesmo em voz alta e com a fala enrolada:

— Pensando bem, esse tal advogado vai ter um baita problemão para resolver; não é fácil descobrir que foi traído. Ele deve se achar muito esperto, mas vai descobrir que não passa de um paspalho que levou uma rasteira da própria mulher.

E começou a rir pensando na cara que Alfredo faria ao descobrir tudo. Deu um soluço, depois outro, e continuou seu monólogo:

— Ele vai querer resolver isso e não vai ser comigo. Eu já vou estar longe e com todo o dinheiro que sempre quis. Mas tenho de pensar em como fazer isso. O cara é esperto, tenho de ser mais que ele. Se pensar direitinho, vou descobrir uma maneira de tirar o dinheiro dele em segurança. Deu certo uma vez, por que daria errado agora?

Ergueu o copo e falou:

— Um brinde ao futuro! Esse já está garantido com o dinheiro desses dois otários.

O líder agora estava satisfeito. Observou Válter dar outro grande gole na bebida, aproximou-se dele e colocou a mão sobre o homem, que já estava completamente embriagado, ajudando para que a cabeça dele tombasse sobre a mesa, onde ele adormeceu e ficou até o dia seguinte.

Capítulo 32 | Coisas estranhas

Alfredo Ramos não teve mais um só minuto de paz depois que recebeu a primeira ligação de Válter, principalmente porque o homem não dera mais notícias. Ele passou a especular qual o envolvimento do chantagista com a morte de Lílian. Era evidente que seu objetivo era extorquir dinheiro em troca de alguma informação. Mas ele desapareceu sem nenhuma explicação. Teria desistido? Alfredo não suportaria conviver com aquela dúvida e estava à beira de um ataque de nervos.

Válter também estava bastante nervoso ao decidir ligar para Alfredo. Não conseguiu pensar em uma forma de pegar o dinheiro sem que os dois se encontrassem. Mas depois, analisando a situação, percebeu que na verdade ele não corria nenhum risco. O que o outro poderia lhe fazer? Com certeza o choque pela verdade deixaria o marido traído tão desesperado que ele seria rapidamente esquecido. Um pouco mais confiante, ele ligou para Alfredo:

— Pensei que você havia desaparecido para sempre — foi logo falando o advogado com muita irritação.

— Fique calmo, doutor. Tive outros assuntos importantes para tratar, mas agora temos de resolver nosso negócio.

— Eu não tenho tempo para perder. Diga logo quanto você quer pelas informações.

Como Válter havia previsto, Alfredo era muito diferente de André, e seria inútil tentar intimidá-lo. Foi direto ao ponto:

— Eu quero duzentos e cinquenta mil reais.

Alfredo nem pensou antes de responder:

— Está certo. Só espero que a informação valha o que está pedindo.

— O doutor pode ter certeza que sim, e que vale até mais.

— Quero resolver isso tudo hoje mesmo. Venha à minha casa que conversaremos. Eu disponho desse valor aqui mesmo e não será necessário passar em nenhum banco para fazer a retirada.

— Em sua casa? De jeito nenhum. Prefiro um lugar neutro, se o doutor não se incomoda.

Alfredo bradou ao telefone:

— Por que complicar as coisas? Você vem, me diz o que tem a dizer e leva seu dinheiro!

— Não insista, doutor. Terá de ser em outro lugar. Eu até preferia que não fosse pessoalmente, mas não tem jeito.

Alfredo deu uma risada:

— Por quê? Está com medo de mim?

Válter retraiu-se e ignorou a pergunta:

— Vamos nos encontrar no parque, lá para as bandas da estrada velha. O doutor disse que já está com o dinheiro, então, quanto tempo leva para chegar lá?

— Em meia hora eu o espero na beira da lagoa.

Alfredo desligou o telefone, não dando chance para que o homem falasse mais nada. Enquanto subia para pegar o dinheiro e se arrumar para sair, foi falando em voz alta:

— Esse bandidinho de meia tigela pensa que vai me passar a perna. Se ele não tiver algo muito interessante para me dizer estará perdido. Sou macaco velho e, pela forma que ele falou, não passa de um batedor de carteira. Ele não sabe com quem está se metendo.

Alfredo juntou suas coisas e enquanto se dirigia para o carro falava tranquilamente ao celular dando ordens de forma bastante autoritária, uma de suas características.

Válter já aguardava no parque andando nervosamente de um lado para o outro. Estava ansioso para colocar as mãos no dinheiro e sumir no mundo, esquecendo o passado de dificuldades, muito trabalho e pouca recompensa. Sabia que Alfredo era malandro, mas já estava tudo certo e agora iria até o fim.

Pouco tempo depois, viu o carro de luxo cruzar a clareira e estacionar a poucos metros dele. O homem que desceu e foi em sua direção carregando uma maleta do tipo 007 era diferente do que havia imaginado. Mas a expressão no rosto dele era inquietante e segura, o que deixou Válter muito pouco à vontade. Quando Alfredo se aproximou, mediu Válter dos pés à cabeça e foi logo dizendo:

— Vamos com isso. O que tem para me dizer? O que sabe sobre a morte de minha esposa?

Válter estava quase gaguejando diante do homem bem-vestido, com feições duras e determinado que tinha à sua frente, mas tentou manter o controle:

— Onde está o dinheiro?

O olhar de Alfredo diante do questionamento quase fez Válter se arrepender de ter perguntado:

— O que você está pensando, que sou um moleque? — respondeu o advogado abrindo a pasta e mostrando os maços de notas de cem, perfeitamente presos e arrumados.

Válter arregalou os olhos e escutou Alfredo falar engrossando ainda mais a voz:

— Olhe bastante, porque é só o que vai poder fazer enquanto não me falar tudo o que sabe sobre a morte de minha mulher.

Quase sem conseguir desviar os olhos da fortuna que teria em mãos, Válter começou a narrar o pouco que sabia:

— Doutor, sobre a morte dela mesmo eu não sei muita coisa, mas...

Alfredo fechou a maleta bruscamente e olhou furioso para Válter:

— O que você está pensando? Eu não sou homem de brincadeiras. Perdi meu tempo vindo até aqui para você me dizer que não sabe de nada? Você vai me pagar por ser tão insolente! — concluiu, já agarrando a camisa do homem com as mãos fechadas e torcendo fortemente o tecido perto da gola e bem abaixo do queixo de Válter, que, assustado, falou:

— Calma, doutor, eu disse que não sabia muito, não disse que não sabia nada — argumentou tentando se desvencilhar do punho fechado de Alfredo, que o soltou voluntariamente enquanto ouvia:

— Doutor, eu sinto lhe dizer que não vai gostar nada do que tenho para falar, mas, enfim, é para isso que estamos aqui.

— Chega de conversa, fale logo!

Válter tossiu e prosseguiu:

— Tenho a impressão de que sua mulher não se matou, doutor.

— O que você está dizendo?

— Acho que a história é muito mais cabeluda. Desculpe, doutor, mas sua mulher tinha um amante.

Alfredo sentiu o sangue se esvair e ficou pálido, chocado com o que acabara de ouvir. Válter percebeu o estado do homem e resolveu prosseguir antes que o advogado tivesse um troço ali mesmo, bem na sua frente:

— Então, doutor, ela tinha um amante e acho que ele está envolvido na morte dela.

Tentando se recuperar e não querendo demonstrar o verdadeiro impacto que a notícia lhe causara, Alfredo falou secamente:

— O que o leva a fazer acusação tão séria sobre minha esposa?

— Doutor, eu trabalho aqui na região há muitos anos e, sabe como é, a gente acaba ouvindo e vendo o que não quer.

— E o que você viu? Pode comprovar o que está dizendo?

— Comprovar eu não posso, senhor, mas por que eu inventaria uma história dessas?

— Para tirar o meu dinheiro.

— Mas se fosse mentira o doutor ia acabar descobrindo e eu sei que eu estaria perdido. Não, doutor, não sou louco.

— Então me conte logo tudo o que sabe.

— Eu vi, doutor, várias vezes sua mulher vir até aqui, no restaurante, na hora do almoço. Ela estava sempre acompanhada de um moço bem-vestido, gente rica também, com certeza. Eles ficavam algumas horas aqui e, desculpe falar, namoravam bastante.

Alfredo começou a sentir o ódio sufocar sua garganta, mas manteve-se quieto e fez um gesto para que o outro prosseguisse sua narrativa:

— Isso aconteceu por mais de um ano. Eles nunca haviam sequer discutido, até aquele dia.

— De que dia está falando?

Válter colocou sua imaginação para funcionar e descreveu quase com perfeição a realidade que ele nunca havia presenciado:

— Eles estavam aqui como de costume e começaram a discutir. Primeiro foi uma discussão leve, mas depois os dois ficaram bem alterados.

— E sobre o que discutiam, você sabe?

— Claro, eu ouvi tudinho, mas às vezes falavam mais baixo e eu perdia uma coisa ou outra. Mas o homem parece que não queria mais a relação. Ele dizia que estava de casamento marcado e sua mulher ficou furiosa.

Alfredo tentava se manter impassível:

— E depois?

— Depois de algum tempo brigando, porque aí já era briga feia mesmo, ela falou que não ia admitir e que ia contar pra todo mundo sobre o caso que tinham.

Por alguns segundos as últimas palavras de Válter soaram duvidosas aos ouvidos de Alfredo. Ele não acreditava que Lílian fizesse um escândalo se arriscando a perder a boa vida que possuía. Mas já estava ficando cego de ódio e pediu a Válter que continuasse.

— Eu sei, doutor, que ela saiu danada daqui e o moço nem tentou impedir. Tempo depois reconheci a sua mulher quando saiu a notícia do suicídio em todos os jornais. Não dei muita bola, pensando que ela havia se matado de desgosto. Mas se passaram apenas alguns dias e eu vi a foto do casamento do tal moço. Aí fiquei com a pulga atrás da orelha. Não acho que ela se matou, doutor.

— O que você acha então?

— Acho que foi "queima de arquivo". O moço deve ter ficado com medo que ela estragasse o casamento dele e se livrou dela de uma vez por todas.

Alfredo agora mal conseguia falar de tanta raiva. Mas foi curto e grosso ao perguntar:

— Você sabe quem era ele? Tem o nome?

Válter olhou desconfiado e disse com humildade:

— O doutor pode me passar a pasta agora? Já sabe de toda a história, mas agora pode me dar o dinheiro?

Alfredo levantou a pasta e a estendeu na direção de Válter, que a agarrou ansioso e a abraçou junto ao peito com força, dizendo em seguida:

— Eu custei a lembrar, mas agora eu sei direitinho. O nome do amante de sua mulher é André Meirelles.

Alfredo revirou os olhos como se buscasse no arquivo de sua memória a imagem desse homem. O nome lhe parecia familiar mas não conseguia se lembrar da figura dele.

Válter ficou quieto, observando, até que disse preocupado:

— Bom, doutor, o senhor já sabe tudo o que precisava saber. Acho que não temos mais nada a conversar. O doutor pode ficar tranquilo que nunca mais vou incomodar. Com esse dinheiro e com o outro vou cuidar da minha vida em outras bandas e o doutor nunca mais vai me ver ou ouvir falar de mim. Já vou indo.

O deslize de Válter não passou despercebido a Alfredo:

— Outro? Que outro?

Válter tremeu e disse rápido:

— Nada não, doutor. Eu é que estou falando bobagem.

O advogado olhou para ele e apenas disse:

— Quero que faça bom proveito. Agora, desapareça da minha frente.

Válter saiu apressado. Seguiu por um caminho de terra até uma árvore onde havia deixado sua bicicleta. Subiu e saiu pedalando o mais rápido que conseguiu em direção ao seu casebre. Estava feliz da vida, assobiando novamente sua música predileta e com a cabeça cheia de planos e sonhos. Procurou seguir um caminho secundário para evitar cruzar com algum conhecido e também por se sentir mais seguro ali. Naquela região vez ou outra apareciam uns gatunos, aproveitando-se por ser um lugar relativamente deserto. Mas nem todo o cuidado foi capaz de evitar a situação que viria a seguir. Após poucos quilômetros, a bicicleta de Válter foi interceptada por um carro que quase o atropelou. Era um carro antigo, preto, de onde saíram dois homens. Válter, assustado, tentou virar a bicicleta e retomar o caminho de volta, mas os homens foram ágeis e facilmente o impediram. Jogaram a vítima indefesa no chão e arrancaram a maleta de suas mãos.

Válter gritou tentando impedi-los, mas foi inútil. Um deles voltou apressado para o carro e, quando Válter ia se levantando, o outro que havia ficado mais perto dele o chamou e, quando ele olhou, seus olhos quase saltaram das órbitas: uma pistola com o aço reluzente estava apontada para ele, que não teve tempo de dizer mais nada antes que dois disparos o atingissem certeira e mortalmente no peito.

O segundo homem foi então para o carro juntar-se ao comparsa e saíram acelerando rápido, deixando o corpo de Válter largado no chão.

Pouco depois, Alfredo estava satisfeito em sua casa ao pegar a maleta das mãos do capanga à sua frente:

— Muito bem. Vocês fizeram um bom trabalho. Aquele idiota achou que levaria meu dinheiro assim fácil. Vocês se certificaram de que ele estava morto mesmo?

— Com certeza, chefe. Fique tranquilo que aquele lá não vai mais chantagear ninguém.

— Perfeito. E o que descobriram sobre ele?

— Ele trabalhava como jardineiro em vários lugares. Era sozinho e morava num casebre numa comunidade pobre aqui do subúrbio. Já conseguimos até o endereço dele.

— Muito bem. Então vão até a casa dele e vasculhem tudo. O idiota falou em outro dinheiro. Não sei o que ele andou aprontando, mas é quase certo que deve ter alguma bolada escondida por lá. Achado não é roubado. Portanto, encontrem o dinheiro que agora me pertence também.

Os homens saíram rindo e foram direto para a casa de Válter. Não havia quase nada na casa, e foi fácil encontrar a valise com o dinheiro que André havia pago. Quando voltaram para a residência de Alfredo com o montante, o advogado sorriu satisfeito e falou:

— O mundo é dos espertos. Pena que o otário não teve nem tempo de aprender isso — e guardando a valise em um armário, completou: — Agora podem ir. Vocês terão uma missão importante nos próximos dias, mas ainda preciso organizar algumas coisas.

Na hora certa vocês saberão. Podem ir.

Capítulo 33 | A emboscada

Lílian estava exultante com o encaminhamento dos planos do líder de seu grupo e repetia sempre para ele:

— Está tudo correndo bem, exatamente como você planejou. Um sucesso! Estamos muito perto do desfecho que espero há tanto tempo.

— Eu disse que nunca falhei.

— A reação de Alfredo eu já imaginava, mas não cheguei a pensar que ele mataria aquele pobre coitado.

O líder espantou-se:

— Parece até que eu conheço mais seu marido que você. Para mim era evidente que ele não cederia ao chantagista. Alfredo é muito esperto, malandro, jamais deixaria que seu dinheiro fosse levado tão facilmente!

Lílian deu de ombros e falou:

— Para mim tanto faz. O que quero é ver o resultado disso tudo. O que temos de fazer?

— Nada!

Ela franziu a testa:

— Como nada? Ainda não acabou.

— Realmente, não. Mas também nossa parte já foi feita. Alfredo não precisa mais de nenhuma influência para dar continuidade ao que planejamos.

— Por que você diz isso?

— Porque a índole de Alfredo não é nem nunca foi das melhores. Você sabe melhor do que ninguém que ele é um homem sem escrúpulos. Sempre se aproveitou de situações que lhe garantissem retorno material. E nós dois sabemos que ele enriqueceu muito e não foi à custa de trabalho duro e honesto.

Ela teve de concordar:

— Bem, digamos que os métodos dele sempre foram pouco convencionais.

— E hoje você viu que ele é capaz de ir ainda muito mais além.

— Isso até certo ponto me surpreendeu. Não achei que ele tivesse coragem de chegar a esse ponto.

— Alfredo, além de mau caráter, é muito vaidoso e egocêntrico. Ele não vai deixar passar essa traição.

Lílian, esfregando uma das mãos no braço com rapidez, disse com aflição:

— Chega a me dar arrepios só de imaginar o que ele faria comigo se eu ainda estivesse por lá.

— Não adianta pensar nisso. Ele não pode lhe causar nenhum mal. Vamos esperar e ver como as coisas prosseguem daqui para a frente.

***

André retomou sua rotina satisfeito e já não pensava mais na situação terrível pela qual passara. Um dia, lendo o jornal pela manhã, ele viu a notícia sobre o corpo de um homem que foi encontrado próximo ao restaurante que ele frequentava com Lílian, mas jamais imaginou que aquele era o cadáver do chantagista.

A normalidade de sua vida seria totalmente quebrada se ele soubesse que há algumas semanas estava sendo rigorosamente observado por Alfredo.

O advogado ficou obcecado pela ideia de vingança. Afastou-se do trabalho e passou a se ocupar de levantar todos os dados que podia sobre a vida de André e sua família. Ao mesmo tempo, começou a seguir os passos do rival, tentando analisar seus hábitos e sua rotina.

Em certo momento, Alfredo chegou a planejar o sequestro de Marília, mas achou que além de arriscado daria muito trabalho logístico e seu alvo principal era mesmo André. Isso não impediu que ele se deliciasse imaginando o sofrimento do outro sem saber o que estaria acontecendo com a filhinha.

Mas precisava se concentrar em dar um jeito no homem que ousou dormir com sua mulher.

Alfredo não era um principiante, era esperto e sempre conseguiu sair de mãos limpas depois das maracutaias e falcatruas nas quais se metia. Apesar de estar ansioso para colocar as mãos em André, agiria com cautela para que nada daquela sujeira respingasse sobre ele. Teria de ter paciência e calma.

Depois de conseguir uma planilha detalhada sobre a vida de André, Alfredo sentiu-se satisfeito e decidiu retomar seu trabalho para não levantar nenhuma suspeita. Qualquer passo em falso e ele poderia estar arruinado.

Meses se passaram e a gravidez de Viviane já estava bem adiantada. Descobriram nos exames que outro menino estava a caminho para coroar de bênçãos a família. Estava tudo pronto para a chegada do bebê e todos estavam muito ansiosos e felizes.

Na colônia espiritual, Fernando comentou com o mentor:

— Está chegando a hora. Espero que eu seja capaz de cumprir minha missão. Devo muito isso a eles.

— Tudo correrá como determinado por Deus, fique tranquilo.

— É muito triste saber o que ainda está por vir.

— Tudo tem sua razão de ser. O sofrimento liberta a alma e traz a consciência de nossos erros.

— Nem sempre é assim — disse Fernando com certa desolação.

— É verdade! Nem sempre é assim. Mas tudo caminha exatamente como deve ser, e sempre para o crescimento e a evolução espiritual de todos os envolvidos.

— Mas e se eu não conseguir? Se eu falhar?

— Isso não vai acontecer. Você está preparado e consciente. Já atingiu um estágio que vai permitir que cumpra sua missão com sucesso.

— Assim espero!

Já era tarde da noite quando Alfredo, depois de muito tempo, chamou os dois capangas em sua casa. Havia chegado a hora!

Esses homens eram fiéis ao advogado havia muitos anos. Faziam serviços como intimidar pessoas, roubos, chantagens, tudo para garantir a Alfredo que sempre ganharia qualquer batalha em que se envolvesse. Mas ao eliminarem Válter, iniciavam um caminho que ainda não haviam trilhado. Agora eram assassinos profissionais, além de tudo. Mas nem se importavam, com isso. Eram mercenários, e enquanto o serviço fosse pago como eles consideravam justo, estava tudo bem.

A reunião entre os três foi longa; todos os detalhes foram expostos cuidadosamente e revistos várias vezes. Já era madrugada quando eles se foram, deixando Alfredo sozinho com seus sentimentos mórbidos.

André acordou naquele dia especialmente animado. A proximidade da chegada do filho e a perspectiva da casa agitada pela movimentação infantil o enchiam de prazer. Ainda faltavam alguns poucos meses, mas já podia, com sua imaginação, ouvir as risadas de Marília e do caçula pela casa. Pela manhã resolvera quebrar um pouco a rotina e levou Marília à escola, encargo esse sempre sob os cuidados de Rute. A menina ficou exultante. Na porta da escola, ela fez questão de apresentá-lo para as amiguinhas, orgulhosa por ter um pai tão bonito, inteligente e bem-sucedido. Era seu verdadeiro super-herói.

No caminho para o trabalho, parou em uma loja e encomendou um lindo buquê de rosas para serem entregues em casa para Viviane. Lembrou-se também de enviar um outro buquê mais simples para Rute, com um cartão agradecendo por todos os anos de amizade e dedicação. Providenciou também um pequeno vaso para Nice, a secretária, que sempre esteve ao seu lado, incansável. Ao receber o mimo, Nice ficou encabulada e ao mesmo tempo emocionada com o reconhecimento do patrão.

Durante toda a manhã, André e Nice despacharam em seu gabinete, deixando todos os contratos assinados e todas as providências tomadas para o andamento do trabalho do dia. Depois, ele foi almoçar com a esposa, que estava encantada com o carinho do marido ao lhe enviar as flores. No restaurante, pareciam um casal de namorados adolescentes e apaixonados.

Na parte da tarde, ele não voltaria mais ao escritório. Tinha uma reunião fora e precisava visitar alguns clientes, sendo um deles em uma cidade próxima. Esse seria seu último compromisso do dia. Avisou Viviane que talvez chegasse um pouco atrasado para o jantar, mas com certeza não muito.

Quando já estavam no estacionamento, André parou, segurou suavemente o rosto da esposa com as duas mãos e disse:

— Eu amo você! Quero agradecer por ter sido sempre uma companheira excepcional, uma mulher capaz de fazer qualquer homem se sentir completo e realizado.

Ela ficou com os olhos marejados e respondeu:

— Eu também amo você! E sinto-me a mulher mais feliz do mundo tendo você ao meu lado.

Selaram as palavras com um beijo e, em seguida, cada um se dirigiu a seu carro para ir embora. Viviane abriu a porta, mas antes de entrar chamou André. O carro dele estava um pouco distante, mas suficientemente perto para que ele a escutasse:

— Sentirei saudade até a noite!

Ele apenas respondeu com um sorriso e ambos partiram.

André detestava quando precisava passar a tarde na rua. Estacionar, entrar e sair do carro várias vezes, pegar o trânsito sempre complicado o aborrecia bastante. Mas quando estava a caminho da outra cidade, ele conseguiu relaxar. A estrada era pequena, bem asfaltada e muito arborizada. O cenário era capaz de relaxar qualquer um. Não havia muito movimento e quando chegou ao cliente estava novamente bem-disposto.

Só não contava com um grande atraso por parte do empresário que o receberia, e a reunião entrou pelo começo da noite acabando muito depois do previsto. Mas nem isso pôde abalar o bem-estar que sentia. A conversa havia sido ótima e ele acabara de renovar um contrato. Em pouco tempo estaria no aconchego do lar ao lado da esposa, que era o amor da sua vida, de sua filha e dos queridos Juliano e Rute.

Quando se dirigia ao seu carro, o estacionamento já estava vazio. Já passara muito da hora do fim do expediente na empresa, e, praticamente, todos haviam ido embora. Estava escuro e a luz amarelada que vinha dos poucos postes não ajudavam muito. André caminhou distraído e achando tudo perfeito. Quando colocou a chave na fechadura, um carro que estava parado relativamente próximo e que André nem notara, por ser um carro escuro, acendeu o farol alto na direção dele. Ele voltou-se para a luz curioso. O farol piscou duas vezes e André pensou: "Nossa, será que alguém está precisando de ajuda? Vou verificar. Pode ser até alguém se sentindo mal".

Contudo, antes que pudesse seguir, dois braços fortes o agarraram pelas costas e ele não conseguiu sequer perceber o que acontecia antes de levar um soco no queixo que o nocauteou, deixando-o totalmente inconsciente.

Os homens o arrastaram até o carro que havia se aproximado, jogaram seu corpo no porta-malas, e enquanto um entrava pela porta de passageiro, o outro pegou as chaves e entrou no carro de André. Somente depois disso, os dois seguiram rapidamente.

Quando André finalmente acordou, estava zonzo e sem nenhuma noção do que havia acontecido e de onde estava. Sua consciência despertou quando se deu conta de que estava totalmente amarrado e sentado em uma cadeira. Debateu-se, tentando se desvencilhar, mas logo percebeu que era impossível. Em sua boca, uma grossa fita adesiva o impedia de gritar. Olhou em volta e o que viu lhe deu náuseas. Era uma sala imunda, com vários objetos quebrados espalhados pelos cantos. Ratos e baratas iam frenéticos de um lado a outro, ignorando sua presença. Havia ainda uma mesa bem à sua frente com uma das pernas quase se quebrando, e uma cadeira do outro lado. Um lustre vagabundo e velho pendia por sobre a mesa com uma luz muito fraca e vacilante.

Não sabia que lugar era aquele, muito menos quem o levara até lá, mas a dor que ainda sentia no rosto o fez pensar que estava em maus lençóis e tudo indicava que havia sido sequestrado. Em segundos, uma imensidão de pensamentos povoaram sua cabeça. Com certeza alguém já devia ter ligado para sua casa para pedir o resgate. Apavorou-se pensando na saúde de Viviane e no susto que todos levariam. Por tudo o que já havia lido e ouvido sobre sequestros, os bandidos agiam criando uma onda de terror na família da vítima antes de exigir o dinheiro. André temia que Viviane pudesse perder o filho que esperavam com tanto amor. Essas ideias fizeram com que ele voltasse a se debater, mas logo depois ouviu uma porta se abrindo atrás dele. Não conseguiu se virar, mas ouviu claramente os passos se aproximarem.

Um homem corpulento e bem-vestido deu a volta e sentou-se na outra cadeira, em silêncio, deixando que a curiosidade de seu prisioneiro o examinasse detalhadamente. André constatou que o homem não tinha aparência de bandido. Estava claro que ele era uma pessoa de posses, pelo corte de seu terno e sua excelente aparência. Continuou examinando as feições do outro até que uma sombra de terror invadiu sua mente. Ele estava reconhecendo aquela fisionomia! Um *flash* quebrou sua concentração e apavorado ele pensou: "Meu Deus! É Alfredo Ramos, o viúvo de Lílian".

Pela expressão no olhar de André, Alfredo percebeu que havia sido reconhecido e soltou uma gargalhada.

André voltou a se debater e murmurar coisas incompreensíveis. Alfredo o deixou se desesperar por mais alguns instantes, depois caminhou até ele e, com apenas um puxão firme e rápido, arrancou a fita, deixando o lábio de André sangrando enquanto ele soltava um gemido provocado pela dor. Depois, Alfredo caminhou de volta e sentou-se novamente. André não conseguia entender direito o que estava acontecendo e antes que pudesse perguntar, Alfredo se adiantou:

— Finalmente, André Meirelles! Esperei muito para tê-lo aqui, bem na minha frente e vulnerável. Tão vulnerável e impotente quanto fiquei por sua causa.

André tentou raciocinar, mas o medo e a surpresa não permitiram que seus pensamentos se organizassem. Apenas perguntou:

— O que você está dizendo? Esperou para me ter aqui? Por quê?

Alfredo deu um tapa na própria perna e falou com sarcasmo:

— Jura que não sabe? Nem imagina?

André pensou rapidamente e concluiu que só poderia ser por causa de Lílian. Mas agora, depois de tantos anos? Lílian estava morta e enterrada.

Diante de seu silêncio, Alfredo falou:

— Você achou que poderia brincar e fazer de trouxa Alfredo Ramos? Você achou que conseguiria sair livre dessa? Talvez tenha me enganado por um tempo, mas ninguém me passa a perna sem levar o troco.

— Espere! Vamos conversar com calma — tentou argumentar André sem obter sucesso.

— Eu não vim aqui para conversar. Não há nada que você queira me dizer que me interesse.

— Você está assim por causa de Lílian, eu sei. Mas, por favor, ouça-me. Sei que o que fiz não foi correto, mas eu era ainda jovem e me deixei encantar pela beleza de Lílian.

Alfredo se levantou e deu uma bofetada em André, dizendo:

— Você está insinuando que foi minha mulher que o seduziu? Que ela é que foi procurar você atrás de uma aventura?

André não ousou responder que sim. Alfredo continuou:

— Não se atreva a ofender Lílian. Sei que muitas vezes eu não dei a atenção que ela merecia, e que podia em alguns momentos sentir-se sozinha e carente. Era a oportunidade para um calhorda feito você se aproveitar e seduzi-la. Não adianta negar. Já me informei sobre sua fama de mulherengo e conquistador.

André estava horrorizado. Alfredo havia criado uma realidade em sua cabeça e era evidente que nada iria demovê-lo de volta à verdade. Mas não conseguia entender qual era o objetivo dele. O que pretendia? A dúvida angustiava cada vez mais o coração de André.

O advogado prosseguiu falando cada vez com mais ódio:

— Você seduziu minha mulher, tornou-se seu amante e depois se casou com outra. Não consigo perdoar o que ela me fez, mas o ódio que sinto quando penso que você a fez sofrer é ainda maior e cresce quando penso que você devia me achar um idiota, não é?

— Por favor, Alfredo, jamais me diverti com a situação. Tudo aconteceu sem planos, nós nos envolvemos e...

Nesse momento, André levou outra bofetada que o fez se calar. Alfredo não queria ouvir:

— Cale essa boca! Eu não quero saber suas justificativas. Eu já sei de tudo, absolutamente tudo, e você vai pagar por seus atos.

André ficou desnorteado. Então era isso! Alfredo iria entregá-lo à polícia. Tudo o que ele mais temia, o que o levou a ceder à chantagem, estava prestes a acontecer. O bandido não havia cumprido sua parte e devia ter contado tudo a Alfredo. Agora teria de enfrentar o escândalo, a dor de Viviane e, quem sabe, a cadeia. Apavorado e sem raciocinar direito ele gritou:

— Eu juro que não a matei! Foi um acidente. Juro, não tive intenção.

Ao ouvir aquilo, Alfredo obteve a confirmação de suas suspeitas que haviam sido alimentadas por Válter. Enfurecido, ele agarrou o pescoço de André com as duas mãos fortemente e gritou:

— Seu miserável. Você matou minha mulher para livrar-se dela antes do seu casamento. Eu não tinha certeza, mas você acabou de confirmar isso.

André estava quase sufocando quando Alfredo o soltou. Tossindo e falando com dificuldade ele tentou argumentar:

— Eu juro que não tinha a intenção. Estávamos discutindo, ela me agrediu, desequilibrou-se e caiu batendo a cabeça em uma pedra na beira do rio. Ainda tentei ajudá-la, mas já era tarde.

Alfredo estava desfigurado de ódio:

— Tentou ajudá-la como se a deixou para trás, o corpo abandonado para ser levado pelas águas, e fugiu como covarde que é?

— Eu só fugi quando verifiquei que ela estava morta e que não havia mais nada que eu pudesse fazer. Eu não queria matá-la, jamais faria isso.

Acompanhando toda a cena em um canto da sala estavam Lílian e o líder de seu grupo. A cada grito de Alfredo, a cada bofetada em André, ela aplaudia sob os olhares do companheiro.

André implorou com lágrimas nos olhos:

— Por favor, escute-me. Não faça nada, não tome nenhuma atitude antes de conversarmos. Sei que vai entender. Você é um homem culto, inteligente, está fora de si tomado pelo ciúme, mas acalme-se; sei que compreenderá. Somos civilizados, não precisamos levar as coisas dessa forma. Mais uma vez, juro que sou inocente.

Alfredo voltou a sentar e perguntou:

— Isso é tudo? Acabou? Estou sendo bastante paciente com você.

A essa altura, André estava tremendo e já não conseguia mais controlar as lágrimas que escorriam abundantes pelo seu rosto. A fala estava difícil, mas ele precisava insistir para mostrar a Alfredo a loucura daquela situação.

Lílian repetiu várias vezes para o líder do grupo:

— Que maravilha ver André assim, frágil e desamparado. Ele que era tão decidido e forte agora parece um ratinho assustado. Ele brincou comigo, desprezou-me e agora está tendo o que merece. Chego a sentir remorso por ter traído Alfredo. Ele agora vai vingar minha morte e eu o amo por isso!

André lutava com todas as suas forças para se controlar enquanto falava:

— Escute, Alfredo, me entregar à polícia não vai trazer Lílian de volta. Sou inocente, já disse, mas até que consiga provar o escândalo será inevitável. O assunto vai parar em todos os jornais. Você e eu somos conhecidos, pessoas da sociedade, não será bom para você se expor dessa forma. Com certeza, será muito prejudicial à sua carreira brilhante e reconhecida.

Alfredo coçou o rosto devagar e disse calmamente com expressão analítica:

— É verdade! Não posso negar que você tem razão.

André deu um leve suspiro e retomou o ânimo para continuar, concluindo que Alfredo estava caindo em si:

— Então, vai ser terrível todo esse escândalo, mais o processo desgastante e seu nome sendo achincalhado, porque sempre existirão os que farão da tragédia motivo para piadas. São uns imbecis, mas existem aos montes, e você sabe disso. Pense bem, por favor! Minha esposa está grávida. Não sei se você sabe, mas perdi um filho ainda garoto. Agora estamos esperando a chegada do nosso bebê para daqui a três meses. Isso vai abalar muito a saúde de minha mulher, e ela não tem culpa de nada. Minha filha vai sofrer também, é apenas uma criança.

Lílian, ao ouvir a menção sobre a esposa de André, liberou ainda mais sua raiva:

— Ah, ela vai sofrer sim, de preferência vai perder essa criancinha babona! Ela vai sofrer tanto quanto eu sofri. E o culpado pelo sofrimento dela será você, que também foi culpado pelo meu.

André continuou falando, alheio às péssimas energias enviadas por Lílian:

— Pelo amor que tem a Deus, poupe minha mulher dessa vergonha. Preserve a reputação que você construiu. Você pode evitar esse escândalo. Por favor, não me entregue à polícia.

Alfredo levantou-se, olhou bem para André e respondeu, sentindo um prazer absurdo com as palavras ditas:

— Você é muito ingênuo. Achou mesmo que o entregaria à polícia? Mesmo com todo o meu prestígio, dificilmente eu conseguiria mantê-lo na cadeia. Você tem dinheiro e bons contatos também. Além disso, acredito que facilmente provaria sua inocência. Não valeria a pena.

— Mas, então?

— Vou acabar com você. Só assim limparei minha honra e vingarei a morte de Lílian.

Dizendo isso, ele deu um grito e os dois homens entraram. André não conseguiu falar mais nada. Apenas gritava de dor enquanto era violentamente espancado sob os olhares atentos de Alfredo e os gritos animados de Lílian. Os capangas o agrediram de tal forma que quase o mataram ali mesmo.

Sem conseguir reagir e dizer uma palavra, ele ouviu de Alfredo:

— Você não vai morrer agora. Terá tempo de pedir clemência a Deus!

Nesse momento, quase sem conseguir se manter consciente, André pediu a Deus perdão pelos seus erros e a misericórdia Divina para que não sofresse mais. Lembrou da família e rogou que ela ficasse protegida e superasse os momentos terríveis que ainda enfrentariam.

Suas orações foram interrompidas quando foi novamente agarrado pelos dois homens e arrastado para o lado de fora.

André já não conseguia pensar nem sentia mais dor. Seu corpo havia entrado em choque e, apesar de ainda manter os olhos abertos, não esboçava nenhuma reação. Estava com fraturas em vários ossos do rosto, pernas, braços e costelas. O sangue jorrava de sua boca, o que denunciava uma grave hemorragia interna. Seu coração ainda batia, mas ele estava praticamente morto.

Antes de Alfredo se reunir com ele dentro da sala, os capangas, sob sua orientação, destruíram de tal forma o carro de André que parecia que ele havia sofrido uma batida violenta. Ainda cuidaram de detalhes impressionantes, como danificar a vegetação em um determinado trajeto e criar esfoliações em vários troncos de árvores pelo caminho.

Agora faltava pouco. Colocaram o que sobrara de André sentado no banco do motorista, em seu próprio carro, com a atenção de não prendê--lo ao cinto de segurança, o que justificaria a gravidade dos ferimentos. O banco ficou rapidamente encharcado de sangue.

Fecharam a porta e deixaram as janelas abertas só um pouco, cerca de três dedos. Tudo certo, empurraram o carro até a lagoa e o colocaram dentro d'água. Ainda empurraram um pouco mais até onde a profundidade era maior. Voltaram para a margem e ficaram observando ao lado de Alfredo.

Conforme a água foi invadindo o automóvel pelas janelas, ele foi afundando lentamente. E quanto mais pesado ficava, mais rápido afundava, até que logo tinha desaparecido totalmente.

Alfredo respirou fundo e disse satisfeito:

— Esse já está a caminho do inferno, que é o lugar dele.

Virou-se para os dois capangas e falou, determinado:

— Vocês me servem muito bem há anos, mas agora terão de desaparecer para sempre. Nunca mais apareçam na cidade ou nesta região. Espero que os rapazes que vocês indicaram me atendam tão bem quanto vocês. Aqui está o dinheiro que prometi. Agora vão e nunca mais quero vê-los; esqueçam até meu nome.

Dizendo isso, entregou aos dois a valise que André havia dado para Válter, exatamente com o mesmo conteúdo. Os bandidos agarraram a recompensa e sumiram sem olhar para trás.

Alfredo foi até a beira da lagoa e cuspiu na direção de onde o carro submergiu, virou as costas e também se foi, encerrando o caso.

No fundo da lagoa, em meio às águas frias e turvas, o corpo de André jazia no abandono, exatamente como Fernando no passado.

Capítulo 34 Conhecendo o sofrimento

Lílian não cabia em si de tanto contentamento. Perguntava a todo momento ao líder do grupo:

— Você sabe para onde foi André? Tem como eu vê-lo?

O líder agora estava impaciente e sem vontade de conversar. Mas respondeu:

— Claro que você não pode vê-lo. Ele deve estar em algum outro lugar longe daqui.

Lílian se irritou:

— Quer dizer que ele não veio para cá? Não vou poder esfregar na cara dele que eu me vinguei?

— Ele não veio para cá porque não é igual a você. Ele é muito melhor.

Agora ela ficou furiosa:

— Melhor do que eu? Um traidor assassino não pode ser melhor do que eu. Ele tinha de estar aqui para pagar pelos seus erros. Isso não é justo!

Definitivamente o líder não tinha mais a menor intenção de aguentar aquela mulher que o tempo todo ele achara insuportável. Virou as costas e saiu caminhando. Quando ela percebeu que ele se afastou, correu em sua direção gritando:

— Ei, onde está indo? O que vamos fazer agora?

Sem olhar para ela e sem parar, ele falou:

— Quanto a você não sei, mas me enchi dessa história, estou saturado de você. Vou em busca de outras diversões. Não aguento mais ouvir você falar nessa gente. Chega, acabou! De agora em diante, se quiser fazer mais alguma coisa contra eles, vire-se sozinha.

Desta vez Lílian não sentiu medo, já estava acostumada com a vida que estava levando e sentia-se segura, mas não admitia ser largada sem mais nem menos. Pulou na frente do líder, fazendo-o parar, e disse com firmeza:

— Você não vai me deixar. Somos cúmplices e ainda quero saber o que vai acontecer com a sem sal. Não posso perder o sofrimento dela. Preciso de você.

Ele a empurrou com força e a jogou no chão:

— Nunca mais se atreva a se colocar no meu caminho.

Continuou sua caminhada quase passando por cima dela e desapareceu.

Em casa, Alfredo serviu-se de uma bebida forte. Durante sua conversa com André, tentou manter-se em uma posição de acusador e justiceiro pela morte da mulher. Mas, na verdade, em seu íntimo, ele agora pouco se importava. Depois de saber que Lílian tinha sido capaz de traí-lo daquela forma, ele passou a nutrir por ela o mesmo ódio que sentia por André. Infelizmente, não teve a chance de colocar as mãos em Lílian ainda com vida. Ela, com certeza, iria se arrepender profundamente de tê-lo feito de bobo. Mas agora era tarde, ela estava morta e ele nada mais poderia fazer.

Embora procurasse não pensar, o ódio que sentia por Lílian não o deixava esquecer. Ficou remoendo a frustração por não poder aplicar o corretivo que considerava que ela merecia. Ele havia dado à mulher uma vida de luxo e conforto. Não poupava gastos para satisfazer os desejos e caprichos de Lílian, e o que recebeu em troca? Traição.

Alfredo sentia o sangue ferver cada vez que pensava nisso. Sentia que ia explodir de tanta raiva. Mas os seus maus pensamentos, seu ódio durante toda a vigília a André, seu orgulho ferido, acabaram por corroer seu corpo, e enquanto ele saboreava sua bebida, sentiu uma forte pontada no peito e desabou no meio da sala.

Era o fim do reinado de Alfredo Ramos. Finalmente um oponente a quem ele não pôde vencer: a morte. Um infarto fulminante o tirou de cena.

O cenário onde acordou era horrível e exalava um mal cheiro insuportável. Alfredo estava caído em um chão imundo e tratou de se reerguer, apesar de sentir uma forte dor no peito. Não entendia o que estava acontecendo e buscou alguém com quem pudesse falar. Mas não havia ninguém, tudo estava escuro e deserto. Decidiu procurar algum lugar menos fedorento do que aquele.

Não sabia por onde passou nem quanto tempo andou, mas finalmente deparou com um homem sentado em um tronco de árvore seco e caído. Estava sozinho e não tinha uma aparência muito boa, mas era sua única opção.

Aproximou-se e procurou falar com calma, porque não sabia nada sobre o que estava acontecendo e seria aconselhável agir com prudência:

— Olá. Estou perdido e precisando de ajuda.

O homem estava de cabeça baixa, braços cruzados, e respondeu sem se mexer:

— Todos estamos!

Alfredo se inquietou, mas voltou a tentar:

— Você sabe que lugar é este? É horrível, não sei como vim parar aqui.

— Você morreu!

Alfredo não acreditou no que ouviu, mas o homem repetiu:

— Você morreu e está no inferno!

Em segundos, algumas lembranças vieram à sua cabeça e Alfredo se revoltou:

— Não é possível! Agora eu me lembro, estava em casa tomando uma bebida quando senti uma dor muito forte — falou passando a mão no peito ainda dolorido.

O homem não se alterou:

— É isso. Um infarto o matou. Foi rápido, pelo jeito. Agora já era. Acostume-se que está no inferno e veja como pode aproveitar.

Estranhamente, Alfredo não teve nenhuma outra reação. Sua calma chegou a surpreendê-lo, mas se era assim, o que fazer? Apenas lamentou por todos os seus bens deixados na Terra. O que seria feito deles? Seus carros, suas propriedades, seu dinheiro, coisas que ele levou uma vida toda para juntar agora estavam perdidos para sempre. Ele voltou a falar com o homem querendo saber mais sobre o local:

— Então o inferno é assim? Eu imaginava algo diferente, mais animado, com muitas garotas pervertidas e muita diversão.

— Esse é o inferno dos filmes e das comédias. Aqui só existe miséria e sofrimento.

Alfredo não gostou.

— E como faço para sair daqui?

— Pensa que é fácil? Desista. Você está aqui porque buscou a vida toda esse caminho. Quem sabe um dia consegue sair por bom comportamento? — concluiu o homem rindo, mas ainda sem levantar sequer a cabeça.

Alfredo ficou irritado:

— Quer dizer que isso aqui é como uma prisão?

— Não faça drama. Aqui você pode ir e vir. E ainda é possível se divertir, se souber como.

Houve um momento de silêncio até que o homem perguntou:

— O que você fazia na Terra? Deve ter aprontado coisas muito feias para chegar aqui. Como é seu nome?

Empertigando-se, ele respondeu:

— Alfredo Ramos. Doutor Alfredo Ramos, advogado renomado.

Só então o homem levantou bem devagar a cabeça e com os olhos brilhando disse:

— Finalmente a diversão vai voltar. Muito prazer. Pode me chamar de líder, que é como todos me conhecem — lançou um sorriso maquiavélico estendendo a mão para Alfredo, que retribuiu o cumprimento.

Já assumindo uma postura diferente, o líder começou a conversar com Alfredo e ouvir sua versão para toda a história que ele conhecia muito bem.

Ao fim do relato, o líder, animado com os acontecimentos que se descortinavam bem à sua frente, foi direto ao ponto, pois estava ansioso para ver o espetáculo começar.

— Quer dizer que sua maior frustração foi não poder dar uma bela surra em sua mulher?

Alfredo rangeu os dentes ao responder:

— Pode ter certeza que sim. Aquela vadia tinha de pagar pelo que fez.

O líder abriu um largo sorriso e disse:

— E se eu levá-lo até ela?

Alfredo arregalou os olhos:

— Como assim? Você sabe onde ela está? Nunca acreditei nessas coisas de espírito, mas, é claro, se eu estou aqui ela também deve estar em algum lugar. Você a conhece?

— Digamos que superficialmente. Mas meu amigo, desculpe-me, sua mulher é muito chata. Foi difícil aguentar o tempo que tive de passar com ela.

— Diga ex-mulher. Não quero mais saber daquela desqualificada. Mas se ela está aqui, como posso encontrá-la?

— Venha comigo. Ela está aqui perto e logo poderá estar frente a frente com ela.

Alfredo seguiu o líder ansioso. Finalmente poderia acertar suas contas com Lílian. Pensou até que morrer tinha lá suas vantagens.

Depois de caminharem por algum tempo, Alfredo viu a mulher rodando sozinha no meio do nada, fazendo um giro em torno do próprio corpo e cantarolando. Alfredo levou um choque ao vê-la. Em nada ela lembrava a mulher chique e sofisticada com quem fora casado. Aquela que estava diante de seus olhos era uma mulher mal cuidada, envelhecida, descabelada. Ele mal podia acreditar que era ela. Já estava disposto a dizer ao líder que havia sido um engano, que aquela não era Lílian, mas ela o viu e correu em sua direção parecendo uma louca e pulando em seus braços. Atônito, Alfredo nada fez enquanto ela o abraçava e dizia quase com euforia:

— Você chegou, querido! Não imaginei vê-lo tão cedo. Mas que bom que está aqui. Este lugar é horrível, mas na sua companhia tudo vai melhorar. E que bela lição você deu naquele desgraçado! Agora ele deve estar ardendo em algum outro lugar desse mundo infernal.

O marido não retribuiu ao abraço, e assim que ela se acalmou, ele apertou os braços de Lílian afastando-a dele. Depois falou com severidade:

— Como você ousa me tocar, aproximar-se de mim dessa forma depois de tudo o que me fez, sua traidora?

Só então ela percebeu a ira na expressão do marido. Ele continuou a falar:

— Eu lhe dei uma vida de luxo e você me retribuiu com falsidade e traição.

Ela começou a sentir medo do jeito dele e tentou seduzi-lo como fazia quando queria algo:

— Não diga isso. Sei que errei, mas foi um momento de loucura, eu não estava no meu juízo perfeito. Mas eu sempre amei você e agora poderemos ficar juntos e recomeçar nossa vida.

O líder olhou para Alfredo esperando que ele não caísse na armadilha de Lílian. Se ele cedesse, não teria graça nenhuma. E Alfredo mantinha sua posição firme, não se deixando envolver por ela:

— Mulher, você não me engana mais. Não adianta vir com esse jeito sedutor porque não vai me convencer. E você está com um aspecto repugnante, não quero que me toque.

O líder falou para Alfredo:

— É, você não pode deixar que ela saia impune depois do que lhe fez, não é?

Lílian virou-se para ele e falou com raiva:

— Qual é seu problema? Não disse que não queria mais me ver? Vá embora, desapareça, que isso é assunto de família e você não tem de se meter.

Enquanto ela falava, não percebeu que Alfredo, bem devagar, foi tirando o cinto de sua calça e se aproximando dela. Quando se deu conta, ele já estava muito próximo e ela tentou fugir, mas foi impedida pelo líder. Alfredo então falou:

— Esta surra vai ser para você jamais esquecer que comigo não se brinca. Você vai ter a lição que merece.

O líder estava adorando ver o terror nos olhos da mulher e, segurando-a com força, ofereceu o corpo de Lílian para Alfredo, que começou a açoitá-la sem piedade. No início, ela esbravejou seu ódio, mas depois, com as dores lancinantes, ela começou a implorar que eles parassem, mas não foi atendida por nenhum dos dois.

Quando Alfredo sentiu-se satisfeito, agarrou-a pelos cabelos e disse:

— Isso é só o começo. Ainda vou pensar no que mais você merece.

Ela chorava e tremia sem coragem de dizer uma só palavra.

O líder dirigiu-se a Alfredo fazendo com que Lílian ouvisse bem suas palavras:

— Eu estava pensando que posso me tornar seu aliado e mostrar como se vive por aqui e como podemos fazer as coisas serem mais interessantes. E essa aí pode ser nossa escrava, o que acha? Creio que será uma forma de fazê-la pagar pela humilhação que lhe causou.

Alfredo adorou a ideia e, virando-se para a mulher, falou:

— Você ouviu o que ele disse? A partir de agora você será nossa escrava. Vai servir para nos satisfazer em todos os sentidos e, caso tente fugir, nós a pegaremos e vai ser pior para você.

O líder começou a gargalhar enquanto conseguia um pedaço de corda com o qual envolveu o pescoço de Lílian e, em seguida, estendeu a ponta da corda para que Alfredo tivesse a honra de levar a escrava quando resolvessem sair dali.

Lílian tentou tirar a corda, pois estava com as mãos livres, mas depois de levar alguns socos de Alfredo e do líder, aquietou-se e não tentou mais. Saiu arrastada por eles como se fosse um bicho. Não podia sequer imaginar os horrores pelos quais ainda passaria.

Os dois homens a mantiveram assim por muito tempo. Vagavam na escuridão os três, repetindo maldades como Lílian vira quando chegou àquele lugar, só que desta vez a vítima ela era. Quando ficavam entediados, Alfredo e o líder a torturavam e humilhavam de todas as formas. Fizeram da existência dela um verdadeiro inferno. Alfredo parecia nunca se cansar de sua vingança.

E esse foi o destino selado por eles, alimentado por suas atitudes cruéis e egoístas enquanto encarnados na Terra. Agora vagariam por um incontável tempo pelas piores zonas do umbral, entre a escória dos espíritos. O sofrimento e a dor seriam suas companhias constantes.

Capítulo 35 | À procura de notícias

As horas passavam e André não chegava a casa. Viviane estava muito aflita e buscava no noticiário alguma indicação de acidente na estrada. Ela sabia sobre o cliente em outra cidade e temia que algo pudesse ter acontecido. Tentou diversas vezes o celular de André, mas sempre dava fora de área.

Perto das nove da noite, Rute colocou Marília para dormir e voltou para a sala onde estavam Juliano e Viviane. A menina perguntou várias vezes pelo pai e Viviane desconversou, escondendo sua preocupação e dizendo que ele chegaria tarde por causa do trabalho. Marília contou várias vezes sobre a ida do pai à escola, como ficara feliz e orgulhosa por apresentá-lo às amigas.

Agora que ela já estava deitada, todos puderam exteriorizar suas preocupações. A primeira a falar foi Viviane:

— André não costuma fazer esse tipo de coisa, vocês sabem. Ele sempre é muito cuidadoso para não me preocupar. Meu coração está apertado! Sinto que algo ruim está acontecendo.

Rute pensou e resolveu dar uma sugestão:

— Por que não ligamos para a polícia?

Juliano respondeu:

— É, pode ser uma boa ideia.

Viviane vacilou:

— Não sei, será que eles podem ajudar?

— Desculpe dizer isso, minha amiga, mas se algo aconteceu, algum acidente, eles com certeza serão os primeiros a saber — disse Rute, temerosa por suas próprias palavras.

Juliano olhou com compaixão para Viviane, que parecia não aprovar a ideia, e disse:

— No fundo, você está com receio de saber o que eles vão dizer, não é, cunhada?

Ela sentiu os olhos marejarem e não respondeu de imediato, mas depois de alguns minutos de silêncio, finalmente disse:

— Não suporto mais essa angústia. A pior verdade será melhor que essa dúvida corroendo meu coração. Pegue o telefone, Juliano, você pode fazer a ligação?

— Claro, agora!

Levantou-se e voltou já com a ligação sendo feita. Rute sentou-se ao lado de Viviane e deu-lhe a mão. Juliano colocou no viva-voz a pedido de Viviane, assim todos poderiam ouvir a conversa:

— 190, boa noite! Em que posso ajudar?

— Boa noite. Por favor, o senhor saberia me informar se houve algum acidente na pequena estrada do leste?

O homem na linha pensou um pouco e respondeu:

— O senhor pode aguardar, por favor.

Os três se entreolharam apreensivos e ansiosos pela resposta, até que finalmente ouviram a voz novamente:

— Senhor, não houve nenhuma ocorrência na estrada que o senhor mencionou.

Respiraram aliviados:

— Mas o senhor sabe me dizer se depois das sete da noite houve algum acidente grave pela cidade?

— Não, senhor. A noite está bastante tranquila e não sabemos de nenhuma ocorrência grave.

Juliano não tinha mais nada a dizer e Viviane fez sinal de que estava tudo certo:

— Então está bem, senhor, muito obrigado pela atenção.

— Estamos à disposição. Tenha uma boa noite.

Rute foi a primeira a manter uma postura mais otimista:

— Bem, se não houve nenhum acidente grave, graças a Deus, então deve ter acontecido um imprevisto que o impediu de avisar.

Juliano concordou, embora em seu íntimo não acreditasse nisso. Viviane não conseguia ter a mesma postura:

— Não sei, fiquei aliviada com a informação da polícia, mas ainda sinto um aperto no coração. Estou com mau pressentimento.

O silêncio voltou a reinar no ambiente e o tempo passou muito rápido. Já eram quase onze horas quando Viviane pediu:

— Juliano, por favor, pegue o livro *O Evangelho Segundo o Espiritismo*. Vocês gostariam de me acompanhar em uma leitura?

Ambos concordaram e logo Juliano voltou com o livro e o entregou nas mãos de Viviane.

Ela fechou os olhos por alguns segundos e, em seguida, abriu em uma página aleatoriamente e leu as primeiras palavras: "Bem-aventurados os que choram, pois serão consolados...". Prosseguiu na leitura por várias páginas até terminar todo o capítulo. Ao término disse:

— Esta leitura aquieta meu coração. Deus é justo e, de fato, as contrariedades pelas quais passamos, todos os problemas, têm uma razão de ser, e deles, desses mesmos problemas, devemos tirar os ensinamentos necessários para o nosso crescimento espiritual.

Rute completou:

— A leitura do Evangelho sempre nos fortalece e indica o caminho para o alívio da nossa alma, é verdade.

Juliano falou:

— Sempre que as pessoas passam por algum tipo de aflição, de contrariedade, perguntam-se "por quê?". Ou então "por que comigo?". Mas se tiverem a coragem de fazer uma rigosa e minuciosa avaliação de suas condutas, muitas vezes descobrirão que o que estão passando nada mais é do que o resultado de suas próprias atitudes nesta vida. Ou, por outro lado, caso não seja assim e venham a estudar o Evangelho, saberão que as causas das aflições podem ter sua origem em vidas anteriores.

Viviane disse com um pouco mais de serenidade:

— E, se for assim, a causa sendo resultado de atitudes do passado, temos de analisar tudo o que está ocorrendo e o que os fatos querem nos mostrar para podermos agir em conformidade com o acerto e, dessa forma, nos reajustarmos com nosso passado.

— De uma forma ou de outra, a aceitação das situações que vivemos é o primeiro passo para a paz no coração — disse Rute.

Juliano concluiu:

— É verdade, Rute. As pessoas que não conseguem atingir essa aceitação tornam-se revoltadas, sentem-se injustiçadas e, muitas vezes, por causa disso, começam a cometer atos ruins com a intenção de se vingar da vida, de quem elas consideram culpadas pelos seus males, ou então fazem com que os outros sofram da mesma forma que elas. É muito triste uma vida sem aceitação e compreensão.

Viviane fechou novamente os olhos e fez uma pequena prece:

— Deus nos proteja de todo o mal e nos dê força, sabedoria e compreensão para enfrentarmos toda e qualquer adversidade que venha nos assolar o coração. Que Deus nos preserve de sentimentos ruins como a vingança ou a soberba de nos sentirmos superiores e imunes aos desafios que todos devemos enfrentar. Peço misericórdia de nossa alma e proteção para toda minha família.

Rezaram um Pai-Nosso e Rute, levantando-se, falou:

— Quem aceita um chá? Acho que vai aquecer nossa alma e nosso corpo.

— Ótima ideia. Logo André dará notícias e tudo ficará bem.

Viviane fez que sim com a cabeça, mas enquanto isso apertava fortemente o Evangelho no peito, como se quisesse que ele apoiasse suas palavras.

Quando Rute estava passando pela sala de jantar em direção à cozinha, o telefone tocou e fez com que ela voltasse rapidamente para perto de Viviane e Juliano, que, imediatamente, atendeu à ligação enquanto o coração deles pulsava forte e velozmente.

— Alô? Quem fala?

Seguiu-se um breve silêncio de sua parte e, em seguida, ele disse desanimado:

— Não, minha senhora. Não tem ninguém aqui com esse nome... não, sem problemas, estávamos acordados, não se preocupe.

Antes que desligasse, Rute retomou seu caminho para preparar o chá sem dizer uma palavra.

Viviane desanimou por não ter sido o marido a ligar, mas também ficou feliz por não ser nenhuma notícia ruim.

A madrugada chegou sem que André desse notícias. O medo voltava a dominar os sentimentos de Viviane, mas estavam todos exaustos e cada um se ajeitou no sofá e nas poltronas; passaram o resto da noite em silêncio. Nenhum deles chegou a dormir profundamente, mas tiveram pequenos momentos de cochilo; quando já estava amanhecendo, Juliano trouxe um café para levantar o ânimo da cunhada e da amiga. Ele não tinha mais dúvida nenhuma de que teriam um dia muito difícil, só não conseguia alcançar a dimensão do problema.

Após o pequeno café, Rute ligou para a mãe de uma coleguinha de Marília pedindo uma carona para a menina ir para a escola, e foi prontamente atendida. Depois disso, foi acordar a pequena, ajeitou-a como fazia todas as manhãs e, quando desceu para servir-lhe o café, Marília correu para os braços da mãe:

— Bom dia, mamãe. Já vou tomar café. Hoje vou para a escola com a Fabi. A Rute me contou e achei legal. Bom dia, tio Juliano. Onde está papai? Nem vi quando ele chegou ontem, peguei logo no sono.

Juliano salvou Viviane, que sentia um nó na garganta que a impediu de responder:

— Querida, papai chegou muito cansado do trabalho. Ainda está dormindo e é melhor não incomodá-lo.

— Que pena. Queria dar um beijo de bom dia, mas dou o beijo quando voltar.

Dizendo isso, ela correu para a mesa, tomou seu café e saiu.

Novamente o silêncio. Ninguém ousava dizer nada; na verdade, não sabiam o que fazer. Para surpresa de Rute e Juliano, foi Viviane que, de forma muito lúcida, tomou a iniciativa:

— Vamos até a delegacia. É melhor registrarmos um boletim de ocorrência informando o desaparecimento de André.

Saíram em seguida os três rumo ao departamento policial. Quando lá chegaram, Juliano dirigiu-se ao balcão de atendimento sendo seguido pelas duas mulheres:

— Bom dia! Por favor, com quem eu posso fazer um boletim de ocorrência?

O policial do outro lado falou sem nenhuma emoção:

— Qual foi o crime? Assalto? Briga? Assassinato?

Juliano olhou interrogativamente para Viviane e Rute, e a cunhada falou:

— Desaparecimento.

O policial que até então nem havia prestado atenção nela e em Rute, ergueu o olhar por cima dos óculos e perguntou:

— É menor de idade?

Viviane sem pensar perguntou:

— Eu? Claro que não!

O homem sorriu ironicamente e disse:

— Não, minha senhora, o desaparecido.

Viviane ficou envergonhada pela gafe e foi Juliano quem respondeu:

— Não, doutor. Foi meu irmão, marido desta senhora — e apontou para Viviane.

— Eu não sou advogado nem médico. Não precisa me chamar de doutor.

— Sim, senhor, desculpe — disse Juliano querendo apressar a conversa e chegar logo ao ponto que importava. — Então, como eu disse, foi meu irmão que desapareceu inexplicavelmente.

Novamente o policial se dirigiu à Viviane:

— Vocês brigaram?

Rute olhou para ele indignada com a pergunta, enquanto Viviane pacientemente respondeu:

— Claro que não!

— Não sei, minha senhora. Muitas vezes o marido ou a mulher desaparecem após uma briga, mas logo voltam arrependidos.

Juliano, Rute e Viviane fecharam a cara contrariados e o policial insistiu:

— Desculpe, madame, mas a senhora desconfia de alguma amante?

Nessa hora Rute se irritou:

— Meu senhor, que absurdo é esse? O marido de minha amiga é uma ótima pessoa, correta, e está desaparecido. Como o senhor pode falar uma coisa dessas?

— Estou fazendo meu trabalho, senhora. Pessoas boas podem ter relações extra-conjugais também, por que não?

Juliano interveio, tentando poupar Viviane ao máximo:

— Senhor policial, meu irmão é feliz no casamento, não houve nenhuma briga e ele não tem nenhuma amante, certo? Ele saiu do trabalho ontem, foi a uma reunião em uma cidade próxima e desde então não deu mais notícias. Não é do feitio dele agir dessa forma, por esse motivo estamos muito preocupados.

— Compreendo — disse o policial, ainda sem estar convencido de que a causa do desaparecimento não tinha sido uma briga ou outra mulher. E continuou: — Mas o senhor disse que isso foi ontem?

— Sim — disse Juliano.

— A que horas ele fez o último contato?

Viviane pensou um pouco e falou com certeza:

— Foi quase no fim da tarde, quando ele ia pegar a estrada do leste para ir para o cliente.

O policial suspirou e falou encerrando o caso:

— Bem, não tem nem vinte e quatro horas do último contato. Isso não se configura desaparecimento. Não podemos fazer nada por enquanto.

— Mas eu ouvi dizer que isso não é necessariamente assim — disse Juliano nervoso.

— Aqui é assim e o senhor teve sorte. Em outras delegacias e outras cidades, o prazo é de quarenta e oito horas para considerar o desaparecimento.

— Então a polícia não pode fazer nada?

O homem se esforçou para fazê-los entender:

— Meu senhor e minhas senhoras, o efetivo da polícia é sempre inferior às necessidades. Os senhores tem ideia de quantos trotes o serviço de emergência recebe diariamente? É um absurdo que ainda façam isso, mas são dezenas todos os dias. Além disso, existe todo tipo de situação envolvida em desaparecimentos: brigas, infidelidade, drogas, dívidas, enfim, muita coisa. Algum desses é o caso de vocês?

Diante do silêncio dos três, que se recusaram a responder, ele prosseguiu:

— Portanto, se a polícia sair em investigação sem ter algum indício de crime ou de fato desaparecimento, alguma ocorrência real e grave pode colocar em risco a vida de alguém por não ter sido atendida a tempo. É assim que funciona. Vocês devem aguardar vinte e quatro horas. Quem sabe nesse tempo o... como é mesmo o nome dele?

— André Meirelles! — disse Viviane com um nó na garganta.

Nesse momento, o telefone tocou e o policial atendeu fazendo sinal para que eles esperassem:

— O quê? Homem? Onde?

Os três o olharam ansiosos. Ele percebeu e continuou perguntando e olhando para eles:

— Sim sei. Que idade ele tem? Sei, entre cinquenta e sessenta anos! — ao dizer isso fez sinal de positivo com o polegar para Juliano, que com o dedo indicador acenou que não era André.

— Ok. Vou enviar uma viatura agora mesmo e acionar o Instituto Médico Legal. — Desligou e disse: — Vocês viram? É assim. Fatos de verdade acontecem a todo instante.

Rute perguntou:

— O que houve? Sobre o que era a ligação?

— Encontraram o corpo de um homem em uma mansão da cidade. A empregada o encontrou estirado no chão da sala. Parece que era um figurão. Não se sabe se foi crime ou morte natural. Vai ter investigação na certa. Posso ajudá-los em mais alguma coisa? — perguntou o policial já pegando novamente o telefone e demonstrando que estava muito ocupado e não podia mais atendê-los.

Viviane fez que não com a cabeça e saíram sem imaginar que o corpo ao qual o policial se referia era justamente o do assassino de André.

Da delegacia, partiram para procurar André em todos os hospitais da cidade. Queriam encontrá-lo de qualquer maneira. Ao menos, se ele estivesse ferido em algum lugar poderiam ajudá-lo. Essa esperança os motivava a continuar.

Foi um longo e exaustivo dia.

Capítulo 36 | Renascer

Mesmo sendo possuidora de grande fé, a ausência de notícias sobre o paradeiro de André estava minando completamente as forças de Viviane. Um dia, Rute teve de levá-la às pressas ao médico porque ela estava tendo contrações fortes seguidamente, e ainda faltava certo tempo para o nascimento da criança. O médico ficou bastante apreensivo com o quadro de saúde de Viviane. Ela já apresentava sinais de anemia e estava com tonturas, reflexo da fraqueza que vencia seu corpo. Foram receitadas vitaminas e um remédio para controlar as contrações. A recomendação mais importante foi que a partir daquele dia ela fizesse repouso absoluto até o fim da gestação.

Viviane não gostou, argumentou que não podia pensar em descansar agora. Por alto, comentou com o doutor a grave situação pela qual estava passando e ele reiterou que mais do que nunca ela devia se preservar e cuidar da saúde. A polícia e os órgãos competentes cuidariam do caso, mas ela devia cuidar das duas vidas pelas quais era a responsável: a dela e a do filho.

Rute falou que ela pessoalmente cuidaria para que Viviane seguisse rigorosamente as recomendações. O médico ainda receitou um relaxante natural, que não tinha nenhum componente que fizesse mal ao bebê, mas, prevendo que Viviane se recusaria a fazer uso dele, entregou a receita para Rute pedindo que ela o administrasse quando sentisse que Viviane estava muito tensa.

E assim os dias se passaram. Rute conseguiu que Viviane tomasse o calmante sempre à noite, antes de dormir, embora ela achasse se tratar de mais uma vitamina.

Juliano estava chegando a casa quando seu celular tocou. Ele não reconheceu o número e pensou em não atender. Também estava muito cansado e nervoso. Acabara de chegar da casa dos pais e a situação por lá era muito ruim. Esconderam o quanto puderam dos pais de André sobre seu desaparecimento, mas quando finalmente a mãe soube da verdade, desesperou-se e o pai precisou se desdobrar para aguentar sua própria dor e apoiar a esposa.

O celular não parava de tocar. Quando ele decidiu que iria desligá-lo, um impulso o fez atender:

— Sr. Juliano Meirelles? Aqui é o investigador Fontelles. Preciso que o senhor venha imediatamente à delegacia.

— Acharam meu irmão? Ele está bem?

A voz do outro lado era solene:

— Por favor, senhor, preciso que o senhor venha até a delegacia.

Juliano ficou alterado:

— Pelo amor de Deus, o senhor não vê minha aflição? Pode me adiantar o que está acontecendo?

Fontelles não gostava de falar certas coisas ao telefone. Acostumado a lidar com crimes e dores, sabia que algumas notícias precisavam ser dadas com toda a cautela, mas, por outro lado, entendia o desespero e a ansiedade de Juliano. Tentou falar de forma a amenizar ao máximo as consequências que fatos tão devastadores causariam na família de André:

— Sr. Juliano, aconteceram fatos novos, mas não podemos afirmar que estejam relacionados com o desaparecimento de seu irmão.

— Pode falar, doutor, o que houve? Estou ouvindo!

— Minha equipe encontrou um carro na estrada do leste. Mas ainda não tive a confirmação se é o carro que estamos procurando.

— Não é possível! Aquela área foi vasculhada com cuidado há semanas e nada encontraram. Como surgiu esse carro agora? Do nada? Estava abandonado?

— Não, senhor. Tudo indica que sofreu um acidente.

Juliano suspirou:

— Bem, então não pode mesmo ser o carro de André. Se foi acidente, deve ter acontecido nas últimas horas. Sua equipe teria visto o carro acidentado logo que começaram as buscas se fosse o carro de meu irmão.

— Não exatamente. O carro estava submerso na lagoa. Hoje, pela manhã, um jovem de bicicleta a caminho do trabalho percebeu algo estranho e, quando foi verificar, viu um pequeno pedaço da capota do carro que estava visível. Ele acionou a emergência e agora estão trabalhando para removê-lo das águas.

Juliano tremeu e se deu conta de que poderia ser o carro do irmão. Sem muita coragem conseguiu perguntar:

— Encontraram alguém, talvez o motorista?

— Ainda não tenho notícias sobre isso. Por essa razão preciso que venha até aqui. Caso haja algum corpo no interior do veículo, precisarei de alguém que faça o reconhecimento. Nós vamos juntos até o local. Eu sinto muito, mas é necessário que seja assim.

Juliano passou a mão nervosamente pela testa e respondeu:

— Dê-me algum tempo. Em menos de uma hora estarei aí.

Ele não sabia o que fazer. Não queria que Viviane soubesse o que estava acontecendo, mas, ao chegar, com certeza ela ouvira o barulho do carro. Ele então entrou em casa, falou com a cunhada para verificar como ela estava e disse que sairia novamente para fazer algumas compras de frutas, que eram muito importantes na dieta dela. Viviane pediu que não demorasse e ele prometeu voltar logo. Fez sinal para que Rute o acompanhasse até o jardim e falou aflito sobre a ligação que recebera. Rute ficou também muito apreensiva:

— Deus ajude para que não seja nada relacionado a André.

Juliano não conseguia manter o otimismo:

— Estou com medo, Rute. Muito medo.

— Acho que vou ligar para o médico de Viviane. Não sabemos o que teremos que enfrentar hoje ainda.

— Faça isso e procure de todas as formas evitar que ela perceba alguma coisa.

— Fique tranquilo, saberei como fazer. Assim que ela for para o banho eu ligo para ele.

Despediram-se e Juliano partiu para cumprir a pior missão de sua vida.

Ao chegarem à beira da lagoa, havia uma grande movimentação de bombeiros e policiais. Uma ambulância aguardava por algum ferido, com as portas traseiras abertas e as luzes piscando. Mas no mesmo local estava também um carro do Instituto Médico Legal, uma visão que fez Juliano estremecer. Um trator robusto já estava quase finalizando a retirada do automóvel, que estava parcialmente coberto por algas e com grande quantidade de água em seu interior, o que aumentava muito seu peso e tornava o trabalho lento.

Fontelles foi inspecionar de perto toda a movimentação, mas Juliano preferiu ficar distante enquanto fazia suas orações.

Pouco tempo depois, Fontelles se aproximou dele e sua expressão era tensa:

— Sr. Juliano, acabamos de retirar um corpo do carro. Ele está em adiantado estado de decomposição e a identificação será bastante difícil apenas visualmente. Mas quem sabe o senhor reconhece algum objeto ou a própria roupa. Acha que está em condições de enfrentar essa situação?

Juliano tremia sem conseguir se controlar, mas sabia que apenas ele seria capaz de enfrentar aquela situação. Um nó na garganta o impedia de falar e apenas confirmou positivamente com a cabeça que estava pronto para seguir em frente, embora não se sentisse de forma alguma preparado para o que veria.

Ao se aproximarem, o corpo já estava estendido no chão envolto em um saco preto fechado na frente por um zíper que percorria toda sua extensão. Ao seu lado, o carro bastante danificado, mas não o suficiente para deixar dúvidas: era o carro de André.

Juliano estancou de repente, sem coragem de continuar. Todos os presentes abriram caminho para dar passagem e ficaram penalizados com a situação, mas Juliano não conseguia dar nenhum passo. Uma enfermeira aproximou-se e ofereceu ajuda. Segurando em seu braço, ela acompanhou Juliano e Fontelles até o cadáver. O policial agachou-se e abriu o zíper até a altura do peito da vítima e Juliano soltou um grito desesperado. A enfermeira o abraçou e ele virou as costas para aquela cena terrível e, chorando como uma criança, gritou:

— Meu Deus! É André! Meu irmão está morto!

Juliano foi levado até a ambulância, onde lhe deram um calmante até que ele tivesse novamente condições de reagir. Assim que o medicamento começou a fazer efeito, Juliano parou de chorar. Estava com o olhar perdido, o corpo pesado e sem forças para falar. Conseguia responder algumas perguntas feitas por Fontelles, mas isso exigia dele muito esforço e, com certeza, não conseguiria voltar sozinho para casa.

Uma assistente de Fontelles ligou para o celular de Rute por orientação de Juliano. Contou rapidamente o que estava acontecendo e orientou que ela chamasse com urgência o médico de Viviane. Levariam Juliano de volta para casa e teriam de dar a notícia à viúva.

Rute ficou em choque. Trancou-se em seu quarto onde podia dar vazão à sua dor sem que Viviane a visse. Precisaria reunir todas as suas forças para não demonstrar nada até que todos estivessem juntos para comunicar-lhe a morte do marido. Aproveitou a privacidade e ligou para o médico, que prontamente atendeu ao seu pedido dizendo que logo estaria na residência. A situação era muito séria e ele teria de estar lá para prestar toda a assistência necessária.

Depois de alguns minutos, Rute se recompôs e deixou o quarto, indo ao encontro de Viviane na sala, que não percebeu a angústia pela qual a amiga estava passando.

Para surpresa de Rute, em determinado momento Viviane levantou-se e falou:

— Vou até o jardim, preciso respirar um pouco.

— Eu lhe acompanho.

— Não Rute, obrigada, prefiro ficar sozinha um pouco.

Dizendo isso, ela saiu. Rute foi até a janela, de onde ficou observando Viviane, que caminhava em direção ao rio como se estivesse totalmente absorta em seus pensamentos. Um tempo depois, quando estava voltando para entrar em casa, três carros passaram pelos portões vindo em sua direção.

As pernas de Viviane fraquejaram e ela apoiou-se em uma árvore para manter o equilíbrio.

De um dos carros desceram Juliano e Fontelles. Do outro, a enfermeira e, logo atrás, no terceiro carro, o médico, que chegou coincidentemente na mesma hora.

Quando ela olhou para Juliano, seu coração se partiu em pedaços. Fontelles queria evitar prolongar aquele momento terrivelmente doloroso e dirigiu-se a ela, mas, antes que começasse a falar, foi interrompido por Viviane, que, em lágrimas, disse:

— Eu já sei, doutor. Meu marido está morto.

Rute estava chegando e ficou impressionada com a calma com que Viviane disse aquelas palavras.

Fontelles apenas respondeu positivamente e foi então que veio a maior surpresa:

— Ele esteve aqui, eu sei que esteve aqui. Senti sua presença me acarinhando. Ele veio se despedir — disse Viviane com lágrimas escorrendo por seu rosto.

Rute correu para perto dela e estendeu-lhe a mão, sendo seguida por Juliano, que abraçou a cunhada sem conseguir controlar a emoção. Embora Viviane parecesse relativamente calma, o médico sabia que ela estava para explodir por dentro, conhecia esse tipo de reação diante de um choque. Ficou atento e assim que fosse possível a levaria para dentro para examiná-la.

Mas não houve tempo.

De repente, Viviane caiu em si e abandonou o torpor no qual se encontrava e gritou:

— Não, meu Deus, por favor, André, não! Já perdi meu filho, não saberei viver sem meu marido! Não! Misericórdia! Não leve meu marido!

A cada palavra da cunhada, Juliano sentia como se estivessem dilacerando seu peito. Ele a abraçava e ela se debatia enquanto repetia sempre as mesmas palavras.

O médico correu também para perto dela e, com a ajuda de Rute, amparou-a e conduziu-a de volta para casa. Juliano caminhava logo atrás, passos lentos, entrecortados por soluços e lágrimas.

Quando estavam quase na porta, Viviane deu um grito de dor e contorceu-se projetando o corpo para a frente enquanto gritava ainda mais:

— Meu Deus! Que dor horrível. Doutor, acuda-me.

As contrações estavam fortíssimas e Viviane não conseguia mais andar. O médico a pegou no colo e a levou para a sala colocando-a deitada no sofá. Ela gemia e gritava levando ambas as mãos à barriga. Alguns minutos depois, o sofá foi tingido de sangue, o sangue que escorria por suas pernas.

Apressado, o médico pediu à Rute que chamasse uma ambulância enquanto ele verificava o estado de saúde de mãe e filho.

Depois, ele levantou-se e falou para Juliano de forma reservada:

— Ela entrou em trabalho de parto. Precisamos removê-la para o hospital o mais rápido possível.

Juliano apenas exclamou:

— Mas ainda falta muito tempo, doutor.

O médico sentenciou:

— O choque que ela levou apressou as coisas. O bebê vai nascer. E precisamos ter os recursos necessários em casos de nascimentos prematuros. Temos de ser rápidos.

O alvoroço foi geral. Rute foi providenciar uma maleta com as roupas do bebê e da mãe. Viviane sentia muita dor, física e emocionalmente. O espírito de André, aflito, vendo o sofrimento de seu amor, mantinha-se ao seu lado, mas nada podia fazer.

O médico gritou:

— Esqueçam a ambulância. Não vamos ter tempo de removê-la. Teremos de fazer o parto aqui. Peçam apenas que venham com a UTI neonatal.

Foi uma correria. A enfermeira providenciou tudo de que precisavam, enquanto Fontelles, o médico e Juliano colocavam Viviane em seu quarto. Ela gritava muito e Rute estava quase em pânico.

O doutor arregaçou as mangas e, com o auxílio da enfermeira, iniciou os procedimentos para a realização do parto.

De repente, apareceram um mentor espiritual e Fernando. André pôde ouvir o que o mentor dizia:

— Fernando, chegou sua hora. Que Deus o acompanhe e o ajude a trilhar seu novo caminho.

Fernando olhou para André e deu um sorriso.

André observava a tudo confuso, mas, então, uma intensa luz branca e violeta envolveu Fernando que, aos poucos, foi se restringindo e sendo colocado no útero de Viviane, envolvendo-a completamente enquanto a figura de Fernando, agora em forma de bebê, fundia-se na luz, que a cada instante se tornava mais brilhante e maior [1].

Foi uma visão deslumbrante para André, que chorava e sorria ao mesmo tempo. Durante alguns minutos, ele ficou hipnotizado por aquela cena de uma beleza como ele nunca vira. Não havia mais nenhum grito, nenhum som, apenas muita luz.

Houve então uma explosão de raios tão intensamente lindos que André chegou a proteger levemente os olhos e, em seguida, o choro forte e vigoroso do bebê era tudo o que se podia ouvir. A luz foi se esvaindo suavemente e André soluçava de tanta emoção quando o mentor foi até ele e colocou a mão em seu ombro.

A voz do médico rompeu o encantamento:

— Rápido, levem a criança para a UTI. A mãe está bem, mas o bebê precisa de assistência imediata.

Juliano perguntou muito nervoso:

— Ele corre risco, doutor?

— Ele é prematuro e esse procedimento é normal. Vamos levá-lo agora.

A enfermeira ficou auxiliando Viviane com o apoio de Rute, enquanto os outros levavam o recém-nascido para receber os cuidados necessários.

André olhou para o mentor, que lhe disse:

— Está na hora de irmos, tudo vai ficar bem.

— Então era essa a missão de Fernando! Vamos, agora eu sei que tudo vai ficar realmente bem.

---

1 Nem todo espírito reencarna dessa maneira; aliás, este é um caso bastante raro, pois em geral o ser reencarnante sofre o processo de restrição do corpo perispiritual segundos depois da concepção e, em seguida, é ligado ao feto, que passa a se desenvolver conforme o modelo do corpo espiritual que a ele foi ligado. No caso de Fernando, por necessidade de estudo e aprimoramento no plano espiritual e, principalmente, seu grau de consciência do processo, seu espírito foi ligado ao feto pelo cordão de prata (principal ligação do espírito com o corpo) na hora da concepção, mas ele pôde prosseguir preparando-se no mundo espiritual, perdendo a consciência apenas na hora do nascimento. Para entender melhor o assunto, sugerimos a leitura do capítulo "Reencarnação", do livro *Missionários da luz*, de Chico Xavier e André Luiz. (Nota do médium.)

Capítulo 37 | Momentos difíceis

Após os primeiros cuidados administrados pela enfermeira e por Rute, Viviane foi levada por elas até o hospital, onde ficaria por vinte e quatro horas se restabelecendo do parto e de tantas outras emoções vividas recentemente. O quadro geral da jovem mãe era bom, mas ela precisava de vitaminas e soro para se recuperar da anemia que vinha apresentando. Além disso, um relaxante a faria acordar no dia seguinte com mais vigor para enfrentar a despedida de André. Rute ficaria como sua acompanhante.

O bebê permaneceria no mesmo hospital até receber alta, com prazo ainda indefinido.

Depois que tudo estava ajeitado e Viviane já havia adormecido, Juliano chamou Rute no corredor:

— Preciso ir agora. Tenho de passar na casa de meus pais e depois providenciar a liberação do corpo de André e preparar o funeral. Liguei para os pais de Viviane e eles ficaram de me encontrar para dar a notícia. A mãe dela ficará com eles e o pai irá comigo cuidar dos preparativos necessários. Ainda tenho de encontrar Marília. Meu Deus, como será difícil tudo isso! Como darei a notícia a minha sobrinha? Depois de perder Tiago, agora terá de enfrentar a perda do pai.

Rute fez um carinho no rosto de Juliano e perguntou:

— Você quer que eu o acompanhe? Viviane vai dormir a noite toda e creio que não precisará de mim. Caso ela acorde, terá as enfermeiras para atendê-la, o que acha?

— Não sei! Se ela acordar e não vir ninguém conhecido pode ficar inquieta.

— Espere, vou falar com o médico e volto já.

Juliano ficou esperando no mesmo lugar com os pensamentos perdidos. Era muita coisa para resolver e ele precisaria de todas as forças para não esmorecer. Sentia-se cansado demais, triste demais, e sua vontade naquele momento era deitar e dormir por muitas horas seguidas. Mas isso não era possível. Rute não demorou a retornar:

— O médico disse que posso ir sem problemas. O medicamento que deram a Viviane é forte e ela não acordará antes do amanhecer. Dará tempo de resolvermos tudo e estarei aqui quando ela despertar.

— Fico mais tranquilo assim.

— Acho melhor você me deixar na casa onde Marília está. Eu conversarei com ela e você vai encontrar os pais de Viviane na casa de seus pais. Lá você terá uma dura situação a enfrentar, deixe que de Marília eu cuido. Faço isso desde que ela nasceu — completou Rute com um sorriso.

Olhando com imensa ternura, Juliano falou:

— Rute, você é maravilhosa! Nem sei como lhe agradecer por tudo o que você tem feito. Seu companheirismo incansável, sua solidariedade, seu carinho com todos nós são comoventes. Muito obrigado, de coração — e concluiu dando um beijo suave no rosto de Rute.

A moça corou e respondeu timidamente:

— Juliano, não quero agradecimentos, porque o que faço é pelo amor que tenho por todos da família da qual sinto fazer parte. Agora vamos, temos de nos apressar.

Quando Marília chegou correndo à sala da casa da amiguinha e deparou com Rute, pulou em seus braços muito feliz:

— Rute, diga que veio me buscar. Estou com saudades de casa, de todos.

Olhou em seguida para a amiga e para a mãe e falou sem jeito:

— Eu adorei ficar aqui, mas vocês não ficam chateadas de eu querer voltar para casa, não é?

As duas sorrindo disseram que não, que era natural que ela quisesse voltar.

Rute então pediu licença para ir até o jardim conversar com Marília. A dona da casa já estava ciente de tudo e levou a filha para o quarto, deixando

Rute e a menina à vontade para conversarem. Sentaram-se em um banco à sombra de uma árvore e Rute ficou imaginando como daria tão triste notícia. Foi talvez um dos momentos mais difíceis de sua vida:

— Querida, precisamos conversar um assunto muito sério e você, que já é uma mocinha, terá de ser bem forte.

Marília olhava para ela ora com os olhos arregalados, ora franzindo a testa. Rute prosseguiu:

— Na vida existem situações das quais não podemos fugir. São coisas inevitáveis que acontecem a todas as pessoas. E, nessas horas, quando surge um desses acontecimentos, temos de orar a Deus para que Ele nos ajude a superar seja lá o que for. Porque Marília, acredite, tudo na vida passa, o tempo é um santo remédio.

Rute começou a se sentir perdida. Achou suas palavras confusas, não acreditava estar agindo da maneira certa, temeu por não conseguir ser o apoio de que Marília com certeza necessitaria agora. A menina a olhou, colocou a mãozinha na perna de Rute e falou:

— Um acontecimento ruim chegou para mim? Para minha família? Está tudo bem com o bebê, Rute?

Os olhos de Rute umedeceram, mas ela se controlou enquanto respondeu:

— Está tudo bem com o bebê sim, minha querida. Inclusive, ele já nasceu e quando sairmos daqui vou levá-la para conhecê-lo.

Marília bateu palmas de felicidade:

— Que bom! Ele se parece comigo? Ninguém escolheu um nome para meu irmãozinho. Será que papai e mamãe me deixam escolher?

Quando Marília mencionou o pai, Rute sentiu a garganta fechar e acreditou que não conseguiria prosseguir. Foi quando, mais calma, Marília falou:

— Rute, meu irmão nasceu e isso é feliz. Mas você estava falando de coisas tristes. Então aconteceu mais alguma coisa, não foi? Alguma coisa triste. O que foi?

Respirando fundo, Rute falou:

— Querida, sua mãe está bem, o bebê está bem, mas os dois vão precisar muito de você. Aconteceu uma coisa, um acidente com seu pai.

Surpreendendo Rute, Marília falou com um triste fiapo de voz:

— Papai desencarnou? É isso que você quer me dizer?

Rute não conseguiu dizer uma palavra, apenas confirmou com a cabeça.

Marília se recostou em Rute e chorou baixinho, quietinha, sem alarde, enquanto Rute acariciava seus cabelos. Depois de alguns minutos, secando as lágrimas com as duas mãozinhas, ela olhou para Rute e, com um sorriso que se misturava ao pranto, já sendo contido, falou sem soluçar:

— Rute, vou sentir muita falta de papai. Já estou com muita saudade e essa saudade vai ficar comigo até quando eu já estiver bem velhinha. Agora estou sentindo meu coração machucado sabe? Ele tá doendo como minha perna dói quando levo um tombo. Mas na perna eu passo remédio, e o remédio para meu coração será dado por Deus e pelo meu anjo da guarda que sei que vão cuidar de mim. E meu coração vai sarar também.

Ao ouvir isso, Rute não mais se conteve e da mesma forma que Marília, ela começou a chorar e a sorrir, emocionada pela lucidez da menina. Marília continuou:

— Não chore não, Rute. Eu também já não vou mais chorar. Papai deve estar nos vendo e, se a gente chorar, ele vai ficar triste. Não quero que papai fique triste. Lá no centro espírita aprendi que não devemos deixar as pessoas que amamos e que se foram ficar tristes. E olha, agora, apesar de toda a saudade que vou sentir de papai, fico feliz por Tiago. Sei que ele tem muitos anjos com ele, mas agora ele terá papai também para cuidar dele. Eu tenho você, tio Juliano, mamãe e agora até ganhei um irmãozinho. E quem ia ficar com Tiago? Ele deve estar mais feliz com papai ao lado dele. Não posso ser egoísta e querer tudo para mim, não é?

Rute abraçou fortemente Marília e fez uma oração de agradecimento a Deus pelos ensinamentos que a menina recebeu durante todas as suas idas ao centro espírita, que a esclareceram tão bem a ponto de fazê-la aceitar aquele momento, a perda, sem nenhuma revolta ou trauma.

A mãe da amiguinha de Marília convidou-as para entrar enquanto esperavam Juliano. Ofereceu um lanche e tentavam distrair as meninas enquanto o tempo passava. Mas, naturalmente, Marília só falava no pai, contando para a amiga e para a mãe dela o que havia acontecido:

— Não, obrigada. Só quero beber um suco, tia. Meu coração tá machucado e quando tá assim, parece que a garganta também dói e não dá vontade de comer. Mas sabe, meu pai agora está no céu com meu irmão Tiago. Um vai cuidar do outro. E eu vou ajudar minha mãe a cuidar de meu irmãozinho. Rute contou que ele nasceu hoje?

A mãe da amiga de Marília ficou comovida com aquelas palavras e sorriu para Rute, admirada com a serenidade da menina. Enquanto as crianças conversavam sobre o céu e os anjos, a moça perguntou para Rute:

— Como ela pode estar tão tranquila diante de uma notícia tão terrível?

Rute sorriu:

— Já há muito tempo ela frequenta o grupo infantil do centro espírita que a família também frequenta. Eu e o tio dela os levamos até lá.

— E o que as crianças fazem lá?

— Elas estudam, assim como os adultos, *O Evangelho Segundo o Espiritismo*, só que de uma forma voltada para a idade delas, para que compreendam os ensinamentos. Conhecem o mundo espiritual e passam a conviver com isso de uma forma natural. Fazem também trabalhos sociais, ajudando crianças carentes da comunidade. É tudo muito bonito.

— Aqui em casa não temos uma religião, não seguimos nem praticamos nenhuma. Mas depois do que vi hoje, gostaria muito de conhecer o centro espírita. Olhe como minha filha está interessada nas coisas que Marília está falando.

— Basta você me dizer quando quer ir que eu a levo. Marília pode apresentar a amiga para sua turminha, tenho certeza de que ela irá gostar.

As duas continuaram conversando e Rute estava feliz constatando que, espontaneamente, mais uma família iria conhecer a Doutrina Espírita e, quem sabe, abraçá-la com a mesma fé que a família de André já havia feito.

Para Juliano, a situação foi bem mais difícil. Sua mãe entrou em choque ao saber da morte de André e precisou ser medicada. O pai ficou absolutamente desolado, achando que não conseguiria sobreviver. A mãe de Viviane ficou com eles quando estavam um pouco mais calmos e Juliano e o sogro de André saíram para tomar as providências práticas. No caminho, ele recebeu uma ligação de Rute avisando que iria de táxi de volta ao hospital porque Marília estava ansiosa para conhecer o irmão. Juliano queria saber como tinha sido com Marília, e Rute apenas respondeu:

— Juliano, você tem uma sobrinha iluminada! Fique tranquilo, depois lhe conto tudo.

Horas se passaram e Rute não conseguia fazer Marília querer deixar a UTI neonatal. Elas não podiam entrar, mas através de uma imensa janela toda de vidro podiam ver o bebê que estava muito próximo na incubadora. Logo que chegaram, Marília perguntou:

— Por que ele está naquela caixinha de vidro? Parece a Branca de Neve! Mas ela estava dormindo e acharam que ela tinha morrido. Estão achando que ele morreu também?

Rute riu e respondeu:

— Não, minha querida! Aquela caixinha chama-se incubadora. Ele nasceu pequenininho e é normal que fique ali por alguns dias, só para ficar mais forte. Está sendo alimentado e mantido em uma temperatura bem gostosa. Logo sairá e irá para casa conosco.

A menina estava com as duas mãozinhas abertas e a ponta do nariz coladas no vidro. Sem se mexer, dizia de tempos em tempos:

— Olhe, Rute, ele sorriu pra mim! Olhe, mexeu a perninha! Nossa, ele é tão lindinho!

Quando Juliano chegou e viu a sobrinha daquele jeito, deu seu primeiro sorriso do dia. Abraçou a menina, que foi dizendo:

— Tio, você já sabe que papai desencarnou, não é? Não fique triste. Nós vamos ficar juntos aqui e papai vai cuidar de Tiago. Posso ver mamãe? — perguntou Marília voltando a colar o nariz no vidro sem esperar a resposta.

Juliano virou-se emocionado para Rute, que também tinha os olhos marejados e perguntou:

— Viviane acordou?

— Não, só amanhã pela manhã mesmo.

Olhando novamente para Marília, Juliano falou com Rute:

— Você tinha razão. Essa menina é um anjo de luz que vai ser um bálsamo para curar a ferida de minha cunhada.

Dizendo isso, ele aproximou-se de Rute e passou o braço pelos ombros da moça, que sentiu novamente seu rosto corar enquanto ele continuou falando:

— Acho melhor levarmos Marília para casa. Precisamos de um banho, um descanso, e comer alguma coisa. Logo cedo o corpo de André vai para a capela onde será realizado o velório. O enterro está marcado para o fim do dia. Precisaremos estar bem para dar apoio a Viviane e aos meus pais.

— Você tem razão! Vamos sim, isto é, se conseguirmos tirar Marília daqui.

Os dois sorriram e foram chamar a menina, que relutou um pouco, mas acabou cedendo.

Já dentro do carro a caminho de casa, vencida pelas emoções, Marília adormeceu no banco de trás.

Constatando que a menina dormia, Juliano falou sem pensar muito:

— Rute, vivemos tantas coisas desde que nos conhecemos. Sinto como se conhecesse você a vida toda. Não sei como teria enfrentado tudo sem você ao meu lado.

Rute sentiu o coração acelerar e respondeu:

— Eu também sinto como se nos conhecêssemos há muito mais tempo. Como eu disse, sinto-me desde o início fazendo parte da família, talvez seja isso.

Enquanto dirigia com cuidado, ele a olhou rapidamente e falou:

— Rute, temos ainda um dia muito difícil amanhã. As próximas semanas também serão duras. O bebê tem de sair do hospital e, até isso acontecer, sei que Viviane não estará tranquila. E sinto que temos muito o que conversar ainda.

Ela apenas o olhou em silêncio com receio de estar interpretando mal as palavras do amigo.

Ele, percebendo sua vacilação, concluiu:

— Tudo na sua hora. Agora quero apenas que saiba mais uma vez que você é muito importante para mim.

Capítulo 38 | Nova Esperança

O funeral de André foi repleto de emoção e toda a sociedade local estava presente.

Viviane passou todo o tempo abraçada à filha. Ambas haviam conversado muito e Marília mostrou para a mãe que elas podiam e iriam superar todas as perdas juntas, com muita união e fé. Viviane ficou comovida e orgulhosa pela maturidade da filha em tão inocente idade e agradeceu muito a Juliano e Rute por indicar-lhes o caminho do conhecimento espírita. Agora, mais do que nunca, tinha certeza de que esse era o maior alicerce de sua família.

Os pais de André precisaram de muito amparo. Não conseguiam aceitar a perda do filho. A mãe, Maysa, chegou a blasfemar contra Deus em um momento de desespero, julgando-o culpado pela morte do filho e injusto por tirar a vida de um homem tão bom. Inácio, pai de André, parecia um corpo sem vida, perdido em um olhar seco e distante.

Conrado e Isadora, pais de Viviane, dedicavam atenção especial aos sogros da filha.

A volta para casa pareceu mais dolorosa do que todos imaginaram. Juliano foi para a casa dos pais e Viviane, Marília e Rute ficaram juntas e sozinhas.

Nunca aquele lar pareceu tão silencioso e grande. A presença de André ainda podia ser sentida por todos os lugares. A todo momento Viviane sentia como se ele fosse entrar pela porta sorrindo como sempre fazia, abraçando a família e contando as novidades do dia. O peso daquela ausência era transformado em um profundo cansaço, e todas se recolheram muito cedo esperando que o novo dia lhes renovasse as forças.

E assim que amanheceu, o sol se manifestou na alegria e pureza de Marília, que foi acordar a mãe perguntando se podia escolher o nome do irmãozinho e se podia arrumar algumas coisas no quarto dele.

Ela estava ansiosa para voltar ao hospital e visitar o irmão, e recebeu a promessa de que iriam logo após o almoço.

Sem dar uma trégua, Marília insistiu:

— Mamãe, posso mesmo escolher o nome dele?

Viviane sorriu e respondeu:

— Claro que sim, filha. Você já tem algo em mente?

Com os olhinhos piscando, ela revelou:

— Outro dia vi um desenho lindo, de uma história de um rei que tinha muitos cavaleiros. Ele vivia em um castelo e tinha até coroa de verdade. Meu irmão agora é o rei desta casa. Podíamos dar a ele o nome desse rei, Arthur. O que acha?

Não era o que a mãe tinha em mente e ela argumentou:

— Não é um nome muito sério para um menininho tão pequeno?

Marília esticou o dedinho indicador fazendo sinal negativo enquanto dizia:

— Não é não, mamãe, porque quando ele for grande esse nome vai caber bem direitinho no corpo dele.

Viviane começou a rir da resposta inteligente da filha e acabou cedendo:

— Você tem razão. Arthur é um nome belo e forte. Como será forte e bonito nosso pequeno rei.

Beijaram-se e Marília correu para contar a novidade a Rute.

Viviane havia decidido logo cedo a tomar uma providência penosa, mas necessária, e quanto antes o fizesse, melhor. Enquanto Marília cuidava do quarto de Arthur, Viviane chamou Rute:

— Preciso enfrentar logo essa situação, minha amiga.

Rute sentiu um aperto no coração:

— Tem certeza de que quer fazer isso agora? Pode esperar um pouco.

— Não! Será difícil em qualquer tempo, e muita gente vai se beneficiar.

Por que esperar?

Juntas, elas recolheram praticamente todas as peças de roupa e calçados de André. Algumas coisas guardaram para Juliano, outras poucas Viviane queria guardar de recordação, e o restante seria doado ao centro espírita para ser distribuído entre as pessoas carentes da comunidade. O mesmo fizeram com outros objetos pessoais.

Logo tudo estava organizado e separado. Rute levaria as coisas, ainda pela manhã ao centro espírita e retornaria para almoçarem juntas e seguirem para o hospital na parte da tarde para visitar Arthur.

O menino era a manifestação de um milagre. Rapidamente estava ganhando peso, e o médico indicou que ele ficaria muito menos tempo do que o previsto no hospital.

Mais algumas semanas se passaram e finalmente chegou o dia de Viviane levar o filho para casa.

Todos a aguardavam ansiosos em casa, inclusive os avós. Mas, apesar da alegria de poder estar com o neto, Inácio e Maysa pareciam duas sombras. Sorriam, mas o sorriso era de uma tristeza de cortar o coração. Ao olharem para Arthur, ambos começaram a chorar e Juliano os levou para o jardim na esperança de que se acalmassem.

Foi quando Conrado e Isadora se aproximaram dizendo:

— Meus amigos, temos um convite para fazer a vocês. Estamos há muito tempo planejando uma longa viagem, um cruzeiro até a Europa. Gostaríamos que vocês fossem conosco, como nossos convidados.

Inácio olhou para eles com os olhos ainda úmidos e disse com a voz fraca:

— Não sei se podemos. Que direito temos de nos divertir se nosso filho está morto?

Maysa completou:

— Seremos um fardo para vocês.

Juliano achou a ideia maravilhosa:

— Papai, mamãe, claro que vocês devem ir. Precisam se distrair, relaxar e descansar. E uma viagem assim vai fazer muito bem a vocês.

Maysa estava vacilante:

— Não sei. Além do que, o que nossos amigos vão pensar? Perdemos um filho e saímos em viagem?

Isadora interveio:

— Minha querida, quem os julgar mal não são amigos verdadeiros. Os amigos não julgam, apenas apoiam.

Juliano ficou aborrecido:

— Mamãe, o que importa é o bem-estar de vocês. Que importa o que os outros pensam? André diria o mesmo se estivesse aqui e ficaria chateado se vocês não fossem.

O casal se entreolhou e Inácio falou:

— Você acha mesmo, meu filho, que André aprovaria?

— Claro! Tenho certeza que sim.

Sem que nada fosse decidido, voltaram para o interior da casa e foram tirar fotos com Arthur. O ambiente estava leve e tranquilo.

Já era fim de tarde quando se despediram. Inácio e Maysa, após alguns instantes sozinhos, comunicaram:

— Decidimos aceitar o convite e vamos viajar. Só esperamos ter decidido pelo mais correto.

Uma semana depois, os dois casais estavam embarcando sob os acenos de Viviane, Juliano, Rute, Marília e o pequeno Arthur.

Aos poucos, Viviane retomou sua rotina no consultório, Marília voltou a frequentar as aulas e Rute cuidava de Arthur e da casa como sempre fizera.

Juliano mudou-se definitivamente para a casa de Viviane, após muita insistência dela. Tudo parecia estar se ajeitando dia após dia e a tranquilidade voltava a reinar.

Rute, todas as manhãs bem cedinho, levava Arthur para pegar sol na piscina, e em um desses dias, Juliano esperou Viviane sair com Marília e foi até o jardim encontrar com Rute:

— Bom dia! Então nosso reizinho gosta mesmo desse sol.

— Gosta sim, olha como ele fica esperto e brincando. Logo estará correndo e nadando com Marília.

Juliano sentou-se ao lado dela e foi direto ao assunto:

— Rute, acho que chegou a hora de termos aquela conversa que está pendente.

Ela sentiu o coração acelerar e perguntou timidamente:

— Sobre o que você quer falar, Juliano?

Ele tocou os cabelos de Rute e disse sem medo de ser rejeitado:

— Sobre nós dois! Rute, os acontecimentos foram conturbados e passamos por situações muito traumáticas. Talvez tudo isso tenha feito com que nossos sentimentos tenham ficado em segundo plano, mas agora acho que merecemos pensar em nossa felicidade. Você diz que sempre se sentiu parte da família. Quero que agora você realmente seja parte de nossa família, como minha namorada. Eu não tenho a menor dúvida, Rute. Eu a amo e quero passar minha vida toda ao seu lado. Aceita namorar comigo?

Rute ficou com os olhos marejados e respondeu sorrindo:

— Juliano, eu temia pelos meus sentimentos. No início, achava ser só amizade, mas já há algum tempo percebi o quanto o amava. Não podia desmonstrar meu amor, pois jamais imaginei ser correspondida. Você não imagina a felicidade que trago em meu coração agora. Claro que aceito ser sua namorada. Vai fazer de mim a mulher mais feliz do mundo.

Finalmente, depois de tantos sofrimentos, dois corações encontravam a alegria na união do amor e nos planos para o futuro.

Naquela mesma noite, durante o jantar, Juliano e Rute comunicaram à Viviane a novidade.

Ela reagiu com imensa alegria:

— Se vocês querem saber, eu sempre torci muito para que isso acontecesse. E André também. Sei que, onde ele estiver, estará compartilhando a felicidade de todos nós.

Marília estava exultante:

— Quer dizer que agora posso chamar você de tia Rute?

— Claro que sim, Marília — respondeu Juliano dando um beijo na namorada.

Viviane também tinha uma novidade para contar:

— Com tudo o que aconteceu, alguns planos meus ficaram estagnados, sem grandes progressos. Mas, graças ao Paulo, o meu *site* voltado para auxiliar famílias que perderam pessoas queridas e para divulgar a Doutrina Espírita se manteve atualizado e ativo. Decidi que quero mais do que isso. Quero participar mais ativamente de uma forma mais pessoal nesse projeto. Vou abrir uma instituição aqui na cidade, onde farei o mesmo trabalho de apoio, só que de forma presencial. Nessa intituição, quero promover muitas atividades, encontros e palestras, tudo que possa fazer com que as pessoas retomem a vontade de viver após o luto e acreditem que a vida continua.

Juliano e Rute vibraram com a iniciativa, e Viviane encerrou a conversa com o convite:

— Juliano, gostaria muito que você assumisse a direção da instituição e você, Rute, fosse a responsável pelo núcleo voltado para as crianças que perderam os pais ou alguém também importante em sua vida. Vocês aceitam?

Ambos ficaram lisonjeados com o convite e aceitaram. Em minutos, os três conversavam animadamente sobre o projeto e as atividades que promoveriam.

Quatro meses se passaram desde aquela primeira conversa.

Viviane comprou uma bela casa em um bairro tranquilo de Sete Lagoas.

Mais uma vez, ela chamou Marcelo e Camila para realizarem o projeto e transformar a casa em um local bonito e acolhedor. Os irmãos haviam passado um tempo nos Estados Unidos fazendo um curso, mas, mesmo à distância, acompanharam os acontecimentos que envolveram a família de André. Agora, estavam felizes por novamente poderem compartilhar da vida daqueles a quem tanto estimavam.

O local ficou um espetáculo. A casa era grande, mas muito simples em toda sua decoração e confortável. Em todos os ambientes predominavam as cores branca e violeta e havia várias salas para as diversas atividades que seriam exercidas.

Apenas a área infantil era mais colorida, mas sempre em tons pastel, que davam leveza e alegria ao espaço.

Todos trabalharam muito divulgando o projeto e, no dia da inauguração, havia um público bem maior do que o esperado por Viviane.

E foi ela que, muito emocionada, fez o discurso de abertura do local:

— Queridos amigos, sejam bem-vindos! Não conheço muitos de vocês ainda, mas os chamo de amigos porque aqui, neste local, o que reina é a amizade e a fraternidade. Alguns me conhecem e sabem de minha trajetória, outros nem tanto. Mas posso dizer que vivi experiências em minha vida que fortaleceram meu espírito e consegui, com o sofrimento, tornar-me uma pessoa melhor. Perdi um filho, meu menino, com pouco mais de sete anos de idade. Não há no mundo dor maior do que a da perda de um filho. Senti meu coração dilacerado, destruído para sempre, e achei que jamais poderia ter minha vida de volta, que jamais voltaria a sorrir. Mas tinha minha outra filha, que precisava de mim, do meu apoio, e eu tinha de ser forte. Tudo o que eu fazia e pensava me pareciam insuficientes porque eu não queria continuar vivendo. Mas Deus foi maravilhoso comigo e colocou em meu caminho duas pessoas que hoje são indispensáveis em minha vida e à Instituição Nova Esperança. Juliano, meu cunhado querido, e Rute, amiga inseparável e a quem devo muito. Eles me apresentaram a Doutrina Espírita, a qual passei a estudar profundamente por meio de *O Evangelho Segundo o Espiritismo*, de Allan Kardec. Na Doutrina Espírita, descobri que a vida não termina com a morte do corpo físico. Aprendi que o espírito apenas faz uma passagem, uma viagem para outro plano, onde vai estudar e se aprimorar para que possa enfrentar outras missões que ainda tenha pela frente. Nesse outro plano, vai se confrontar com sua própria história e compreenderá o que lhe era impossível compreender enquanto encarnado aqui na Terra. Mas, novamente, a vida me privou da companhia de um outro amor, tempos depois, quando perdi meu querido marido André Meirelles. E, mais uma vez, a fé e a certeza de que eles vivem, mesmo que eu não possa vê-los, foi o que me sustentou e me faz continuar meu trabalho aqui na Terra. Um dia sei que estaremos todos juntos, e procuro não lamentar nem evocar os nomes de meu filho e meu marido. Eles precisam ter paz para prosseguirem em seus aprendizados e não conseguirão sendo alimentados pela minha angústia e desespero. Isso não impede que eu pense neles e que faça minhas orações para que estejam bem e felizes. E se um dia, pela graça e permissão de Deus, eu tiver algum contato, de alguma forma, com meu filho e meu marido, serei a mulher mais abençoada do mundo. Mas saberei viver com serenidade, mesmo que esse dia não aconteça como imagino, porque sei que os dois, sempre que lhes for permitido, estarão ao meu lado e de meus filhos. Acreditem, quando vocês, que perderam pessoas amadas, sentirem uma grande paz no coração, um momento que aquece a alma, ou sentirem um perfume familiar, ou tiverem uma boa ideia, saibam que podem ser seus entes queridos se comunicando como lhes é possível. Se prestarem atenção, perceberão que não estamos sozinhos e que aqueles a quem amamos estarão sempre ao nosso lado. E, acreditem, aqui, em uma Nova Esperança, a felicidade será resgatada!

Os aplausos e as lágrimas de emoção encerraram o discurso!

Mas talvez a maior emoção tenha sido a sentida por Juliano ao ver, ao lado de Viviane durante todo o discurso, seus pais, que a tudo acompanhavam com alegria. Ao voltar da viagem, Maysa começou a frequentar o centro espírita ao lado do marido e decidiu trabalhar como voluntária na Nova Esperança. Assim, um novo tempo começou para toda a família.

Epílogo

Havia um imenso jardim e a bela natureza se estendia até onde a vista podia alcançar. Um perfume de verbena se espalhava no ar e havia flores de todos os tipos e cores contrastando com o verde das dezenas de ciprestes, que ofereciam beleza e sombra.

André e o mentor caminhavam enquanto conversavam. André comentou algo novo sobre sua percepção visual:

— Engraçado, agora estou reparando que as cores estão mais vibrantes, mais vivas e intensas. Nunca havia percebido que elas eram assim.

O mentor sorriu e respondeu:

— E não eram, ou melhor, como espírito encarnado você não conseguia ver a realidade das cores. O corpo físico causa inúmeras limitações e não se pode apreciar a verdadeira beleza. Agora, liberto dessas amarras, você tem a percepção visual verdadeira.

Assim que ele acabou de falar, uma música maravilhosa começou a tocar em algum lugar que André não identificou. Conseguiu perceber som de flautas, violinos, mas não via quem os tocava. A melodia era tão espetacular que ele chorou de emoção enquanto dizia:

— Nunca ouvi algo parecido. É lindo demais.

— Assim como a visão, a audição agora lhe permite captar toda a beleza em sua mais pura essência.

— Eu não saberia descrever tanta beleza. Posso apenas senti-la.

— É assim mesmo. Você ainda vivenciará muitas outras experiências incríveis enquanto estiver aqui.

André ficou pensativo e disse em seguida:

— Nós, espíritos, quando encarnados, não temos noção de nossa ignorância. Agora percebo isso. O quanto o ser humano é pequeno diante de

Deus e Suas maravilhosas obras, diante de Sua palavra. Quando encarnados, temos o hábito de nos agarrarmos à matéria como se ela fosse o sentido da existência. As pessoas não se preocupam com o ser, mas sim com o ter. Quanto mais possuem bens materiais, mais se consideram dignas e poderosas.

— É verdade! Mas graças a Deus muitos dos espíritos encarnados estão começando a acordar querendo conhecer e aprender sobre a continuidade da existência, no plano espiritual. Muitos já buscam esses conhecimentos por meio dos milhares de centros espíritas espalhados pelo planeta, e uma legião de anjos tem trabalhado para fortalecer essas almas.

Mais uma vez um rápido silêncio e André perguntou:

— Desde que eu o conheci, Fernando já se referia a você como "o mentor". Você tem um nome?

O outro riu ao responder:

— Claro que tenho um nome. Meu nome é Samael.

André riu também e falou:

— Bacana! Gostei. Acho bom poder chamá-lo pelo nome, Samael. Você está aqui há muito tempo?

— Muito, muito tempo.

— Sabe, estive pensando, como estará minha família? Muitas vezes fico aflito, gostaria de vê-los, poder ajudar em algo que precisem.

— André, no momento você tem de se preocupar em estudar, se fortalecer e se desapegar de alguns resquícios de sua vida na Terra.

— Não entendi!

— Enquanto você estiver com os sentimentos muito ligados à sua experiência terrena, você poderá sofrer caso veja alguém a quem ama sofrendo também.

— Mas quem sabe eu posso ajudar?

— Não poderá, e sua angústia poderá gerar problemas aos que ainda estão encarnados. Você precisa estudar muito, refinar seus sentimentos e, quando estiver pronto, aí sim, poderá vê-los com mais frequência e ajudá-los.

— Fernando reencarnou como meu filho. Quando penso nisso, acho estranho, mas fico muito feliz.

— Essa foi a maneira que ele encontrou de se redimir diante de tanto sofrimento que causou a vocês. Um filho é a maior alegria que uma pessoa pode ter na vida, e poder ser a razão dessa felicidade faz com que o espírito de Fernando encontre paz e prossiga em seu aprendizado.

— Eu também terei de reencarnar em algum momento. Poderei escolher minha missão também?

— A cada nova existência, André, o espírito caminha um pouco mais em direção ao progresso. Quando o espírito se liberta do corpo físico, ele começa a ter consciência de toda sua existência até sua última passagem pela Terra. Tem condições de reavaliar sua atitudes e seus sentimentos. Por meio dessa análise e dos estudos que adquire a cada passagem pelo plano espiritual, ele cria cada vez mais condições de se aprimorar. Cada vez que retorna, segue com uma missão para colocar em prática tudo o que aprendeu. Você poderá, com autorização superior, decidir em que circunstâncias vai querer vivenciar sua próxima encarnação. Se forem justas e adequadas para seu aperfeiçoamento, se suas razões forem nobres, você terá seu desejo atendido.

— Eu gostaria de poder fazer alguma coisa por Lílian. Fiquei muito impressionado com o que Fernando me contou. O que vai acontecer com ela, Samael? Deve estar sofrendo horrores que nem sequer ouso imaginar.

Samael suspirou:

— Pobre Lílian! De fato, você não iria querer saber, muito menos ver as circunstâncias nas quais ela se encontra. O que vai acontecer depende apenas dela.

— Como assim? Eu soube que ela foi escravizada pelo marido e um outro espírito muito perverso.

— Eles conseguiram o domínio sobre ela porque ela assim o permitiu. Quando decidiu se aliar às forças do mal para se vingar de você, ela abriu o caminho para que eles a explorassem. Ela se achava muito esperta, mas o outro, a quem chamam de líder, era muito mais sagaz e forte. Ele a usou e continuará usando enquanto ela alimentar o ódio deles com o ódio que carrega no próprio coração.

— Mas não podemos resgatá-la? Sinto que sou culpado por tudo o que ela está passando.

— Ela não quer ser resgatada. Apesar de estar sendo escravizada e barbarizada, não só pelo marido e pelo outro, mas por muitos que se aliam a eles para se divertirem com o sofrimento dela, em outros momentos eles permitem que ela os ajude a infligir os maiores sofrimentos a espíritos mais fracos. E ela gosta, porque acha justo. Se ela sofre, outros também devem sofrer. Ela ainda se sente vítima de você e do mundo que não a compreendia. Enquanto pensar assim, enquanto não avaliar sua postura com sinceridade e coragem, prosseguirá nessa existência movida pela bestialidade. Não adianta querer ajudá-la agora. Mas tenha certeza de que existem equipes de assistência que a acompanham. Assim que ela demonstrar que quer evoluir, que quer perdoar e ser perdoada, as equipes vão resgatá-la.

— E para onde vamos? Aprendemos e reencarnamos com que sentido?

— Por meio das inúmeras existências, o espírito evolui, e quando chegar ao nível de primeira ordem, o nível dos espíritos puros, ele não sofre mais nenhuma influência da matéria. Será possuidor de uma superioridade intelectual e moral absolutas em relação a outros espíritos, e aí estará em condições de cumprir várias missões em favor do bem da humanidade. Nada será capaz de alterar seu estado de felicidade plena. Poderá ver as misérias humanas de todos os tipos, mas não se deixará influenciar por elas e isso lhe dará condições de servir por meio dos desígnios de Deus. Será um mensageiro, um ministro de Deus.

— Sabe, eu gostaria de poder ajudar Viviane na instituição que ela fundou. Você me mantém informado sobre algumas coisas, e achei essa iniciativa dela maravilhosa. Lembro nitidamente quando ela me procurou no escritório para falar a respeito de sua ideia. No início era apenas um *site* na internet; agora, é esse empreendimento grandioso.

— Você poderá ajudá-la sim, no momento certo. Uma das primeiras coisas que deve aprender enquanto estiver aqui é a ter paciência!

Ambos riram e continuaram a caminhar e conversar. Até que André, depois de muito tempo, criou coragem para fazer a pergunta que mais lhe afligia o coração:

— Samael, perdi a noção, não sei há quanto tempo estou aqui.

— O tempo aqui não é o tempo que você vivia na Terra. Diante da eternidade, o tempo não é nada.

— Mas queria saber quando poderei ver meu menino, meu Tiago.

— Deus enviará o sinal quando chegar a hora. Pode ser quando você menos espera.

Sentaram-se em um banco à beira de um riacho lindo repleto de carpas. André, enquanto ouvia as palavras de Samael, distraía-se observando os peixes.

De repente, Samael levantou-se e disse:

— Preciso ir agora. Mais tarde nos veremos. Estou sendo chamado com urgência.

— E eu, o que faço? Vou ficar aqui?

— Alimente as carpas. Elas me parecem famintas.

— Mas alimentá-las com o quê? Não tenho nada aqui.

— Suas necessidades sempre serão atendidas se observar com atenção.

Dizendo isso, Samael desapareceu, deixando André sozinho e sem saber o que fazer. Quando ele se virou, viu, bem ao seu lado, repousando na grama, um pequeno saco de tecido muito bem arranjado e fechado com uma fita. Curioso, pegou o objeto e abriu com cuidado. Não pôde deixar de sorrir quando, ao examinar o interior, viu que estava cheio de comida em pó para peixes.

Não sabe por quanto tempo ficou ali alimentando aquela turma cuja fome parecia não ter fim. Até que, em determinado momento, sentiu o vento soprar mais forte. Era um frescor intenso e agradável. André levantou-se, abriu o braços, fechou os olhos e deixou que o vento varresse seu corpo, com a sensação de que levava com ele todo o sofrimento e as angústias que um dia sentira.

Foi então que percebeu, em um instante que abriu os olhos, uma luz que brilhava intensamente no horizonte. Abaixou os braços e ficou atento, percebendo que ela se aproximava dele. Era uma luz que oscilava entre várias tonalidades, entre azul, violeta, branco e amarelo. Conforme chegava mais perto, mais forte ficava. Era linda, e André não conseguiu desviar o olhar. Estava curioso e quase hipnotizado. Quando bem próxima, André escutou:

— Papai! Papai!

O susto o tirou do transe. Bem do meio da luz surgiu Tiago correndo, de braços abertos, em sua direção:

— Tiago? Meu filho?

Sem pensar, André começou a correr também em direção a ele, e quando se encontraram, jogaram-se nos braços um do outro. Um abraço que extravasava toda a saudade e o amor que havia entre eles.

Ambos choravam de alegria e André, depois de alguns minutos apenas querendo sentir o calor do filho novamente, falou:

— Meu filho, como você está bonito! Parece maior, está um rapaz. Meu Deus, muito obrigada por me dar essa felicidade.

— Papai, queria tanto encontrá-lo, mas sabia que tinha de esperar estarmos prontos. Agora, papai, ficaremos juntos por muito tempo. Tenho muitas coisas para lhe mostrar. Aqui é um lugar maravilhoso, fiz muitos amigos e aprendi muita coisa bonita!

— Quero ver tudo, filho. Estarei sempre ao seu lado.

André soltou um suspiro e começou a chorar novamente, mas havia tristeza em suas lágrimas. Tiago segurou a mão do pai e perguntou:

— O que houve, papai? Por que ficou triste?

— Queria muito que sua mãe e sua irmã pudessem estar com você, assim como eu. Elas sentem tanto sua falta!

— Fique tranquilo, papai. Mamãe e Marília aprenderam muito também. Agora já sabem que eu não morri e você também não. Sempre recebo lindas energias enviadas por elas e sempre que posso também envio minhas energias para elas. E sei que elas as recebem. Você vai aprender a fazer isso também, papai. Vai ver como é bom.

— Você me ensina, meu filho? Quero aprender como posso ficar um pouco mais próximo dos amores de minha vida.

— Vou lhe ensinar sim, papai. Nós dois vamos estudar bastante para proteger e ajudar mamãe, Marília e Arthur a terem uma vida muito feliz. Até o dia em que estaremos juntos novamente.

Houve um outro grande abraço emocionado. Pai e filho começaram a caminhar de mãos dadas, seguros de que a vida ainda lhes daria muitas oportunidades de crescer e ser felizes e, dessa forma, levar a felicidade a todos os que cruzassem o seu caminho.

FIM

Saulo

Leia os romances psicografados pelo médium Maurício de Castro

Pelo espírito Hermes

Nada é para sempre

A trajetória de Clotilde em sua busca por dinheiro e ascensão social.

Herdeiros de nós mesmos

Esta emocionante história nos mostra a consequência do apego aos bens materiais, trazendo valiosas lições e ensinamentos.

Ninguém lucra com o mal

A vida de Ernesto se transforma a partir de um acidente automobilístico que arrebata a vida de sua mulher e suas duas filhas.

Sem medo de amar

Como renunciar a um grande amor em nome do dever, quando esse sentimento pulsa tão forte dentro de seu coração?

O preço de uma escolha

A partir de um triângulo amoroso desenrola-se este envolvente enredo, com revelações inesperadas, surpresas e um grande mistério que mudarão completamente o rumo da vida de todos.

Donos do próprio destino

Um romance que aborda o adultério, amor sem preconceito, vingança, paixão e resignação, mostrando-nos que todos nós somos donos do nosso próprio destino e responsáveis por tudo o que nos acontece.

Pelo espírito Saulo

Ninguém domina o coração

Um enredo cheio de suspense, vingança e paixão, no qual descobrimos que ninguém escolhe a quem amar, mas que o caminho do verdadeiro amor deve sempre ser preenchido pelo perdão incondicional.

Obras da médium
Vera Lúcia Marinzeck de Carvalho

espírito Antônio Carlos

Amai os Inimigos

O empresário Noel é traído pela esposa. Esse triângulo amoroso irá reproduzir cenas do passado. Após seu desencarne ainda jovem, Noel vive um novo cotidiano na espiritualidade e se surpreende ao descobrir quem era o amor de sua ex-esposa na Terra.

Escravo Bernardino

Romance que retrata o período da escravidão no Brasil e apresenta o iluminado escravo Bernardino e seus esclarecimentos.

Véu do Passado

Kim, o "menino das adivinhações", possui intensa vidência desde pequeno e vê a cena da sua própria morte.

O Rochedo dos Amantes

Um estranha história de amor acontece no litoral brasileiro num lugar de nome singular: Rochedo dos Amantes.

Um Novo Recomeço

O que fazer quando a morte nos pega de surpresa? Nelson passou pela experiência e venceu!

O Caminho de Urze

Ramon e Zenilda são jovens e apaixonados. Os obstáculos da vida permitirão que eles vivam esse grande amor?

A Órfã Número Sete

O investigador Henrique queria prender um criminoso... Alguns espíritos também...

espíritos Guilherme, Leonor e José

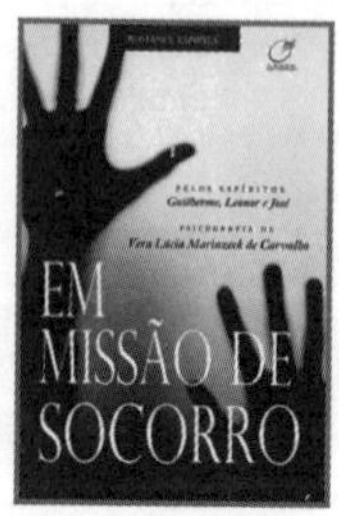

Em Missão de Socorro

Histórias de diversos resgates realizados no Umbral por abnegados trabalhadores do bem.

espírito Rosângela (infantil)

O Pedacinho do Céu Azul

História da menina cega Líliam cujo maior sonho era ver o céu azul.

Leia estes envolventes romances do espírito Margarida da Cunha
Psicografia de Sulamita Santos

Doce Entardecer

Paulo e Renato eram como irmãos. O primeiro, pobre, um matuto trabalhador em seu pequeno sítio. O segundo, filho do coronel Donato, rico, era um doutor formado na capital que, mais tarde, assumiria os negócios do pai na fazenda. Amigos sinceros e verdadeiros, desde jovens trocavam muitas confidências. Foi Renato o responsável por levar Paulo a seu primeiro baile, na casa do doutor Silveira. Lá, o matuto iria conhecer Elvira, bela jovem que pertencia à alta sociedade da época. A moça corresponderia aos sentimentos de Paulo, dando início a um romance quase impossível, não fosse a ajuda do arguto amigo, Renato.

À Procura de um Culpado

Uma mansão, uma festa à beira da piscina, convidados, glamour e, de madrugada, um tiro. O empresário João Albuquerque de Lima estava morto. Quem o teria matado? Os espíritos vão ajudar a desvendar o mistério.

Desejo de Vingança

Numa pacata cidade perto de Sorocaba, no interior de São Paulo, o jovem Manoel apaixonou-se por Isabel, uma das meninas mais bonitas do município. Completamente cego de amor, Manoel, depois de muito insistir, consegue seu objetivo: casar-se com Isabel mesmo sabendo que ela não o amava.O que Manoel não sabia é que Isabel era uma mulher ardilosa, interesseira e orgulhosa. Ela já havia tentado destruir o segundo casamento do próprio pai com Naná, uma bondosa mulher, e, mais tarde, iria se envolver em um terrível caso de traição conjugal com desdobramentos inimagináveis para Manoel e os dois filhos, João Felipe e Janaína.

Laços que não se Rompem

Em idos de 1800, Jacob herda a fazenda de seu pai. Já casado com Eleonora, sonha em ter um herdeiro que possa dar continuidade a seus negócios e aos seus ideais. Margarida nasce e, já adolescente, conhece Rosalina, filha de escravos, e ambas passam a nutrir grande amizade, sem saber que são almas irmanadas pelo espírito. O amor fraternal que sentem, e que nem a morte é capaz de separar, é visível por todos. Um dia, a moça se apaixona por José, um escravo. E aí, começam suas maiores aflições.

Os Caminhos de Uma Mulher

Lucinda, uma moça simples, conhece Alberto, jovem rico e solteiro. Eles se apaixonam, mas para serem felizes terão de enfrentar Jacira, a mãe do rapaz. Conseguirão exercitar o perdão para o bem de todos? Um romance envolvente e cheio de emoções, que mostra que a vida ensina que perdoar é uma das melhores atitudes que podemos tomar para a nossa própria evolução.

O Passado Me Condena

Osmar Dias, viúvo, é um rico empresário da indústria plástica. Os filhos, João Vitor, casado, forte e independente, é o vice-diretor; e Lucas, o oposto do irmão, é um jovem, feliz, alegre e honesto. Por uma fatalidade, Osmar sofre um AVC e João Vitor tenta de todas as maneiras abreviar a vida dele. Contudo, depois de perder os seus bens mais preciosos, João se dá conta de que não há dinheiro que possa desculpar uma consciência ferida. E ele terá um grande desafio: perdoar-se sem olhar para os fios do passado.